金聖鍾 推理文學全集 2

살인 혐의로 억울하게 옥살이한 한 사나이의 출옥과
함께 사건은 시작된다……

우리시대의 가장 대표적인 희생자로 비극적 최후를
마치는 그의 모습에 모든 독자들은
비통과 통분으로 가슴을
치고 울고야 말 것이다!!

下

최후의 증인

도서
출판 남도

차 례

최후의 증인(하)

序—

金聖鍾 兄이 첫번째로 펴내는 장편소설의 序를 대신하면서 두 가지의 늘진긴 감회를 느끼게 된다.

하나는, 이런 머릿글을 적음이 예절의 상도가 못 되는 내 허전한 문력의 나이테를 짠하게 생각하는 입장이고, 또 하나는, 더 훌륭한 선도들의 머릿글을 얼마든지 쉽게 얻어 실을 수도 있으련만 굳이 이 미천한 사람의 부끄러운 용기를 우려내려는 그의 산 같은 정리에 감복하는 입장이다.

《산같은 정리》라는 말을 써 봤거니와, 金聖鍾 兄의 인간적인 결은 독특한 정리의 바윗장으로 쌓아 올린 태산의 준엄한 품을 생각케 하고, 그의 인간이 행도하는 문학은 창의의 수련에 혈한 의 氣勝을 떨치는 매웁디 매운 침묵의 두께를 생각케 한다.

金聖鍾 兄을 겉보는 세상사의 흔한 눈들은 그를 불러 〈턱없이 좋은 사람〉이라 간단히들 말하지만, 그의 肉水骨枝의 틈과 마디에 만적한 진실의 응혈을 아는 이는 드물다. 내가 장담할 수 있는 것은 그가 떠받들고 섰는 正義의 中心과 眞實의 핵심, 그 찬찬한 志格이 개화하는 旌表의 앞날이다.

정리는 휴지와 같고 의리는 홍모와 같고 은혜는 어전의 떨이 생선만도 못한 난감한 인간사에, 기왕 원오의 차근한 눈길을 접어거둔 金聖鍾 兄이, 모처럼 건강하고 건필하여 그 감내의 요적한 현실을 揭帆의 힘찬 부두로 하기를 바라는 마음 핏빛같다.

1977年 1月 河童萬歲川에서

千 勝 世 識

두번째 진술

그 나이에 무슨 죄가 있어서 그런 일을 당했는지…… 지금 생각해도 소름이 끼쳐요. 아버님을 원망할 수밖에 없지요. 어쩌자고 저를 산에 데려다 놓고 먼저 세상을 떠나셨는지, 정말 아버님이 저주스러워요.

자수하기까지의 이야기는 들으셨다니까 그럼 그 다음부터의 이야기를 말씀드리겠어요.

저와 황바우님은 자수한 지 며칠만에 경찰서에서 풀려나왔어요. 사실 따지고보면 우리는 모두 다 공비들의 희생물이었다고 볼 수 있었기 때문에 아무 혐의도 없이 석방되었던 거예요. 자수하기 전에 한동주를 칼로 찌른 바우님의 행동이 문제가 좀 되었지만 그것은 자수를 하기 위해서 어쩔 수 없이 저지른 정당방위로 인정되어 아무 영향도 받지 않았어요.

석방 후에 저는 정신이상으로 얼마 동안 병원에 입원해 있다가 퇴원했어요. 그때 경찰이 저에게 어디로 가겠느냐고 물었어요. 저는 서슴지 않고 바우님을 따라가겠다고 말했어요. 저의 앞길을 걱정하던 경찰로서는 잘되었다고 생각했을 거예요.

제가 바우님을 따라 들어가 한 집에서 살게 되었을 때 마을에서는 처음에는 호기심으로 우리를 바라보았지만 조금 지나자 아

14

무렇지도 않게 여기게 되었어요. 그때는 제가 워낙 비쩍 마른 데다가 볼품없게 생겼기 때문에 동네 총각들마저도 거들떠보지 않았어요. 이렇게 주위 사람들의 관심이 없어져서 저와 바우님은 오히려 더욱 안심하고 살 수가 있게 되었지요. 우리 사이는 나이 차이가 20년 이상이나 되었지만 정이 들면서부터는 그런 것은 아무렇지도 않았어요. 특히 저의 입장에서 볼 때 바우님밖에는 믿을 사람이 없었어요. 그분의 우직하면서도 순박한 성품은 아무리 믿어도 부족할 것 같았어요. 공비들에게 당할 대로 당해 공포증에 걸려 있던 저는 바우님과 생활하면서부터는 그러한 감정도 모두 잊을 수 있었고, 비록 결혼식은 올리지 않았지만 한 남성의 부인으로서 단란하게 지낼 수 있었어요. 우리는 사랑스럽게 부부 관계를 이루어 나갔어요. 그러나 이러한 행복 속에서도 저는 한 가지 고민을 가지고 있었어요. 그것은 바우님과 관계를 갖기 전에 이미 제 뱃속에 잉태되고 있었던 새 생명 때문이었어요. 그것은 제일 먼저 저의 몸을 빼앗은 강만호의 씨였어요. 강만호가 먼저 그런 짓을 했기 때문에 저는 그 뒤부터 공비들에게 마구 짓밟혔던 거예요. 저는 배가 불러옴에 따라 초조하고 증오스러운 나머지 함부로 몸을 굴리고 자신을 학대하기도 했지만 아기는 좀처럼 떨어지지가 않았어요. 하는 수 없이 저는 병원에 가서 수술을 해버리려고 마음먹었어요. 그러나 바우님이 한사코 반대를 했어요. 그분은 제가 움직이는 것을 싫어한 나머지 부엌 일까지 도맡아 하다시피 했어요. 이러한 바우님의 기쁨을, 저는 차마 거역할 용기가 나지 않았어요. 만일 제가 아기를 끊어버리기라도 한다면 우리들 가정에 불행이 닥칠 것만 같았어요. 저는 결국 아기 아버지가 당신이 아니라는 말도 못했어요. 이미 자기 자식이라고 생각하고 있는 바우님의 그 하늘 같은 믿음에 감히 금이 가게 할 수가 없었던 거예요.

우리가 동거생활을 시작한 지 3개월만엔가 저는 마침내 그 저주스런 아기를 낳았어요. 아들이었지요. 웬만한 사람 같으면 달수만 쳐봐도 자기 자식이 아니란 것을 알 텐데, 바우님은 그렇지가 않았어요.

알면서도 모른 체했는지, 정말로 몰랐는지, 아무튼 그분은 제가 아들을 낳자 무척 기뻐했어요.

바우님은 기쁜 나머지 가는 곳마다 아들 자랑을 늘어놓곤 했지요. 그러나 마을 사람들은 벌써부터 쑤군거리기 시작했어요. 그 아기가 바우님의 자식이 아니라는 것을 그들은 상식적으로라도 알고 있었던 것이지요. 그러한 소문이 바우님의 귀에 안 들어갈 리 없지요. 그러나 그럴수록 바우님은 더욱 저와 아기를 사랑했고, 남의 이야기 따위에는 전혀 아랑곳하지 않았어요. 이러한 바우님의 태도에 대해서 마을 사람들은 처음에는 어처구니없어 했지만 나중에는 그분의 순박한 인간다움에 감동한 나머지 쓸데없는 말들은 삼가하게까지 되었어요. 그리고 나중에는 그들마저도 그 아기가 바우님의 자식이라고 믿게 되었어요.

그 후, 저는 아버님이 남겨주신 보석을 모두 찾게 되어 세상 사람들이 깜짝 놀랄 만큼 부자로 살게 되었어요. 참, 그 보석을 찾게 된 데 대해서 한 가지 빼놓을 수 없는 게 있어요. 다른 게 아니라 양달수 씨가 도와준 사실이에요. 아버님은 생전에 보석을 산 속에 묻어 두었기 때문에 우리는 그걸 찾으려면 산으로 들어가야 했어요. 그런데 그때 지리산에는 아직도 공비가 몇 명 남아 있었기 때문에 일반 사람들의 출입이 금지되어 있었어요. 그래서 바우님과 상의 끝에 마음이 안 내키는 일이었지만, 하는 수 없이 우리는 양씨한테 그것을 찾아주도록 부탁했지요. 양씨는 청년단장이었기 때문에 산에는 마음대로 출입할 수가 있었어요. 부탁을 받자 그 사람은 기다렸다는 듯이 기꺼이 앞장서서 나섰어요. 그렇게 해서 황바우님과 양씨, 그리고 경찰관 한 명, 그밖에 지리를 잘 아는 마을 사람 한 명, 이렇게 네 사람이 종이에 그려진 대로 그것을 찾으러 갔었지요. 그리고 무사히 돌아왔어요.

생활이 유복해지자 저는 몸도 낫고 하여 본래의 모습을 찾게 되었어요. 그러나 저와 바우님과의 행복한 생활은 그리 오래 가지 못했어요.

어느날 느닷없이 경찰이 나타나 바우님을 지서로 연행해갔고, 그때부터 비극이 시작되었던 거예요. 제가 어떻게 손 쓸 틈도 없이 바우님은 지서에서 본서로 옮겨졌고, 이틀 후에는 서에서도 사라져버렸어요. 저는 당황해서 우선 지서에 가서 알아보았어요. 주임이 저에게 들려준 말은 청천벽력이었어요.

「한동주란 사람 알지요? 자수할 때 황씨가 칼로 찌른 사람 말이오. 그 사람이 지금까지 그 상처 때문에 앓다가 얼마 전에 결국 죽고 말았어요. 그러자 그 가족들이 억울하다고 해서 고소를 한 모양이오. 그렇지만 별 문제는 없을 거요. 처음에 우리가 그건 조사했던 바고, 황바우가 죄가 없다는 건 다 아는 사실이니까 염려는 하지 마시오. 아마 조사만 끝나면 곧 돌아올 거요.」

그러나 며칠이 지나도 바우님은 돌아오지 않았어요. 그래서 저는 이번에도 청년단장 양달수를 찾아가 사정을 호소했어요. 그러자 그 사람은 돈이 좀 들 거라고 했어요.

그래서 저는 바우님을 석방시키기 위해서 양단장에게 돈을 마련해 주기 시작했어요. 바우님을 살리기 위해서라면 무슨 일이라도 할 생각이었으니까요. 양단장은 자기 일도 아예 젖혀놓고 바우님 일에 매달렸어요. 양씨가 어찌나 열심으로 뛰어다니는지 나는 오히려 미안한 생각이 들 정도였으니까요.

그때 바우님은 광주(光州)에서 조사를 받고 있었어요. 그래서 양단장은 거의 광주에서 살다시피 했지요.

양단장의 열의에 저는 너무 고마움을 느꼈기 때문에 그가 요

청할 때는 조금도 의심하지 않고 서슴없이 돈을 내주곤 했어요.
그러나 한 달이 가도 석방되지를 않았어요. 그때마다 양씨는
　「가만 있어요. 일이 좀 복잡해져서 그러니까 좀 기다려요. 이
　런 일일수록 침착하게 마음을 가라앉혀서 해야지, 너무 서둘
　러대다가는 오히려 되는 일도 안되는 수가 있으니까. 서두
　른다고 되는 것도 아니고……」
하면서 저를 달래곤 했어요.
　그때는 비상계엄도 풀리고 해서, 한편으로는 양씨의 말대로
마음이 놓이기도 했어요. 아무래도 계엄 하에서 그런 일을 당하
면 물어보나마나 엄벌에 처해질 것은 뻔한 이치니까 말이에요.
누가 뭐라 해도 바우님은 사람을 죽이지 않았습니까. 이유야 어
떻든 큰 죄를 지은 것만은 틀림없으니까요.
　그런데 다시 또 얼마가 지나자 바우님이 재판을 받게 되었다
는 소문이 들려왔어요. 무사히 풀려나올 줄 알았던 저는 그만
깜짝 놀랐어요. 그래서 양단장이 광주에서 오기를 기다려, 어떻
게 된 일이냐고 물어보았어요. 그러자 양단장은
　「이렇게 된 이상 할 수 없소. 재판을 받게 되었으니까 그리 알
　고, 징역이나 적게 받도록 힘써 봅시다. 차라리 재판을 받고
　떳떳이 지내는 게 나을지도 몰라요. 유명한 변호사가 한 사람
　있으니까, 그 사람한테 부탁을 해봅시다.」
하고 말하는 거였어요.
　저는 뭐가 뭔지 아리송해지기만 했어요. 나어린 제가 뭘 알았
겠어요? 바우님을 면회라도 하고 싶었지만 양씨 말이 아직은
면회가 안된다는 거였어요. 그래서 할 수 없이 기다렸다가 재판
이 열리는 날에야 광주로 가서 겨우 바우님을 면발치에서나마
볼 수가 있었어요. 바우님은 몰라보게 여위어 있었고 퍽 늙어
보였어요. 그분은 제가 앉아 있는 쪽을 자꾸만 뒤돌아보곤 하
셨는데, 저는 눈물이 마구 쏟아져서 그분을 똑바로 바라볼 수

가 없었어요.

　그런데 담당 검사의 말은 더욱 저를 놀라게 해주었어요. 김검
사라고만 알고 있는데, 그 사람은 바우님을 처음부터 끝까지 공
비들에게 자진해서 부역한 빨갱이라는 거였어요. 그리고 자기
의 죄를 은폐하기 위해 바우님이 한동주(韓東周)를 찔렀다는 거
예요. 그때 사용했던 칼, 또 한동주의 시체를 검증한 의사의 사
망확인서…… 이런 것들을 증거로 내놓으면서 말이에요. 그러나
그때는 나이도 어린데다가 제 과거 때문에 더럭 겁이 났고, 더
구나 법정이었기 때문에 감히 앞으로 나서서 말할 수가 없었어
요.

　이상한 것은 김검사가 바우님에 대해서 혼자 일방적으로 판
단을 내려버린 사실이었어요. 그때는 그저 무섭기만 해서 곰곰
이 따져볼 여유가 없었지만, 지금 가만히 생각해 보면 억울한
점들이 너무 많았어요. 바우님이 빨갱이가 아니라는 것은 모든
사람들이 다 아는 사실이고, 또 왜 바우님이 한동주를 칼로 찌
르지 않을 수 없게 되었는가 하는 것은 그 누구보다도 강만호 씨
가 잘 알고 있는 사실이었어요. 만일 김검사가 이런 사람들을
단 한 사람이라도 불러다가 옳게 이야기를 들었다면 바우님을
그렇게 혹독한 말로 빨갱이라고 몰아칠 수는 없었을 거예요.

　그러나 무슨 이유에선지 김검사는 가장 중요한 증인이라고 할
수 있는 강만호 씨 같은 사람의 이야기를 전혀 듣지 않은 것 같
았어요. 물론 그때 강만호 씨는 얼마 동안 옥살이를 하고 있는
중이었기 때문에 증인으로 불러 오기에는 좀 어려움이 있었겠지
만, 한 사람의 목숨을 재판하는 데 있어서 그런 번거로운 절차
쯤이야 무슨 상관이 있겠어요.

　김검사라는 사람은 한동주가 죽었다는 사실, 바로 그 사실 하
나에만 너무 집착하고 있는 것 같았어요. 때문에 거기에 따른
사실들에 대해서는 별로 눈을 돌리지 않았던 모양이에요.

한편으로 생각하면, 그때의 시국이 또 어수선했기 때문에 사건을 하나하나 자세히 캐어내가면서 조사할 겨를이 없었을지도 몰라요. 그때는 전쟁도 끝나가고 빨리 사회 질서를 잡아나가야 할 때였기 때문에 그와 같은 사건들을 한꺼번에 묶어서 신속히 처리해야 되었을 거예요. 3년 동안이나 계속된 전쟁이었으니, 거기서 생겨난 사건이 좀 많았겠어요. 바우님도 결국은 전쟁 때문에 그렇게 된 게 아니겠어요.

그러나 아무리 시국이 어수선하다고 하지만 그러한 이유 때문에 재판이 소홀히 다루어지고 결국 죄 없는 사람이 억울하게 죄를 뒤집어써서야 되겠습니까.

저는 두번째 공판 때도 나가보았어요. 그러나 저의 기대는 산산히 무너지기만 했어요. 양씨가 내세운 변호사에게 저는 기대를 걸어 보았지만 그 사람은 정말 엉터리였어요. 증인을 내세울 생각도 하지 않은 채 마치 자기가 죄를 지은 듯이 허리를 굽신거리면서 연방 관대한 처분을 바란다고만 말했어요. 양씨만 하더라도 비록 바우님이 그런 일을 저지른 현장을 목격하지는 않았다지만 증인으로 나서서 어느 정도까지는 변호할 수가 있었을 거예요. 그러나 웬일인지 도무지 그럴 기색들을 보이지 않았어요. 아무것도 모르는 제 눈에는 그것이 너무 이상하게 보였기 때문에 나중에 양씨와 함께 변호사를 만났을 때 저는 그 이유를 물어보았어요. 그랬더니 변호사는 당황한 얼굴로 이렇게 말하는 거였어요.

「일단 변호사한테 사건을 일임했으면 그대로 가만 있으시오. 내가 그런 걸 몰라서 잠자코 있는 게 아니란 말이오. 지금 이 판에 그런 증인들을 내세워봤자 잘못하다가는 오히려 손해를 봐요. 김검사라는 사람이 워낙 매섭기 때문에 그 사람 유도심문에 걸리면 혹 떼러 갔다가 혹 붙여가지고 나오게 돼요. 그저 법정에서는 잘못했다고 해두고 나서 다음에 사사로 만나서 부탁하는 수밖에 없어요. 더구나 사건이 살인사건인데다가 빨갱이 혐의까지 받고 있으니, 보통 어려운 일이 아니란 말이오.」

늙고 **삐삐** 마른 그 변호사는 법정에서 굽신거리던 것과는 달리, 안경까지 벗어 흔들면서 자신있게 말하는 거였어요. 그러자 양씨도 거기에 맞장구를 쳤어요.

「옳은 말씀이십니다. 그 따위 증인들 백 명을 데려다 놓은들 무슨 소용이 있겠습니까. 선생님 말씀 한마디가 훨씬 효과가 있지요. 아직 아무것도 몰라 놔서……」

양씨의 말마따나 저는 정말 아무것도 몰랐어요. 그렇게 듣고 보니 그들의 말이 옳은 것 같았고, 그래서 그 뒤부터는 잠자코 지켜보는 수밖에 없었어요.

만일 지금 같았으면 저 한 사람이라도 절차를 밟아서 증언에 나섰을 거예요. 그러나 그때로서는 변호사와 양씨의 말이 저를 꼼짝 못하게 해놓았기 때문에 저는 감히 그럴 엄두도 내지를 못했어요.

그러다가 저는 문득 한 가지 남모른 생각을 하게 됐어요. 아무도 몰래 제가 직접 검사를 만나서 사실을 이야기하는 게 어떨까 하는 생각이었어요.

그래서 저는 혼자서 김검사를 찾아갔어요. 김검사 사무실 밖에 서 있자니, 많은 사람들이 정신없이 들락날락하는 게, 그 안에서는 몹시 바쁜 거 같았어요. 가끔씩 간수들이 수갑을 찬 죄수들을 밧줄에 나란히 묶어 가지고 오가는 것도 보였어요. 그 속에 혹시 바우님이 계시지나 않을까 해서 저는 찬찬히 그들을 살펴 보았지만, 바우님은 보이지 않았어요. 밧줄에 묶여 고개를 숙이고 지나가는 죄수들은 하나같이 불쌍해 보였어요.

저는 아기를 업고 갔는데 아기가 갑자기 우는 바람에 어떤 사람한테 떼밀려 복도에서 밖으로 쫓겨났어요. 생각 끝에 저는 어

느 가게 아주머니에게 돈을 좀 주고 아기를 보아달라고 부탁했
어요. 그런 다음 저는 다시 김검사 사무실 앞으로 갔어요.

그렇지만 저는 감히 그 안으로 들어갈 용기가 나지 않았어요.
그래서 그 밖에서 한참 동안 머뭇거리고 있자니까, 안에서 어떤
중키에 잘생긴 남자가 한 사람 나왔어요. 법정에서 본 바로 그
젊은 김검사였어요. 김검사는 저를 힐끔 쳐다보면서 그대로 지
나치다가, 무슨 생각이 났던지 휙 돌아섰어요. 그리고 저한테
누구를 만나러 왔느냐고 물었어요. 그 순간 저는 눈물이 마구
쏟아져서 그를 볼 수가 없었어요. 제가 미처 말을 못 하고 있으
니까 그 사람은 어이가 없다는 듯 웃으면서 그대로 지나가 버렸
어요. 저는 정신을 가다듬고 다시 그 앞에 서 있었어요. 그리고
한참 후에 그가 다시 나타났을 때, 비로소 바우님 일 때문에
왔다고 말했어요. 그는 저를 아래 위로 훑어보더니,

「그래 ? 지금 바쁜데…… 아무튼 이리 들어와요.」
하고 말한 다음 먼저 안으로 들어갔어요. 저는 떨리는 가슴을
진정하면서 그 뒤를 따라갔어요,

그 안에는 많은 사람들이 있었어요. 맞은편 벽 쪽에는 두 사
람이 책상 앞에 버티고 앉아 있었는데, 그들은 앞에 웅크리고
앉아 있는 사람들을 향해 소리소리 지르고 있었어요. 어떤 사람
은 주먹으로 책상을 치기까지 했어요. 정말 살벌한 분위기였어
요.

김검사는 저에게 소파에 앉으라고 권했어요. 그리고는 자기
도 제 맞은편에 앉았어요. 저를 뚫어지게 바라보는 그의 두 눈
은 노리끼리한 빛이었고, 매우 날카로와 보였어요. 마흔이 채
못되어 보이는 그에게서 저는 출세길에 나선 사람의 그 자만심
과 불타오르는 욕망을 느낄 수가 있었어요.

제가 바우님과 함께 살고 있다고 말하자 그는 바우님의 딸이
냐고 물었어요. 제가 아니라고 하니까, 그럼 서로 어떤 관계냐

고 다시 물었어요. 저는 대답을 하지 못한 채 고개만 숙이고 있
었어요. 그러자 그는

「그러면 부인이시오?」

하면서 매우 놀라는 표정을 지어 보였어요. 제가 열 여덟 살이
라는 사실에 그는 더욱 놀라는 것 같았어요.

그러면서 바우님과 저와의 관계가 그렇게 되어야만 했던 그
원인이 무엇인지에 대해서 상당히 흥미를 느끼는 눈치였어요.

저는 바우님이 죄가 없다는 것을 증명하기 위해서 산에서 내
려와 자수하게 될 때까지의 사건을 이야기하지 않을 수 없었어
요. 물론 아버지를 따라 나섰다가 산에 남게 된, 제 자신의 과거
부터 이야기를 했지요. 제 말을 듣고 난 그는 얼굴에 야릇한 미
소를 띠면서 이렇게 말했어요.

「이봐요. 이유야 어떻게 되었든 사람이 죽지 않았나. 죽은
한동주가 살아나서 황바우는 죄가 없다고 말한다면 그야 들어
줄 수가 있어. 그렇지만 황바우 마누라가 나타나서 황바우는
죄가 없다고 말을 하니, 어느 바보 자식이 그런 말을 믿을 수
가 있겠어. 더구나 당신은 그 당시 제정신이 아니었으면서 말
이야.」

그의 말씨는 갑자기 거칠고 예의가 없어졌어요. 저는 잔뜩 겁
에 질려 있었지만 할 말은 해야겠다고 생각해서 다시 이렇게 말
했어요.

「저 외에도…… 바우님이 억울하다는 걸 알고 있는 사람들이
많이 있습니다. 그 분들 말씀을 들어보시면…… 바우님이 죄
가 없다는 걸 아시게 될 겁니다. 검사님, 바우님을 살려주세
요.」

말을 마치자 저는 또 소리를 죽이면서 막 울었어요. 김검사는
가만히 앉아 있다가 주먹으로 탁자를 두들겼어요.

「이봐요. 그렇게 운다고 되는 것도 아니니까 그만 울어. 여

자들은 여기 들어올 때마다 자기 남편은 죄가 없다고 하면서 잘들 울지. 그러나 나는 여자 울음 소리에 감동한다거나 하는, 그런 사람이 아니야. 당신같이 잘생긴 어떤 여자는 자기 몸을 나한테 주겠다고까지 하더군. 그래서 나는 이렇게 말했어. 자진해서 주겠다면 받겠지만, 혹시 그걸 미끼로 해서 죄를 감해 달라고 해서는 안된다고 말야. 내 말 알아듣겠소?」

저는 울다가 말고 그를 쳐다보았어요. 그는 이글거리는 눈으로 나를 잡아먹을 듯이 노려보고 있었어요. 저는 소름이 끼쳐오는 것을 느끼면서 어깨를 웅크렸어요. 그가 다시 이야기했어요. 「뿐만 아니라 당신은 그 유명한 손석진의 딸이야. 그런 신분으로 어떻게 빨갱이 변호를 할 수 있다는 거야? 당신이 아무 사고 없이 이렇게 자유롭게 살 수 있다는 것을 다행으로 알란 말이야. 그건 정말 기적이야. 그렇지만, 이번엔 당신 남편 때문에 당신도 걸려들지 몰라. 그렇게 되지 않기를 바라지만. 사람 일이란 장담할 수 있나. 그리고 당신은 황바우를 억울하다고 생각하는 사람들이 많다고 했는데 그건 내가 참고해 보기로 하겠어. 그러니 그렇게 알고 가요. 난 바쁘니까. 그리고 여기서 한 말은 다른 사람들한테 일체 말하지 말아요. 내 말 알아듣겠소?」

제가 여전히 울고 있자 그는 제 옆으로 다가와서 제 팔을 잡아 일으켰어요. 뜨거운 손길이었어요. 그 손길이 제 가슴을 스치는 것 같아서 저는 그의 손을 뿌리쳤어요. 그때 그가 뭐라고 중얼거렸지만, 저는 그곳을 급히 빠져 나오느라고 무슨 말인지 잘 알아들을 수가 없었어요.

저는 그 길로, 아기를 맡겨놓은 가게로 달려갔어요. 아기는 울다 지쳐 잠들어 있었어요. 저는 아기를 끌어안은 채 다시 한참 동안을 울었어요. 아기도 놀라 깨어 울었어요. 가만히 생각해보니, 김검사의 말은 제 입을 주먹으로 틀어막아버린 것이나 다름없는 것 같았어요.

한마디로 말해 저는 말할 자격이 없다는 것이었고, 시끄럽게 굴면 저까지 잡아넣겠다는 거였습니다. 도대체 그런 으름장이 어디 있겠습니까. 그러나 그때는 마냥 무섭기만 해서 분하다거나 억울하다는 생각은 조금도 나지 않았어요.

바우님 사건이 돌이킬 수 없을 정도로 점점 불리해진다고 생각하자 저는 거의 견딜 수가 없을 지경이었어요. 그날은 몹시 추운 날이었는데도 저는 아기를 업은 채 정신없이 거리를 쏘다녔어요. 눈물이 자꾸만 흘러내리는 바람에 제 얼굴은 지저분하기 짝이 없었어요.

한참을 그렇게 돌아다니다가 저는 어느 호수 가에 이르게 되었어요. 그 호수는 상당히 넓게 얼음이 얼어 있어서 많은 아이들의 놀이터가 되고 있었어요. 그들의 노는 모습을 보니 거기에는 전쟁이 남기고 간 상처나 불행 같은 것은 전혀 보이지 않고 오직 행복만이 있는 것 같았어요. 이 세상에서 불행한 사람은 오직 저 혼자뿐인 것 같았어요. 그 순간 저는 아기를 업은 채 물속으로 뛰어들고 싶은 충동을 느꼈어요. 저는 어지러워오는 머리를 식히려고 고개를 마구 흔들었어요. 그리고 쓰러지려는 몸을 가까스로 나무에 기댄 채 가쁜 숨을 몰아쉬었어요. 그때, 제가 여기서 죽어서는 안된다는 생각이 문득 들었어요. 제가 여기서 죽어버리면 누가 바우님을 보살펴줄까, 하는 생각이 들자 저는 죽으려고 했던 제 자신이 심히 부끄럽고 미웠어요.

그래서 그 길로 저는 곧장 집으로 내려와 있다가 다음 공판이 열리던 날 다시 광주로 올라갔어요. 그 날은 아마 세번째 공판이 열리던 날이었을 거예요.

그 날 저는 검사 측 증인으로 나온 사람의 말을 듣고는 더욱 앞길이 캄캄해지고 말았어요.

그 증인은 서른이 채 못 되어 보이는 젊은 사람이었는데, 다

름아닌, 바로 그…… 죽은 한동주의 동생되는 남자였어요. 그
사람 이름은 잘 생각이 나지 않으니까, 그냥 한씨라고만 부르겠
어요.

　그러니까 한씨는 검사가 묻는 대로 대답하곤 했는데, 그 대답
이 하나도 막히는 데가 없어 검사의 질문과 어찌나 잘 들어맞는
지 아주 얄미울 정도였어요. 특히 한씨가 한 말 중

「형님은 비록 시골에서 농사를 짓고 있었지만, 그 누구 못지
않은 애국자였습니다. 가정에서는 더할 수 없이 착실한 가장
이었습니다. 그러한 분이 불행하게도 악독한 공비들에게 끌
려가 결국 그 마수를 빠져 나오시지도 못한 채 칼에 찔려 돌아
가시고 만 것입니다. 형님은 돌아가시는 순간에, 이 원수를
갚아달라고 저의 손까지 잡고 말씀하셨습니다. 그런데도 불
구하고 제 형님을 칼로 찌른 범인은 지금까지 활개를 치며 살
아왔습니다. 그러나 늦게나마 이제 법의 정당한 심판으로 형
님의 억울한 죽음을 보상하게 되었으니, 실로 천만번 다행한
일이 아닐 수 없습니다. 피해자 가족으로서 엄정한 법의 심판
을 바라마지 않습니다.」

하는 말은 지금도 제 귀에 생생히 들려오고 있는 것만 같아요.
그것은 인정이라곤 조금도 찾아볼 수 없는 가혹하기 짝이 없는
말이었지요. 더구나 한씨는 말하는 도중 원한에 사무친 듯 눈물
까지 흘렸기 때문에 장내에 앉아 있는 사람들을 완전히 압도하
고 말았어요. 판사까지도 잘 알겠다는 듯 고개를 끄덕거릴 정도
였으니까요.

　한씨는 시골에서 농사짓는 젊은 사람치고는 말솜씨가 아주 좋
았어요.

　동자가 덮일 정도로 눈이 아주 가는 것이 여간 간사스럽게 보
이지가 않았어요. 그는 이웃 마을에 살고 있었는데 저는 그 날
처음으로 공판정에서 그의 얼굴을 보게 된 거지요.

　그런데 이상한 것은 한씨를 비롯한 유가족들이 바우님을 고소하기 전에 왜 한번도 우리 집에 몰려오지 않았을까 하는 점이었어요. 한동주의 죽음이 정말 원통하고 억울했다면 법에 호소하기 전에 먼저 바우님을 해치고 싶어서라도 몰려왔을 거예요. 그리고 바우님을 때리다 못해 한바탕 울부짖으면서 야단이라도 피웠을 거예요. 그것이 보통 사람들의 반응이 아니겠어요? 그러나 그들은 단 한 사람도 우리 집에 나타나지 않았어요. 그 유족들이 점잖은 사람들이라 그랬을까요? 저는 잘 모르겠어요.

　그러니까 그들은 조용히 침묵을 지키고 있다가 느닷없이 바우님을 고소해버린 거지요.

　그러나 이렇게 이상한 생각이 들었다고 하지만 그것은 생각으로 그쳤을 뿐이었어요. 도대체 그런 것을 꼬투리로 해서 사태를 뒤집어 보려는 것 자체가 어리석은 짓이었으니까요. 왜냐하면 모든 것은 이미 돌이킬 수 없을 정도로 결정이 난 것이나 다름없었으니까요.

　그날 제가 여관방에서 넋이 나간 채 앉아 있으려니까 양달수씨가 변호사를 데리고 제 방으로 들어왔어요. 양씨는 그때까지 항상 저와 한 여관에 들곤 했지만, 방은 서로 따로 쓰고 있었어요. 저는 그들을 붙들고 어떻게 하면 좋겠느냐고 물었어요.

　「글쎄, 기다리는 수밖에 없지요.」

　변호사의 이 말은 무척 무책임하게 들렸어요. 그 뒤를 따라 양씨도

　「뛰어다닐 대로 다녀봤지만 뜻대로 잘 안되는구만. 검사라는
　　사람이 워낙 고집불통이라……」

하고 말했어요.

　저는 기가 막혀서 말이 나오지가 않았어요. 그때처럼 그들이 못 미덥고 미운 적은 없었어요.

　그동안 그들에게 들어간 돈은 상당히 많았어요. 특히 양씨는

거의 광주에서 살다시피 했기 때문에 막대한 경비를 쓰고 있었
지요. 그러고서도 이제 와서 발뺌들을 하니 얼마나 기가 막혔겠
어요. 그러나 아무튼 그들이 바우님의 일로 그렇게 애쓰고 있었
기 때문에 저는 울며 겨자먹기로 잠자코 있을 수밖에 없었어요.
그런데 갑자기 변호사가 이런 말을 했어요.

「김검사 집을 한번 찾아가보는 게 어때요?」

그래서 저는 사무실로 검사를 찾아갔었다고 말했어요. 그러
자 변호사는 이미 알고 있었다고 하면서

「사무실로 찾아가서 되나요? 그런 일은 집으로 찾아가야지
요. 아마 부인같이 예쁜 여자가 찾아가서 잘 좀 부탁하면…
어쩌면 달라질지도 모를 겁니다.」

하고 덧붙여 말했어요.

저는 그의 말이 좀 귀에 거슬렸지만 그때는 그것이 무엇을 의
미하는지 전혀 눈치채지를 못했어요. 변호사는 또 이런 말도 했
어요.

「그 검사양반, 다른 데 있다가 온 지 얼마 안돼 놔서 아직 가
족도 미처 데려오지 못했지. 저녁이면 그래서 무척 쓸쓸해 하
니까 술병이나 하나 사들고 가서 위로하면 마음이 풀릴지도
몰라요. 내가 집을 아니까 가겠다면 안내를 해드리겠소.」

변호사는 반들반들한 이마를 손수건으로 닦으면서 안경 너머
로 저를 흘끔흘끔 쳐다보았어요. 그러나 그때까지도 저는 눈치
를 채지 못한 채 멍청하게 앉아 있기만했어요. 제가 그렇게 가
만히 앉아 있기만 하자 이번에는 양씨가 말했어요.

「변호사 선생님 말씀대로 찾아가보지. 마지막 기회니까…
기회를 놓치면 안돼요. 일이 이렇게 된 이상 이것저것 가리
게 됐소?」

듣고 보니 과연 그럴 것도 같았어요. 그래서 저는 더 이상 생
각해보지도 않은 채 가겠다고 승낙을 했어요. 그리고 아기를 들

처 업으려고 했어요. 그러자 변호사가 아기는 두고 가라고 했어
요.

「그런데 가면서 아기를 데리고 가면 좋지 않아요. 혹시 울기
라도 하면 시끄러울 테니까, 양선생한테 대신 좀 봐달라고 해
요.」

제가 아기를 안은 채 망설이자 변호사는 냉큼 제 품에서 아기
를 빼앗아 양씨에게 안겨줬어요. 그 바람에 아기가 놀라서 막
울었어요. 그들은 아기를 들여다보면서 웃었어요.

「싫어요.」

비록 저주스러운 자식이었지만, 그때만은 모성애가 강하게
솟아났던지, 저는 아기를 다시 안으려고 했어요. 그때 변호사가
빨리 가자고 하면서 저를 떠밀었어요. 하는 수 없이 저는 변호
사를 따라 밖으로 나갔어요. 아기의 자지러질 듯한 울음 소리가
저를 잡아 끌었지만, 저는 이를 악물고 여관을 빠져나갔어요.

이윽고 변호사는 저를 택시에 태우고 한참을 달리다가 어느
큰 집 앞에 이르러 차를 세웠어요. 개짖는 소리가 요란하게 들
려왔어요. 저는 그때에야 빈 손으로 온 것을 알고 변호사에게
무엇을 좀 사가지고 들어가자고 말했어요.

그러자 변호사는 웃으면서 괜찮다고 했어요. 그러나 저는 그
의 말을 듣지 않고 부근 가게에서 술 한 병과 과일을 좀 샀어요.
웬일인지 변호사는 시종 웃기만 했어요. 꽤 기분나쁜 웃음이었
지요.

얼마 후 초인종을 누르자 철문이 열리면서 안으로부터 식모처
럼 보이는 소녀애가 나왔어요. 우리는 곧 응접실로 안내되었어
요. 푹신한 소파에 파묻힐까 두려워 저는 엉거주춤 앉아 있었어
요.

응접실 한쪽 벽에는 여러 가지 책들이 가득 쌓여 있었어요.
그것들을 보자 저는 김검사가 무척 학식이 높은 분처럼 생각되

었어요.

한참 후에 마침내 김검사가 응접실로 들어왔어요. 그는 우리를 보자 반가와 하기는 커녕 오히려 귀찮다는 듯이 얼굴을 찌푸렸어요. 저는 일어서서 그에게 공손히 인사를 드렸어요. 그러나 그는 인사를 받는 둥 마는 둥 변호사와 가볍게 악수를 한 다음 소파에 털썩 주저앉았어요. 그리고는 아무 말없이 담배만 피웠어요.

먼저 말을 꺼낸 사람은 변호사였어요. 그는 젊은 검사를 영감님이라고 부르면서 이렇게 예고도 없이 찾아온 것을 사과했어요.

「실례되는 줄 알면서도 이렇게 찾아왔습니다. 이 부인이 하도 간절히 부탁하기에 거절은 못하고…… 이해해 주십시오.」

저는 변호사의 말에 얼굴을 붉힌 채 고개만 떨어뜨리고 있었어요. 이런 거짓말도 필요한가보다 생각하면서 말이에요.

김검사는 여전히 대꾸도 하지 않은 채 앉아 있었어요. 제가 가만히 훔쳐보니, 그는 무엇인가 깊이 생각하고 있는 눈치였어요. 저는 한마디라도 해야 한다고 생각했지만, 그의 침묵이 워낙 무섭게 느껴졌기 때문에 아무 말도 할 수가 없었어요.

그의 잘생긴 얼굴은 무섭게 보이기도 하고, 외로와 보이기도 하고, 어떻게 보면 또 탐욕스럽게 보이기도 했어요.

검사가 이렇게 침묵을 지키고 있자 변호사도 입을 여는 것이 멋쩍었는지 잠자코 있었어요. 그래서, 정말 견디기 어려운 침묵이 한참 동안 흘러갔어요.

그런데, 그렇게 천정으로 담배 연기만 뿜어올리던 김검사가 갑자기 제가 가져온 술병을 쳐들어 올렸어요. 그리고는,

「이거, 마셔도 되는 거지요?」

하고 물은 다음 제 대답도 기다리지 않은 채 식모를 불렀어요. 그리고 식모가 나타나자 술상을 봐오라고 일렀어요. 저는 검사

의 이 돌연한 태도에 가슴이 두근거려 왔어요. 이것이 과연 좋은 징조인지 아니면 나쁜 징조인지를 알 수가 없었어요.

이윽고 술상이 들어오자 검사는 변호사의 손을 뿌리치고 자진해서 세 개의 술잔에 술을 가득 따랐어요. 그러나 저는 술을 마실 줄 몰랐기 때문에 당황한 나머지 고개만 숙이고 있었어요. 그러자 변호사가 자기 어깨로 제 어깨를 툭 치면서 어서 술잔을 들라고 말했어요. 그러나 저는 그대로 잠자코 있었어요. 정말 술만은 마셔서는 안된다는 생각이 들었기 때문이었어요. 그때까지 저는 술이라고는 입에도 대본 적이 없었거든요. 여자가 마셔서는 절대 안되는 그런 것으로 알고 있었으니 아무리 자리가 자리라고 한들 어떻게 술을 마실 수가 있었겠어요.

그런데 곤란한 문제가 생겼어요. 김검사가 술잔을 든 채 저만 쏘아보고 있었던 거예요. 그는 제가 술을 마시지 않으면 자기도 마시지 않겠다는 그런 결심인 것 같았어요. 이렇게 되자 정말 난처한 사람은 저였어요. 더구나 제 입장은 그때 그에게 매달려 구걸이라도 해야 될 판이었던 만큼 더할 수 없이 난처했어요.

제가 안절부절 못하고 있자 변호사가 이렇게 말했어요.

「뭘 하고 있는 거요? 어서 한 잔 들고 영감님께도 술 한잔 권해야 할 거 아니오. 인사를 차리러 왔으면 인사를 차려야지. 아무리 여자라고 그래 가지고서야 어디……」

그 말을 듣자 저는 심히 부끄러웠어요. 정말 제 자신이 인사도 차릴 줄 모르는 바보처럼 생각되었어요. 그래서 저는 마침내 그 쓰디쓴 술을 얼굴을 잔뜩 찌푸린 채 입 속에 부어 넣었어요. 술이 목에 넘어갈 때 제 목은 마치 불에 덴 것처럼 화끈거렸어요. 저는 쓴맛을 없애기 위해 얼른 안주를 집어먹었어요. 그런 다음 빈 술잔을 김검사 앞에 놓고 거기에 술을 따라주었지요. 그때 변호사가 희색이 만면해 가지고

「옳지, 옳지. 그래야지.」

하면서 껄껄껄 웃기까지 했어요.

「자, 나한테도 한 잔 따라 주서야지.」

변호사는 저를 쳐다보면서 짓궂게 굴었어요. 검사 역시 제가
따라주는 술만을 마셨고, 또 저에게도 억지로 술을 마시게 했어
요.

이렇게 해서, 저는 점점 취해갔어요. 머리가 빙빙 돌면서 시
야가 흐릿해지기 시작하자 저는 좀 대담해질 수가 있었어요.

「만일 우리 바우님이, 바우님이 살아나시지 못하면…… 저도
죽어버릴 거예요. 검사님, 저도 죽을 거예요.」

저는 울기도 하고 웃기도 하면서 이렇게 푸념까지 늘어놓았어
요. 술기운 때문에 몸은 자꾸만 흐느적거렸고, 의식도 몽롱해져
갔어요. 저는 이래서는 안된다는 생각이 분명히 들었어요. 그러
나 흡사 마술에 걸린 사람처럼 저는 그들이 따라주는 대로 거듭
술을 마셨어요.

변호사도 술이 취하자 검사에게 노골적으로 사건 부탁을 하기
시작했어요.

「이 늙은 놈이 오랜만에 사건을 하나 맡았는데…… 영감님이
정말 이러시깁니까? 나도 일제 때에는 검사로 드날리던 사람
이오. 미안합니다만.」

그는 술 한 잔을 단숨에 들이키고 나서 다시 말하는 거였어
요.

「이러한 일은 검사와 변호사간의…… 일종의 공존 공생하는
일이 아니겠습니까. 따라서 어느 한쪽이 너무 팽팽하게 나가
면 그 관계가 깨어져버리고 만다 이 말입니다. 깨어져서야 되
겠습니까. 깨어지면 서로가 손해지요. 사람 사는 사회란 다
그렇고 그런 거 아닙니까. 서로 적당히 알아서 처리하는 것이
상수지, 규칙대로 나가다가는 오히려 손해보는 수가 많지요.
세상만사가 어디 제대로 되는 게 있습니까. 안 그렇습니까?

미안합니다.」

변호사는 말끝마다 미안하다는 말을 꼭 붙이곤 했어요. 그러
자 김검사가 입을 열었어요.

「황바우 건은 이미 결정이 되어 있어요. 이젠 어떻게 할 수 없
으니까 그렇게들 아시오.」

그렇게 술을 마셨는데도, 그의 목소리는 조금도 흐트러지지
않고 분명했어요.

「어떻게 결정이 났습니까?」

변호사의 눈이 번쩍 빛나는 것 같았어요.

「그걸 여기서 내가 어떻게 말을 하겠소?」

「원, 영감님두…… 아, 우리끼리만 있는데, 말 못할 게 뭡니
까? 그렇다고 해서 영감님이 손해볼 것은 하나도 없지 않습
니까? 자, 그러지 말고 귀띔이나 좀 해주시오.」

「그러지 마시오. 난 그런 거 아주 싫으니까.」

검사가 노여운 듯 말하자 그때까지 기세등등하던 변호사는 그
만 무참해져서 아무 소리도 하지 못했어요. 저는 검사가 쫓아낼
까봐 가슴이 두근거려 왔어요. 술기가 금방 깨는 것 같았어요.

「여기 찾아온 것에 대해서는 아무 말도 하지 않겠소. 그렇지
만 이미 결정된 일에 대해서 말을 하라는 건 너무 심한 요구가
아니오? 변호사라는 양반이 그런 것도 모른단 말이오? 그리
고…… 어떤 생각에서 여길 왔는지는 몰라도, 나는 원래가 뒷
거래하는 것은 모르는 사람이오. 나에 대한 평판은 잘 들어서
알 텐데……」

「잘 알고 있습니다. 미안합니다.」

변호사는 거듭 고개를 숙였어요. 검사는 무서운 눈으로 저와
변호사를 번갈아 보았어요.

「이런 일은 아주 고약한 일이야. 비겁하고 더럽고…… 할 짓
이 못 되지. 죄를 지었으면 마땅히 죄값을 받아야 한다는 것

이 나의 생각이란 말이오. 그렇지 않고서야 어떻게 사회질서
가 유지되겠소? 더구나 이 난국에 우리는 적색분자들을 하나
라도 남겨둬서는 안된단 말이오. 내 말 알아듣겠소?」

아들뻘밖에 안된 검사가 오히려 훈계조로 말했어요. 그러나
검사의 말은 백번 옳았고, 늙은 변호사는 그런 훈계를 들어 마
땅했어요. 변호사는 민망해서 고개를 들지 못했어요.

「네, 지당한 말씀입니다. 그러구 말구요. 그러니까 제 말은
이미 결판이 난 일을 근본적으로 뜯어고쳐 달라는 말이 아니
구, 그저 가능하다면 조금이라도 숨을 돌릴 수 있게 여유를
좀 달라는 말입니다. 잘 좀 부탁합니다.」

「나도 동정이 가는 일에 대해서는 외면을 못하는 성미요. 그
러나 이건……」

「이 색시를 봐서라도 잘 좀 처리해 주십시오.」

그들은 동시에 나를 쳐다보았어요.

「아직 젊으니까 딴 데로 시집갈 수도 있겠구만.」

하고 검사가 중얼거렸어요. 그 말을 듣자 저는 수치심에 몸이
떨려 왔어요.

「어디 부인처럼 보입니까. 아직 새파랗지요. 얼굴도 이렇게
예쁘게 생겼으니, 자기가 마음만 먹으면 얼마든지 좋은 데로
갈 수가 있겠지요.」

이것은 변호사의 말이었어요. 그들은 마치 상품을 앞에 놓고
말하는 것 같았어요.

저는 일어서야 한다고 생각했지만, 웬일인지 몸이 말을 듣지
않았어요. 그들은 저에게 술을 다시 권했고, 저는 그것을 또 마
셨어요. 처음엔 못마땅해 하던 검사도 결국은 못이기는 체하고
어울렸던 거지요.

시계가 10시를 쳤을 때, 변호사가 슬그머니 일어섰어요.

그래서 저도 따라 일어섰지요. 이제 저는 바우님 일은 어떻

34

든, 여기를 빠져나가야 된다고 생각하고 있었어요.

그런데 방문 앞에서 변호사가 저를 돌려 세웠어요.

「영감님이 당신한테 특별히 할 이야기가 있다니까 여기 그대
로 앉아 있어요. 쓸데없는 고집부리지 말고 영감님 시키는 대
로 들어요.」

그는 저를 살짝 밀었다고 생각되는데 저는 그만 방바닥에 쓰
러지고 말았어요. 변호사는 문을 닫고 사라져 버렸어요. 저는
일어나야 한다고 생각했지만 술에 취해 꼼짝할 수가 없었어요.

그때 검사가 저를 번쩍 안았어요. 그리고 응접실 옆방으로 들
어갔어요. 그러니까 거기는 바로 침실이었어요.

「나는 강제로 하는 사람은 아니니까 가고 싶으면 가도 좋아.
이런 일은 강제로 해서는 안되니까 하는 말이야. 당신이 자진
해서 나한테 모든 것을 바친다는 식으로 하란 말이야. 그렇게
성의를 보여야만 나도 보답을 할 게 아니냐 말이야. 맘대로
하라구.」

눈을 떠보니 김검사가 어둠 속에 우뚝 서 있었어요. 창문으로
는 달빛이 흘러들어오고 있었어요. 저는 그때서야 비로소 변호
사가 저를 여기에 데려온 이유를 알 수가 있었어요. 그들 사이
에는 이미 내밀한 묵계가 이루어져 있었는지도 모르지요. 저는
머리 끝이 쭈뼛해지는 것을 느꼈어요.

만일 그때 검사가 강제로 저를 범하려고 했다면 저는 있는 힘
을 다해 항거했을 거예요. 그러나 검사는 그런 짓을 하지 않았
어요. 그는 더 교묘한 수법으로 저를 옭아매려 했어요. 자진해
서 수청을 드는, 그런 성의를 보인다면 자기도 보답을 하겠다는
뜻이었지요. 그렇지 않으면 가도 좋다는 거예요.

얼마나 여유가 있고, 그러면서도 강한 말입니까. 그 말을 듣
는 순간 저는 이미 항거할 힘을 잃어버린 거예요. 자기의 사랑
하는 남자를 구해야 할 여자라면, 아마 누구나 다 그런 상황 하

에서는 그럴 수밖에 없었을 거예요. 생각해 보세요. 어떻게 거기를 빠져나올 수가 있었겠어요. 제가 술에 취했기 때문에 그랬다는 것은 아니에요.

사람의 심리란 묘한 것인가 봐요. 강제로 하는 것보다 신사적인 체하면서 설득하는 것에 아주 쉽게 넘어가 버리거든요. 제가 검사의 말에 꼼짝 못한 것도 사실 따지고 보면 그러한 심리가 작용했기 때문이라고 보는 것이 옳을 거예요.

놀랍게도 저는 마술에 걸린 여자처럼 검사의 말대로 자진해서 옷을 벗었어요. 무서워서 벌벌 떨면서도 말이에요.

옷을 다 벗자 갑자기 불이 켜졌어요. 검사가 불을 켠 거예요. 저는 부끄럽고 수치스러워 벽에 몸을 돌리고 서 있었어요. 그러한 저에게 금방 그의 손길이 뻗어올 것만 같았어요. 저는 침착해지려고 노력하면서, 지난 여름 학교 교실 밑에서 공비들에게 당하던 일들을 생각했어요. 그런 끔찍한 일도 경험했는데 이런 것쯤이야 아무것도 아니지 않는가, 하고 저는 자위한 거지요. 그래도 몸이 마구 떨리는 것은 어찌할 수 없더군요. 한참 그러고 있자니까 그가

「이쪽으로 몸을 돌려.」

하고 명령하듯 말했어요. 저는 자석에 끌리듯 몸을 앞으로 했어요.

「똑바로 나를 쳐다봐.」

그가 다시 말했어요. 저는 고개를 들어 그를 바라보았어요. 그는 웬일인지 옷도 벗지 않은 채 서 있었어요. 몸은 움직이지 않았지만 두 눈은 제 몸을 구석구석 쏘아보고 있었어요. 그것은 이글거리는 것이 마치 불꽃 같았어요.

「으음, 기가 막힌 몸이야. 이봐, 이리와. 이리……」

그는 턱을 끄덕거리면서 저를 오라고 했어요. 저는 몸이 얼어붙어 꼼짝할 수가 없었어요. 그러자 그는 비틀거리며 저한테 다

가와서는 손으로 제 몸을 쓰다듬었어요. 거친 숨결과 함께 술 냄새가 확 풍겨왔어요. 저는 눈을 감은 채 모든 것을 포기했어요. 이미 저는 그의 요구대로 들어줄 마음의 준비가 되어 있었어요. 그런데도 웬일인지 그는 얼른 저를 범하지 않았어요. 옷도 벗지 않은 채 저를 마냥 쓰다듬고 있더니 글쎄 갑자기 저의 뺨을 힘껏 후려갈겼어요. 어떻게나 세게 때렸는지 저는 방바닥에 나동그라지고 말았어요. 제가 얼이 빠져서 잠시 멍하니 있자 그가 소리질렀어요.

「망할 년 같으니라구! 빨리 옷 입어! 내가 유혹에 넘어갈 줄 아느냐? 너같이 몸을 주겠다는 여자는 부지기수야. 그렇지만 난 지금까지 거절해 왔어. 오늘 그걸 깨뜨릴 수는 없어. 그게 깨지면 나는 파멸이야. 파멸이란 말이야. 안되지. 그래서는 안되지.」

그는 머리를 흔들면서 비틀거렸어요. 그러다가 갑자기 미친 듯이 웃어제꼈어요.

「우후후후후후…… 내가 유혹에 그렇게 쉽게 넘어갈 줄 알았어? 어림없지. 이, 나라는 사람은 말이야, 그런 식으로 세상을 살아온 사람이 아니야. 내 의지가 계집 하나에게 꺾여서야 말이 되나. 안되지. 암, 안되지.」

그는 상당히 급한 것 같았어요. 그러면서도 자신을 지키려는 본능에 사로잡혀 있는 것 같았어요.

그걸 뭐라고 할까요. 남자들은 흔히 자기의 의지를 시험해 보는 경우가 있지 않습니까. 특히 머리는 별로 우수하지 않지만 피나는 노력으로 어떤 지위에 오른 사람들의 경우, 그 과정에서 자기 의지를 과시해 보이고 싶어하는 경향이 강하지요.

그렇게 함으로써 우선 자기 만족을 얻을 수가 있겠지요.

김검사도 마찬가지였던 것 같아요. 자기의 직책상, 또는 양심 때문에 저를 물리친 게 아니고 자기의 의지를 확인하고 싶어서 그랬던 것 같아요. 그는 마치 승리에 취한 사람 같았어요. 또 한편으로 생각하면 매우 조심스러웠다고 할 수도 있지요. 다른 직책도 아닌 법을 집행하는 사람의 입장에서 만에 하나라도 불미스런 일이 세상에 알려지면 출세에 큰 지장을 받겠지요. 그는 특히 가장 날카로운 사상검사로서 그 당시 한창 출세가도를 달리고 있었던 만큼 더욱 조심해야 했겠지요. 그런데도 불구하고 저는 그런 수모를 당하면서도 그에게 매달렸어요.

「바우님만 살려주신다면 저는 어떻게 되어도 상관없어요. 저를 마음대로 하셔도 괜찮아요. 바우님만 살려주세요.」

그러나 김검사는 이미 마음을 굳힌 것 같았어요. 그는 차가운 미소를 흘리면서 저를 뿌리쳤어요.

「쓸데없는 짓하지 말고 빨리 가. 나는 그런 사람이 아니란 말이야. 모든 걸 법대로 처리할 테니까 그리 알아. 살인범을 살려주라니 그게 어디 말이 되나. 눈에는 눈, 코에는 코…… 알았어?」

자기의 의지에 자신을 가진 그는 더할 수 없이 냉혹한 사나이로 변해 있었어요. 그는 저의 애소나 울음 따위는 거들떠보지도 않았어요.

그날 밤 결국 저는 수치심에 얼굴도 들지 못한 채 밖으로 쫓겨나왔어요. 그리고 통금 시간이 가까왔기 때문에 부근 여관에 들어 뜬눈으로 밤을 지샜어요. 밤새도록 잠을 이룰 수 없고 눈물만 나오더군요.

이튿날 새벽 여관방으로 돌아오니 양달수 씨가 아랫목에 네 활개를 쭉 편 채 자고 있었고 아기는 울다지쳐 윗목에 죽은 듯이 누워 있었어요. 제가 아기를 품에 앉자 아기는 자지러지게 울었어요. 그 바람에 양씨가 눈을 비비면서 일어났어요.

저는 아기를 꼭 안은 채 다시 또 울었어요. 양씨가 뭐라고 물었지만 저는 대꾸도 하지 않았어요. 나중에 저는 화가 나서 그에게 나가달라고 말했지만, 그는 나가지를 않았어요.

그날 하루를 저는 여관방에 꼬박 들어앉아 있었어요. 세상 사람들이 지난 밤에 일어났던 일을 모두 아는 것만 같았고, 그래서인지 사람들 보기가 싫었기 때문에 저는 밖으로 나가지 않았던 거예요. 양씨는 그러한 저를 여러 가지 그럴 듯한 말로 위로해 주었어요.

「난 그렇게…… 거기서 자고 오리라고는 미처 몰랐었지. 그러나 그렇게 된 이상, 그걸 너무 마음 아프게 생각해선 안돼요. 어떻게 생각하면 오히려 잘 되었는지도 몰라요. 그렇게 때워놔야만 그쪽에서도 책임을 느끼고 일을 잘 봐주지, 그렇지 않고는 뭘 바라기가 곤란하지.」

저는 아무 대꾸도 하지 않았어요. 무슨 말을 제가 할 수 있겠어요. 제가 지난 밤에 김검사와 아무 일도 없었다고 한들 누가 그 말을 곧이 믿겠어요. 오히려 그런 말을 하면 웃음거리밖에 더 되겠어요?

저기, 오선생님, 담배 한 대 피워도 되겠어요? 저, 술은 이제 그만 마시겠어요. 목으로 막 넘어오려고 하는군요. 서울에 올라와서부터는 가끔씩 담배도 피우게 됐어요. 용서하세요. 옛날, 서울서 여학교에 다닐 때는 미술을 전공하려고 했었지요.

그러나 이젠 이렇게 쓰레기처럼, 한낱 쓸모없는 여자가 되어버렸어요. 미안해요. 이런 푸념을 늘어놓아서…… 그럼 아까 하던 그 이야기를 마저 하지요.

검사 집에서 돌아오던 날. 그 날 하루를 방 안에서 그렇게 보낸 저는 밤이 되자 너무 피곤해서 그 자리에 쓰러져 잠이 들고 말았어요. 그런데 가슴이 답답해서 눈을 떴어요. 그리고는 깜짝 놀라고 말았어요. 그도 그럴 것이…… 양씨가 저를 위에서… 누르고 있었던 거예요. 저는 벌거벗겨져 있었고 양씨도 그랬어요. 제가 몸을 뒤채려고 하자 양씨는 제 얼굴을 때리면서 입을 틀어 막았어요.

기가 막힐 노릇이었어요. 남자들은 모두가 그런가봐요. 제가 얼굴이 좀 예쁘게 생겼다는 것이 죄였을까요?

저는 죽을 힘을 다하여 항거를 했어요. 그러자 양씨는 화가 치밀었던지 저를 다시 때렸어요.

「이 망할 년, 가만 있지 못해! 검사한테만 주고 나한테는 안 준다는 거냐! 정작 나한테 먼저 줘야 하는 거야. 말 안 들으면 네 년도 처넣을 테니까 그리 알아! 알았어? 알았으면 가만 있어!」

양씨의 이같은 말에 저는 그때까지 항거하던 힘을 잃고 말았어요. 마치 내가 그 전날 밤에 검사의 한 마디에 힘을 잃었듯이 말이에요.

더구나 비밀을 알고 있는 사람한테는 더욱 힘을 쓸 수 없나 봐요. 검사와 저와의 관계를 물고 늘어지는 바람에 저는 힘을 잃고 말았던 거예요.

비록 아무 관계가 없었다 해도 남이 그렇게 인정하는 데 대해서 저는 변명할 여지조차 없었던 거지요. 그때부터 저는 죽은 몸이나 다름없이 양씨가 요구하는 대로 순순히 제 몸을 내맡기게 되었어요.

저는 울음도 나오지 않았어요. 오직 죽어야 한다는 생각만이 저를 사로잡고 있었기 때문에 저는 평상시의 감정에서 벗어날 수가 없었나 봐요.

저는 거의 멍해진 상태에서 양씨를 받았어요.

그 이튿날도 그랬고 그 다음 날도 역시 그랬어요. 양씨는 아예 제 방으로 자리를 옮겨 함께 기거를 하게 되었어요.

「너같이 젊고 예쁜 계집이 황바우하고 산다는 건 너무 아까워. 잔말 말고 앞으로는 나와 살기로 해. 그렇지 않으면 너도 황바우 꼴이 돼.」

양씨는 저를 이렇게 위협하곤 했어요. 그때마다 저는 마치 고양이 앞에서 떨고 있는 쥐처럼 꼼짝을 못했어요.

사실 이때부터 저는 제 몸을 제 스스로 다룰 수가 없게 된 거예요. 그러니까 저는 제 육체를 정복해 버린 남자한테서 복종이 무엇인가를 배우게 된 거지요.·저는 허락도, 거부도 하지 않은 채 하루하루를 양씨의 시달림을 받으면서 지내게 되었어요.

그렇게 이상한 나날을 보내는 동안 마침내 검사의 구형(求刑)이 있게 되었어요. 그날 물론 저는 재판소에 나갔지요.

바우님은 더욱 수척해 보이고 늙어보였어요.

꾸부정하게 서 있는 그 분을 한참 동안 바라보던 저는 문득 바우님과 제가 얼마나 먼 거리에 떨어져 있는가를 알게 되었고, 우리는 결코 다시 만날 수가 없는 관계인 것처럼 생각되었어요.

그렇게 생각이 들자 가슴이 마구 찢기는 것만 같더군요.

김검사는 바우님의 살인과 부역행위를 지적한 다음 아주 격렬한 어조로 사형(死刑)을 구형했어요. 그때의 그의 표정은 자신만만하고 냉혹하기 이를 데 없었어요. 거기에는 또 임무에 충실했다는 자부심 같은 것이 엿보였고, 그래서인지 그는 매우 만족하고 있는 눈치였어요.

어이없는 일이지만, 그 당시에는 사상검사들 사이에 가혹한 판결을 내리는 것이 유행처럼 되어 있었지요. 마치 가혹하게 처벌하는 것만이 임무에 충실하는 것인 것처럼 말이에요. 또 그렇게 하는 검사일수록 이름을 드날렸지요. 김검사는 그러한 사람들 중 그 가장 대표적인 인물이었지요. 물론 가혹한 판결이란 것이 정확한 사실에 근거를 둔 것이라면 어쩔 수 없는 일이라고 하겠지요…… 바우님의 경우에는 너무 억울한 점이 많았어요.

제가 바란 것은 바우님이 무죄로 석방되어 나오는 것이었어요. 어찌하여 바우님이 징역을 살아야 한단 말입니까? 처음부터 조사도 제대로 되지 않은 이 사건에서 바우님은 자기 만족을 채우려는 검사의 희생물이 된 거지요.

그러나 아무리 기가 막히고 놀라운 일이지만 아무것도 모르고 더구나 연약하기 짝이 없는 제가 거기에 어떻게 대항해서 싸울 수가 있겠어요. 저는 구경꾼에 불과했어요.

며칠 후, 판사도 역시 바우님에게 사형언도를 내렸어요. 그 당시의 판사들은 허수아비에 불과했어요. 워낙 검사의 세력이 컸기 때문에 그저 형식적으로 몇 마디 물어본 다음 검사의 구형대로 선고하게 마련이었지요.

이미 짐작은 하고 있었지만 바우님이 사형언도를 받는 것을 보니 저 역시 죽는 것만 같았어요.

마지막으로 재판정을 나갈 때 바우님은 내내 저를 바라보고 있었어요. 바우님의 두 눈은 자꾸만 커지는 것 같았어요. 그분은 저한테 무슨 말인가 하고 싶어하는 눈치였어요. 저는 그분에게 달려가 와락 안기고 싶었어요. 그러나 제 몸은 그 자리에 딱딱하게 굳어 있을 뿐 움직일 수가 없었어요.

그날 저는 양씨에게 끌려 집으로 돌아오고 말았어요.

집으로 돌아온 뒤 양씨는 언제나 밤이면 저를 찾아와 동침을 요구했고, 그럴 때마다 저는 그를 뿌리칠 수 없었어요.

한편 그런 동안에도 바우님을 구하기 위해 광주에 몇번 갔고, 변호사를 통해 바우님 사건을 고등법원에 상소했어요. 천만다행히도 고등법원에서는 사형을 무기(無期)로 감해 주었어요. 죽을 목숨이 살아났으니 참 감사할 일이지요. 그러나 그분이 무죄라는데 대해서 조금도 의심할 수 없는 저는 그 사건을 다시 대법원에 올려보았어요. 하지만 대법원에서는 기각판결을 내려버렸어요. 그 사건은 다시 조사해 볼 필요도 없을 뿐 아니라 고등법원의 판결은 공정하게 이루어졌다는 것이었지요.

어마어마한 법의 힘 앞에 결국 저는 무릎을 꿇고 말았어요. 이제 더 이상 어디에다 하소연을 하겠습니까. 호소할 데도 없었

42

고, 또 입장이 그럴 수도 없었어요. 처음부터 이 사건을 맡아준 변호사의 말이 걸작이었어요.

「목숨만이라도 건졌으니 안심하시오. 무기징역이라고 하지만 누가 그렇게 죽을 때까지 감옥에 있게 되나요. 몇 년 살다보면 감형이 되고, 또 세상이 어찌될지도 모르니까 마음 푹 놓으시오. 반드시 몇 년 안 가서 풀려나올 거요. 그리고 이런 말 해서 안됐지만, 설혹 앞으로 일이 잘못된다해도 부인이 그렇게 고생할 필요는 없다고 봐요. 여자가 꼭 한 남자만 바라고 살라는 법은 없으니까. 더구나 이렇게 청청히 젊은데 생과부로 늙다니, 말이 안되지요. 사람이란 누구나 곤란한 일을 당하면 빨리 단념하고 새로 출발하는 게 좋아요. 가슴에 품고 있어 봤자 괴롭기만 하고 한낱 쓸데없는 짓이지.」

저는 변호사의 얼굴에 침이라도 뱉고 싶었어요. 사람이 아무리 속되다 해도 이보다 더 속될 수가 있습니까.

그런 사람한테 제가 사건부탁을 하고 쫓아다녔으니 저도 어지간히 바보스러웠지요. 저는 참을 수가 없어서 그를 붙잡고 늘어졌어요. 그리고 정신없이 울부짖었어요. 마치 분풀이라도 하겠다는 듯이 말이에요.

아까도 말씀드렸지만, 그 변호사는 변호사 중에서도 제일 엉터리 변호사였어요. 사건 청탁을 해오는 사람이 없어서 거의 폐업 상태에 있는 그런 사람이었지요.

만일 그때 좀 똑똑한 변호사가 있어서 이 사건을 자세히 파고들었다면 사정이 그렇게 악화되지는 않았을 거예요. 그러나 그 당시 저는 전혀 그 변호사가 그렇게 엉터리라는 것을 몰랐지요.

다시 말씀드리지만, 그 변호사에게 처음에 사건 청탁을 한 사람은 양씨였어요. 양씨는 세상 물정도 매우 잘 아는 사람이었기 때문에 우수한 변호사를 찾을 수가 있었을 거예요. 그런데도 불구하고 그는 제일 엉터리 변호사를 고용했던 거예요.

도대체 이것은 무엇을 의미하는 것일까요. 그러나 제가 이러한 의혹을 갖게 된 것은 훨씬 훗날의 일이었어요. 이미 제자신 어떻게 할 수 없을 정도로 양씨와의 관계가 깊어진 뒤의 일이었지요.

그러면 먼저 이야기의 순서상 양씨와의 관계부터 다시 말을 해야 되겠군요.

바우님이 무기징역을 확정적으로 받은 뒤 저는 오랫동안 괴로움을 겪어야 했어요. 무엇보다도 양씨와의 관계 때문이었지요. 그는 이미 저의 주인인 양 행세하기 시작했어요.

여자란 한번 남자에게 정복당하게 되면 하는 수 없이 그 남자를 따르게 되나봐요. 물론 그때 저는 스물도 못된 나이 어린 계집인 탓도 있었겠지만, 아무튼 저는 양씨에게 꼼짝도 못하게 사로잡힌 몸이 되었으니까요. 더구나 저는 얼마 못가 그의 씨를 배게 되었기 때문에 더욱 옴치고 뛸 수도 없게 되었지요.

드디어 마을에 소문이 나고, 더 이상 그런 관계를 비밀로 유지할 수 없게 되자 양씨는 갑자기 딴 곳으로 이사를 가자고 했어요. 그때는 이미 양씨도 제정신이 아니었어요. 그는 본처를 떼어버리고 저와 영영 함께 살려는 생각을 한 거예요. 어처구니 없는 일이었지만, 양씨는 저를 무척 좋아했었나 봐요. 본처 식구들이 와서 저를 때리기도 했지만 그럴수록 양씨는 저를 놓아줄 생각을 하지 않았어요.

그렇다고 제가 그 나이에 그를 유혹했거나 잔꾀를 부렸겠어요? 저는 그를 몹시 싫어했고, 그래서 그가 한시바삐 저를 떠나 주기를 바랐었지요. 그렇지만 날이 갈수록 양씨는 저를 가까이 했어요. 정말 부끄러운 일이지만, 양씨가 너무 그러니까 나중에는 저까지도 거기에 휩쓸리게 됐어요. 지금 곰곰이 생각해 보면 저라는 여자는 선천적으로 남자를 괴롭히도록 태어났나 보지요. 제가 일부러 그랬던 것은 아니지만, 아무튼 저와 관계한

남자들은 결과적으로 저 때문에 모두 불행해졌으니까 말이에
요.

양씨는 막판에는 본처와 이혼까지 하려고 했어요. 그러나 본
처가 한사코 버티는 바람에 그것만은 어떻게 할 수가 없었어요.

양씨와의 관계가 마을에 알려지자 저는 완전히 화냥년으로 취
급을 받게 되었지요. 당연한 일이었지요. 자기와 살던 남자가
감옥에 들어가 있는 사이에 다른 남자와 불륜의 관계를 맺고 있
었으니, 그럴 수밖에 없었지요. 저는 마을 사람들의 지탄이 너
무도 옳았기 때문에 조금도 제 자신을 변명하려거나 잘 보이려
고 하지는 않았어요. 오히려 그들이 저를 때리고 침이라도·뱉아
주기를 바랐지요. 저는 바우님에 대한 저의 배반의 대가로 무슨
형벌이라도 달게 받을 결심이 서 있었어요.

그러나 마을 사람들은 양씨의 세도가 무서웠던지 본처 식구들
을 제외하고는, 뒤에서 수군거리기만 할 뿐 저한테 직접 욕이나
손찌검을 해 오지는 않았어요.

제가 양씨와 함께 그 마을을 떠나기로 결심하기까지에는 또 하
나 말해 두어야 할 사실이 있어요.

저는 양씨에게 얻어맞을 각오를 하고 한번 형무소로 바우님을
면회간 적이 있었어요. 그때 바우님은 눈물을 흘리면서 아기와
저를 쳐다보기만 했어요. 그러다가 이렇게 말하는 것이었어요.
「나는 살아서는 못 나갈 텡께…… 딴 사람한테 시집가. 날
기다리지 말고 시집가라고. 제발 부탁하는 것이여. 아기 땜에
시집가기 곤란하문 내 누님이 한 분 계신디…… 거그 갖다가
맡겨도 될 꺼여. 상원(尙原) 새말이란 디 가서, 다리없는 아들
데리고 사는 과부댁을 찾으면 쉽게 찾을 수 있을 꺼여. 거기
갖다가 내 말 허고 맡기라고. 아마 모르문 몰라도…… 좋아 헐
꺼여. 좋아하고 말고.」
세상 천지에 이런 분이 또 어디 있습니까. 바우님은 목이 메

어 더 말을 잇지 못했어요. 저도 울음이 나와 더이상 들을 수가 없었어요. 바우님과 헤어져 나올 때 그 분은 제 뒤에다 대고

「내 염려는 말고…… 이젠 찾아오지 말라고. 그리고 상원 새 말에 꼭 가라고.」

하고 말했어요. 그리고는 아기 손을 두 손으로 꼭 잡더니 거기에다 볼을 비볐어요. 이것이 바우님과 저와의 마지막이었어요. 그 뒤로 지금까지 저는 한번도 그 분을 만나보지 못했으니까요. 그 순하디 순한 눈으로 저를 애절하게 쳐다보시던 그 날의 그 마지막 모습을 저는 지금도 잊을 수가 없어요. 그러한 분을 외면한 채 양씨와 살다니, 저는 어쩌면 그렇게도 나쁜 여자일까요. 미안해요. 이렇게 자꾸 주책없이 눈물만 흘려서…….

바우님을 마지막으로 만나고 난 다음 저는 너무 잔인한 짓이지만, 이렇게 된 이상 할 수 없이 양씨를 따라, 다른 곳에 가서라도 함께 사는 수밖에 없다고 생각하게 되었어요.

문창으로 그렇게 도피해가자 양씨는 재산을 처분한 돈으로 양조장을 시작했어요. 그리고 죽을 때까지 그 장사를 해서 꽤 재미를 보았고, 그 덕분에 문창 일대에서는 유지 행세를 했지요.

그런데 참, 중요한 이야기를 빠뜨렸군요. 제 아들 이야기인데, 사실은 이렇게 아들이라고 부르기도 부끄러운 일이지요. 저한테는 그애 어미라고 부를 수 있는 자격이 없었으니까요. 그애 이름은 태영(泰榮)이에요. 물론 바우님 성을 따서 황태영이지요. 지금은 스물 한 살의 건장한 청년이 되어 어디선지 살고 있겠지요. 제가 그 애를 떼어놓은 것은 그 애가 아직 채 첫돌도 돌아오지 않은 때였어요. 애비가 누군지 똑바로 알려줄 수도 없는, 기구한 운명을 안고 태어난 아이가 바로 그 애라는 것은 오선생님께서도 잘 아시겠지요. 아까도 말씀드렸지만 처음 태어났을 때는 그 애가 몹시 저주스러웠지요. 그러나 바우님이 몹시 귀여워했기 때문에 저도 나중에는 처음의 저주스러운 마음을 씻

을 수가 있었어요. 사실 생각해 보면 그 아이의 아버지가 누구
든지 간에 제 자식인 것만은 틀림없는 사실이고, 죄를 따진다면
저한테 죄가 있는 것이지 그 애한테 무슨 죄가 있겠어요. 저주
스럽다기보다는 오히려 불쌍히 여겨야 할 애자요.

지금 제가 이렇게 앉아서 그 애에 대해서 이러쿵 저러쿵 말을
하고 있지만 이미 저는 그 애의 어머니로서의 자격을 상실했기
때문에 이렇게 말하는 것조차 부끄럽고 쑥스럽다는 생각이 들어
요. 이러한 제 심정을 이해해 주세요.

바우님이 옥살이를 하자 저는 외로운 나머지 아기에게 온갖
정을 다 쏟았어요. 이젠 제가 유일하게 희망을 걸 수 있는 저의
하나뿐인 혈육이라는 생각이 들었던 것이고 바우님과 저를 연결
시켜 주는 우리들의 귀여운 아기라는 생각이 거의 본능적으로
저를 사로잡기 시작했던 거예요.

그런데 문제는 양씨가 그 애를 끔찍이도 싫어하는데 있었어
요. 어찌나 미워했던지 그 어린 것을 곧잘 때리곤 했어요. 아기
의 몸에는 멍이 가실 날이 없었어요.

양씨는 태영이가 바우님의 자식이 아닌, 어느 이름 모를 공비
의 자식이라고만 알고 있었어요. 그 때문에 그는 그 비천한 소
생을 그토록 학대했던 것 같아요.

「내다버려. 애비도 모르는 자식을 길러서 뭘 하겠다는 거야.
난 백만금을 준대도 그런 자식을 내 아들로 삼고 싶지는 않
아. 나하고 같이 살려면 그 자식을 내다버려. 네가 싫다면 내
가 내다버리지.」

양씨는 기회 있을 때마다 이렇게 말하곤 했어요. 금방이라도
아기를 내다버릴 듯이 말이에요.

우리가 문창으로 이사가고 나자 아기에 대한 양씨의 학대는
더 이상 참을 수 없도록 막바지에 달했어요. 그대로 두다가는
아기가 죽든지, 아니면 저도 모르는 사이에 어디에다 내다버릴

것만 같았어요.

그래서 저는 마침내 바우님이 일러준 대로 상원 새말이라는 곳에 살고 있다는 그분 누님에게 아기를 갖다 맡기기로 결심했어요. 서럽고 억울한 일이었지만 저로서는 그밖에 다른 방법이 없었어요.

그 전에도 바우님에게 누님이 한 분 살아계시다는 말을 들었지만, 저는 그때까지 아직 한번도 그 분을 만난 적이 없었어요.

상원 새말이라는 곳은 작은 마을이라 사람 찾기가 쉬웠지요. 다리 없는 아들을 데리고 사는 과부 댁을 찾으니, 마을 사람들은 금방 알려주었어요.

거의 쓰러져가는 오막살이에서 그분은 아들을 데리고 살고 있었어요. 나이는 쉰 살이 좀 넘어보였고, 바우님처럼 아주 인자하신 모습이었어요. 그러나 그 아들은 전쟁에서 다리를 잃은 상이군인으로, 거의 폐인이 된 채 할 일 없이 집에서 뒹굴고 있었어요.

과부댁은 그때까지 바우님이 감옥에 간 것을 모르고 있다 제이야기를 듣고 한참 동안 슬퍼하셨어요.

「늙어서 이렇게 떨어져 살다보니까 그애 못 본 지도 벌써 몇 해가 되었는디…… 이제 감옥에서 죽게 되었으니…… 이를 어쩔고, 이를 어쩔고. 아이고 그 불쌍한 것이 무슨 죄를 지었다고 감옥에다 잡아넣었는고. 내가 저 아들만 없으면 당장 가보겠구만…… 저것이 요동도 못하고 있으니 어디 한시라도 자리를 뜰 수가 있어야제. 아이고, 이 일을 어쩌나……」

과부댁이 우는 바람에 저도 함께 울었어요. 생각하면, 모두가 불쌍한 사람들이지요. 그렇게 우시던 과부댁은 태영이가 바우님의 아들이냐고 물으셨어요. 저는 서슴없이 그렇다고 대답했어요. 그러자 그분은 금새 기쁜 얼굴이 되면서, 태영이를 꼭 껴안아주셨어요.

「아이구, 이놈, 잘 생겼구만. 그래도 그 애가 자기 씨를 받아 났구만. 평생 여자를 모르고 지낼 것 같더니만……」

그 분은 정이 담뿍 어린 눈으로 아이를 쳐다보다가는 귀여워 못 견디겠다는 듯이 그 애를 껴안고는 했어요. 그 모습을 보자 저는 너무나 죄스러우면서도 감격스러운 나머지 뭐라고 입을 열 수가 없었어요.

「이렇게 된 이상 여기서 죽을 쑤어 먹든 밥을 끓여먹든 나하고 같이 살아요. 혼자서 살문…… 이놈 저놈 못 살게 구는 놈들이 많응께…… 나하고 여기서 살아요. 설마 하니 우리 바우가 그렇게 오래 감옥에 있을라구.」

이런 말씀에는 더더구나 대답을 할 수가 없었어요. 그때는 이미 제 몸을 제 마음대로 할 수 없는 처지였으니까요.

그분의 아들, 그러니까 바우님의 조카뻘 되는 사람은 아무 말도 없이 저를 뚫어지게 바라보았어요. 그 신경질적이고 날카로운 시선 속에서, 저는 그가 제 마음 속을 꿰뚫어보고 있음을 알 수가 있었어요.

스물 댓 살쯤 되어보이는 그 청년은 허벅지께서부터 두 다리가 완전히 잘려나가 있었고, 얼굴은 면도를 하지 않아 수염 투성이었어요. 그는 이미 생을 포기한 사람의, 그 절망적인 모습을 그대로 안고 있었어요.

그날 밤을 저는 거의 뜬눈으로 지새다시피 했어요. 그러다가 날이 뿌옇게 밝아오기 시작했을 때, 조용히 일어났어요.

저는 아기에게 마지막 입맞춤을 했어요. 아기는 새근거리며 천사 같은 얼굴로 잠들어 있었어요. 저는 막 울음이 터지려는 것을 간신히 참았어요. 과부댁과 청년을 살펴보니 모두 잠들어 있는 것 같았어요.

저는 아기의 이름과 생년월일, 그리고 저의 죄를 용서해 달라는 내용을 쪽지에 적어놓은 다음, 마치 도둑년처럼 살그머니 빠

져 나왔어요. 방문을 닫는 순간 청년이 끙 하면서 돌아누웠지
만, 저는 그대로 나와버렸어요. 아마 청년은 제가 도망치는 것
을 알면서도 그대로 묵인하고 있었는지도 모르지요.

찬바람이 불고 있는 새벽길을 저는 소리내어 울면서 뛰어 갔
어요. 모퉁이길을 돌아 마을이 마지막으로 보이는 곳에 이르렀
을 때는 한참 동안 그 자리에 서 있었어요. 제 자신의 운명이 그
처럼 기구하고 처량하게 느껴진 적은 없었어요. 또한 아기를 버
리고 왔다는 사실이 가슴을 칼로 도려내는 것처럼 고통스럽고
끔찍스럽게 느껴졌어요.

이것이 태영이와 저와의 마지막이었지요. 이 천하에 몹쓸 어
미는 그동안 한번도 그 애를 만나러 가지 않았지요. 물론 보고
싶은 마음이야 없었겠습니까마는 저는 죄책감에 빠진 나머지 차
마 그 애가 있는 곳을 찾아갈 수가 없었던 거예요.

처음 그 애를 떼어놓고 왔을 때는 거의 미칠 것만 같았어요.
그러나 그것도 세월이 지나자 차차 가라앉더군요. 세월이 약이
라더니, 과연 그렇더군요.

그렇다고는 하지만 그 애를 잊은 적은 거의 없었어요. 명절때
는 더욱 생각이 간절했고, 해가 감에 따라 그 애의 나이에 맞춰
그 애의 성장한 모습을 그려보곤 했어요. 그러나 찾아가지는 않
았어요. 찾아가본들 가슴 아프기만 할 뿐이지 무슨 뾰족한 수가
있었겠어요 ?

양씨와 살면서 저는 딸을 하나 낳았고, 결국 어쩔 수 없이 비
록 소실이나마 그의 부인으로서 생활에 충실해야 했어요. 더욱
이 새로 낳은 딸 묘련(杳蓮)이는 어떻게나 귀엽게 노는지, 저한
테 어느새 가정의 즐거움이란 것을 느끼게 해주었어요. 그 애가
귀엽게 놀 때면 저는 어느새 지난 날의 모든 시름을 잊고 웃을
수가 있었어요. 양씨도 자기 딸인 그 애를 귀여워했지요.

뿐만 아니라 저에게도 귀찮을 정도로 잘해 주었어요. 광적인

애욕이랄까, 그런 것에서 비롯된 사랑이라고 할 수 있겠지요. 그러나 저는 한번도 진실로 그를 사랑해 본 적이 없어요. 제가 강제로 그에게 끌려갔지만 어떻든 말이에요. 그러나 저는 지나간 20년 동안 한번도 그의 사랑을 받아들이지 않았어요. 그러고 보면 어떤 면에서는 양씨 역시 불행하고 가련한 사람이라고 할 수 있었지요.

그런데 어느날 밤이었어요. 저 혼자 잠이 들지 못한 채 어둠 속에서 두 눈을 뜨고 있는데, 그때까지 제 머릿속을 가득 채우고 있던 거대한 의혹의 그림자가 말끔히 씻겨내려가는 것을 느꼈어요. 그것은 바우님이 잡혀 들어가신 뒤 그때까지 제 머릿속에서 막연하게나마 서서히 커오던, 일정한 방향도 그리고 형체도 잡을 수 없는 그런 의혹이었어요. 그것이 그날 밤 갑자기 선명히 정체를 나타내면서 저에게 하나의 답을 주었던 거예요.

그 순간 저는 소스라치게 놀라 일어났어요. 바우님이 누군가의 모함에 의해서 붙잡혀 들어갔다는 것, 그리고 그 모함이 어쩌면 양씨에 의해서 이루어진 것일지도 모른다는 것, 그 결과 그는 오늘날 그 모든 것을 손에 넣고 있지 않은가……. 한 줄로 나란히 이어지는 이와 같은 생각을 저는 순식간에 할 수가 있었어요. 저는 몸을 떨었어요. 그와 함께 그때서야 겨우 그런 생각을 할 수 있게 된 제 자신이 무척이나 저주스러웠어요.

일단 그런 생각이 들자 양씨에 대한 의혹들이 하나 하나 구체적으로 나타나는 것이었어요. 바우님이 구속되었을 때 제일 엉터리 변호사를 골랐던 점, 자진해서 증인으로 나서지 않았던 점, 아무리 이쪽에서 부탁한 것이라 해도 자기 일에 끝까지 매달려 지켜본 점, 그리고 언제나 태연해 보이던 모습 등등이 그것이었어요.

그러나 무엇보다도 더욱 의심을 짙게 한 것은 결과적으로 그가 제 몸과 재산을 차지했다는 사실이었어요. 저는 사건을 부탁했다가 잘되기는 커녕 오히려 모든 것을 빼앗기고 만 거지요. 그래도 양씨는 바우님에 대해 조금이나마 동정이 갔던 모양이지요. 저를 검사와 동침하게 함으로써 바우님이 사형을 받는 것만은 막으려고 한 것을 보면 말이에요.

그런데 어떻든 바우님 때문에 한동주라는 사람이 죽었다는 사실, 그리고 바우님을 직접 고소한 사람이 바로 한동주의 동생이라는 사실 등이 양씨에 대한 저의 그러한 의혹에 찬물을 끼얹었어요. 비록 양씨의 모함으로 바우님이 감옥에 들어갔다는 생각이 강하게 들긴 했지만, 그건 어디까지나 추측일 뿐으로 이미 결판이 나버린 사건을 뒤엎기에는 너무나도 미약한 것이었어요. 더구나 여자인 저 혼자서 어떻게 할 수가 있겠어요.

그러니까 제 생각은 양씨와 한동주의 동생과의 관계에까지 미쳤다가 거기서 그만 끝나버리고 말았어요. 어쩔 수 없는 일이었어요.

그래서 저는 그것을 더 이상 생각하지 않기로 했어요. 만일 양씨의 모함이라는 것이 사실로 밝혀졌다 하더라도 저는 그것을 마음 속에 간직하고 있을 뿐, 그것을 밖으로 표면화시켜 말썽을 일으키지는 않았을 거예요. 왜냐하면 양씨가 아무리 그런 악질적인 인물이었다 해도 이미 그와 저 사이에는 묘련이라고 하는 딸이 있었고, 또 저는 어쨌든 그의 부인이었으므로, 또 하나의 파멸을 원하지 않았기 때문이에요.

저는 어느새 이렇게 이기적인 여자로 변해 있었어요. 아무 사고 없이, 완전한 망각지대에서 살고 싶었다는 것은 확실히 이기적이 아니고는 취할 수 없는 생활태도였어요.

저는 오히려 양씨에 대한 저의 의혹이 빗나간 것이라고 생각해 버렸어요. 그렇게 생각해 버리니까 오히려 마음이 편하더군요.

그런데, 그때부터 저는 양씨를 증오하는 마음이 일기 시작했어요. 그를 의심하는 대신 미워한 거예요. 제가 이렇게 증오하는 마음을 갖자, 그와 저 사이에는 싸움이 잦아지게 되었어요. 싸움이라고 해야 제가 일방적으로 얻어맞는 것이었지만, 저는 오히려 그렇게 실컷 증오하고 두들겨 맞는 것이 훨씬 마음이 편했어요. 그러나 저와는 달리, 양씨는 저를 때리면서도 그럴수록 저를 더욱 사랑했어요. 사람의 심리란 복잡하면서도 묘한 것이지요.

아무튼 저는 그를 증오한 나머지 그와의 사이에 더 이상 아기를 갖지 않으려고 수술까지 해버렸어요. 그래서 저는 영원히 아기를 가질 수 없는 여자가 되었지요.

제가 처음부터 그를 남편이라 부르지 않고 양씨라 부르는 이유를 이젠 아시겠지요?

죽지 못해 살아온 인생이었으니, 그렇게 알아주십시오. 만일 묘련이만 없었더라면 저는 벌써 죽어버렸을 거예요.

이제 저는 양씨에게서 완전히 해방된 몸이에요. 그가 죽었을 때 저는 눈물 한 방울 흘리지 않았어요. 슬프기는커녕 올 것이 왔다는 생각이 들었고, 곧 저는 해방을 느꼈던 거예요.

알고 계시겠지만, 양씨가 죽자 본처가 일가 친척들을 데리고 문창으로 몰려왔지요. 그들은 저를 때리고 물어뜯는 등 야단을 친 다음 재산을 모두 쓸어갔어요. 누가 말리는 사람도 없었고, 저는 한 마디의 항거도 못한 채 고스란히 재산을 모두 빼앗겨버렸지요. 그 바람에 저는 하루 아침에 거지나 다름없이 되어버렸지요. 그러나 저는 그 재산이 아까운 생각도 들지 않았고, 오히려 없어지고 나니 홀가분한 기분이었어요. 저는 어떠한 시련에도 익숙해져 있었기 때문에 그러한 모든 수모를 얼굴 하나 찌푸리지 않은 채 받아들일 수가 있었지요.

그러나 제 딸 묘련이는 저와는 달랐지요. 그 애는 아버지가 살해당하고, 또 본처라는 사람이 나타나서 저를 때리고, 막판에는 재산까지 쓸어가자 큰 충격을 받았어요. 그때까지 아무것도 모른 채 귀엽게만 자란 애였기 때문에 충격이 클 수밖에 없었겠지요. 그래서 다니던 학교도 집어치운 채, 수녀원으로 들어가버렸어요. 저는 그 애를 그대로 집에 붙들어 뒀다가는 미칠 것 같아서 자기가 하고 싶은 대로 놔둬 버렸지요.

그래서 저는 보시다시피 이렇게 완전히 혼자 몸이 되었어요. 이젠 죽을 때까지 이렇게 혼자서 살 작정이에요.

비록 술집에서 이렇게 접대부 노릇을 하고 있지만, 마음만은 편한 걸요. 모든 걸 다 잊으려고 서울로 왔지만, 배운 건 아무것도 없고, 그래서 하는 수 없이 술집에서 일하고 있는 거예요. 우선 먹고 살아야 하니 하는 수 있어야지요.

술집에 나와 있으니까, 저도 놀랄 정도로 사람이 빨리 변해버리더군요. 처음에는 촌티가 더덕더덕 붙어 있었는데, 조금 지나니까 제법 요령도 피울 줄 알게 되고 잔꾀도 늘더군요. 보는 것도 많고, 많은 사람을 대하니까 그런가 봐요. 이젠 담배도 피우고 제법 술도 마실 정도가 됐으니, 변해도 이만저만 변한 게 아니지요.

제가 너무 많은 말을 한 것 같군요. 제가 왜 이렇게 주책없이 많은 말을 했지요. 양씨 욕을 너무 했나봐요. 이미 죽은 사람인데, 쓸데없이 왜 욕을 했을까. 왜 죽었는지는 모르지만…… 정말 전 몰라요…… 그의 명복을 빌 뿐이에요. 과거야 어떻든 저와 20년을 함께 살았고, 우리 사이에는 딸까지 있어요. 저는 이제 아무도 미워할 수 없어요. 당신…… 오형사…… 미워요. 보기 싫어요. 저를 이렇게 취하게 해놓고 이야기하게 하다니…… 당신도 악질이에요. 악마 같은 사람…… 가세요. 나가세요. 지금까지 한 말 모두 거짓말이에요. 그게 정말인 줄 아세요? 나가세요. 보기 싫으니까 나가세요. 왜 그러고 앉아 있죠? 저와 자고 싶으세요? 제 몸이 탐이 나서 그러는 거죠? 웃기지 말아

요. 아아, 바우님 생각이 나요. 바우님…… 바우님…… 미워요
…… 바보 같은 사람…….

死者의 얼굴

손지혜는 쓰러져 울다가 잠이 든 모양이었다. 흩어진 옷자락과 헝클어진 머리칼이 그녀의 절망을 말해 주는 것 같아 오병호 형사는 기분이 언짢았다. 그는 주모가 넣어준 이불로 손지혜를 덮어준 다음 밖으로 나갔다. 술값이 의외로 많이 나오는 바람에 수사비가 거의 바닥이 나 있었다.

싸늘한 새벽 공기에 술이 확 깨는 것 같았다. 간밤에 눈이 좀 내렸는지 길 위에는 잔설이 덮여 있었다. 그는 덜덜 떨면서, 담배를 피웠다. 그리고, 가끔씩 헛기침을 하면서 새벽길을 터벅터벅 걸어갔다. 통금시간이 막 지났기 때문에 거리에는 쏜살같이 달리는 택시만 가끔씩 보일 뿐이었다.

불쌍한 여자다, 하는 것 외에 그는 손지혜에 대해 달리 더 생각할 수가 없었다. 그녀는 이상하지도 않았고, 특별하지도 않았다. 그녀는 오직 시대가 낳은 비극적 상황에서 너무도 기구한 인생을 살아야 했던 가장 불행한 여자 중의 한 사람이었다. 그는 그녀의 이야기를 충분히 납득할 수 있었고, 그렇게 될 수밖에 없었던 그녀의 입장도 이해할 수 있을 것 같았다. 과연 누가 그녀를 멸시의 눈으로 쳐다볼 수가 있단 말인가.

그는 차를 타지 않고 새벽길을 계속 걸어갔다. 여관에 이르렀을 때는 날이 밝아오고 있었다.

곧 잠자리에 들었지만 쉽게 잠이 오지 않았다. 오히려 더 많은 생각이 꼬리를 물고 일어났다.

양달수와 황바우를 중심으로 하나의 사건을 설정해 보는 것은 그렇게 어려운 일은 아니었다.

그러나 현재, 무기징역으로 20여년의 세월을 옥중에서 보내고 있는 황바우가 어떻게 양달수의 살인사건과 관계가 있을까 하는데 생각이 미치자 그는 적잖게 당황한 마음이 들었다. 황바우가 탈옥을 해서 양달수를 죽였다는 말인가. 그러나 이것은 어림도 없는 생각이었다.

그는 생각을 정리하려고 몸을 뒤치락거렸다. 문득 손지혜가 20여년 전에 황바우의 누님 집에 갖다버렸다는 태영이 생각이 났다.

그러나 그를 지금 당장 찾아간다는 것은 너무 성급한 짓이 아닐까. 가능한 한 요긴한 점만 수사를 해서 신속히 범인을 체포하는 일이 무엇보다도 중요한 일이 아닌가. 집히는 대로 무턱대고 이 사람 저 사람을 만나다가는 언제 수사가 끝날지 모르는 일이었다.

그는 손지혜의 진술을 하나하나 종합해 보았다. 손지혜가 술김에, 양씨의 모함으로 황바우가 억울한 옥살이를 하고 있는지도 모른다고 진술한 것은 어디까지나 추측에서 나온 말이라고 할 수 있지만, 그로서는 상당히 공감이 가는 내용이었다. 따라서 그것을 뒷받침하기 위해서는 사실을 정확히 파악할 필요가 있었다. 만일 반증될 만한 사실들이 튀어나와, 황바우 사건을 뒤집어 놓는다면 아마 놀라운 사태가 일어날 것이다. 법원은 침묵을 지킬 것이고 신문은 대서특필할 것이고 세상 사람들은 깜짝 놀라겠지. 그러나 거기에 그치지 않고 황바우 사건이 양달수 살인 사건과도 관련이 있다는 것이 밝혀진다면…… 세상은 또

한번 와글와글 끓어대겠지. 정말 시끄러운 노릇이다. 조용히 해
결할 수 있는 방법이 없을까.

　가까스로 잠이 든 그는 두 시간쯤 후에 눈을 떴다. 그리고 몸
이 나른했지만 다시 잠이 올 것 같지 않아 자리를 털고 일어
났다. 여관비를 치르고 아침식사를 하고 나니 여비도 모자
랐다. 매우 난처해진 그는 생각 끝에 S신문사에 근무하고 있는
친구에게 전화를 걸었다.

　전화를 받은 그의 친구는 펄쩍 뛰었다.

　「이 사람, 죽은 줄 알았지. 지금 어딨어?」

　「삼십 분 후에 그리 갈 테니까 돈 만 원만 준비해 줘. 서울 올
라왔다가 여비가 떨어졌어.」

　「여비가 떨어지지 않았으면 전화도 안했겠군. 망할 친구 같으
니. 지금 기사 마감 시간이라 바쁘니까 한 시간 후에 와 줘.
이 앞 다방으로.」

　S신문사 사회부 수석기자인 엄창규(嚴昌奎)는 대학 동창으로
매우 가까왔던 사이였다. 가난한 지방 출신으로 서로 어렵게 고
학을 하다 보니 은연 중에 친밀한 사이가 되었고, 학교 졸업 후
에도 그러한 관계는 계속되었다. 그러나 병호가 서울을 떠나 이
곳 저곳으로 근무처를 옮기면서부터는 마음만 있다 뿐 자주 만
날 수가 없었다. 엄기자로부터는 가끔씩 편지가 날아왔지만, 편
지쓰기를 몹시 싫어하는 병호는 답장을 거의 하지 않았다. 그렇
지만 엄기자에 대한 우정은 언제나 그의 가슴속에 따뜻하게 살
아 있었다. 그는 엄기자를 좋아했다.

　정력이 넘쳐흐르듯 항상 큰소리로 험하게 말하기를 좋아하는
엄기자는 서른 일곱 살인데도 미혼이었다. 중키에 뚱뚱한 이 노
총각은 겉으로 보기에는 무골호인(無骨好人)처럼 생겼지만 무엇
이나 한 가지 비위를 거슬리거나 구미를 당기는 일이 있으면 매
우 날카롭고 정확하게 그것을 파헤치는 강점이 있었다. 그 바람

에 수사 기관에 불려다니기도 하고 한때는 구속된 적도 있었지만 개버릇 남 못 준다고 여전히 강하고 대담한 기사를 제공하는 솜씨를 발휘하고 있었다. 이러한 그의 당돌함과 정직성이 때로는 상사의 의견과 충돌, 그로 하여금 수석기자 이상의 자리에 오르지 못하게 했다. 그러나 그는 일선 기자로 뛰어다니는 것에 만족할 줄 아는 사나이였다. 기자는 언제나 만년 기자이어야 한다는 것이 그의 주장이었다. 실제로 얼마 전에 창간된 Y신문이 그의 실력을 인정하여 높은 직위를 제의해 온 적이 있었지만 그는 코웃음을 치면서 점잖게 사양해 버렸다. 그런 장사꾼 신문사에 발붙여 먹는다는 건 사나이가 할 짓이 아니란 말이야, 하는 것이 그의 거절 이유였다.

한 시간 후에 병호는 신문사 앞에 있는 다방으로 나갔다. 엄창규는 이미 기다리고 있었다.

「얼굴이 왜 그래? 도둑놈처럼 면도도 하지 않고……」

「응, 좀 바쁜 일이 있어서.」

병호는 턱을 한번 쓰윽 문지르면서 친구를 바라보았다. 엄기자가 돈을 내놓자 그는 잠자코 그것을 주머니에 집어넣었다.

「지방 신문에서 봤지. 용의자를 고문치사해서 입건됐다는 기사 말이야. 이제 괜찮나?」

「괜찮아. 끝났어.」

「들어가서 콩밥을 좀 먹어야 하는 건데, 쯧쯧.」

그러다가 엄기자는 소리내어 웃었다. 병호도 따라 웃었다.

「지금도 지서주임인가?」

「아니야. 본서에서 대기 중이야.」

「대기 중이면서 사건을 맡나?」

「특별임무지. 그 사건 때문에 내가 쫓겨난 것이니까, 노는 셈 치고 내 손으로 한번 해결해 보자는 거야.」

「아직도 그 사건 해결 못했나?」

「못했어. 그것 때문에 올라온 거야.」

「요샌 강력 사건이 자꾸 미궁에 빠진단 말이야. 지난 1월에 일어난 변호사 살인사건도 해결이 안됐고……」

병호도 변호사 살인사건에 관한 기사는 읽은 기억이 났다.

「그 사건, 서울에선 상당히 쇼킹했던 모양이지?」

「이름있는 변호사가 죽었으니 그럴 수밖에 없지. 더구나 집안이 상당해. 아들은 현직 검사고, 동생은 Y신문사 사장이야. 그런데 피살자의 좋지 않은 사생활이 드러나는 바람에 동정을 받기는 커녕 오히려 빈축을 샀지. 그래서 경찰은 쉬쉬 하면서 수사를 했는데, 그렇게 해 가지고서야 어디 범인을 잡을 수 있어? 벌써 1년이 다 지나가는데도 단서도 못잡고 있으니…. 저수지 사건은 좀 풀려가나?」

「아직 더 두고 봐야 해.」

「오병호 형사한테 걸려서 안 풀린 사건이 있나. 곧 해결되겠지. 전번에 신문에 난 걸 보니까 죽은 강 모라는 사람이 용의자인 것 같던데 정말인가?」

「아니야. 그 사람은 중풍환자라 몸도 가눌 수 없었어. 내가 좀 심한 질문을 했더니 심장마비를 일으킨 거야. 그걸 가지고 이러쿵 저러쿵 추측 기사들을 써 가지고 내 입장만 곤란하게 했지. 기자 녀석들이라면 이젠 보기도 싫어. 약장사가 사기를 치는 것 같아서 말이야.」

「하하, 상당히 덴 모양이군. 그건 그렇고 그 저수지 사건 좀 이야기해 줄 수 없나? 옛날 공비 출신까지 만나고 다니고. 이렇게 서울까지 온 걸 보니까, 꽤 뿌리가 깊은 사건인 것 같은데…… 어디 이 못난 기자도 히트 좀 칠 수 있게 말이야.」

엄기자는 웃으면서도 병호를 주시했다.

병호는 엄기자의 매서운 관찰력에 못내 놀랐다. 본능적으로 그는 방어 태세를 취했다.

「아직은 이야기할 수 없어. 윤곽도 잡지 못한 걸. 나중에 기회 있으면 이야기하지.」

「이 사람, 나까지 피하려드나. 기분 나쁜데.」

「기분 나빠도 할 수 없어.」

「좋아, 그럼 나하고 약속해. 나중에라도 이야기하게 되면 제일 먼저 나한테 말해 주도록.」

「좋아, 그렇게 하지.」

「혹시 알 수 있나. 이 못난 기자가 도움이 될지도……」

그들은 점심을 함께 한 후 헤어졌다. 엄기자는 병호가 바로 내려간다고 하자 몹시 섭섭해 하는 눈치였다. 역까지 따라나와 배웅하려는 것을 병호는 겨우 말렸다.

풍산까지 차표를 끊은 그는 대합실에서 서성거리며 여기저기 벤치에 쭈그리고 앉아 추위를 녹이고 있는 거지들을 얼마동안 바라보다가 개찰구를 빠져나갔다.

열차가 한 시간쯤 달릴 때 눈발이 날리는 것이 보였다. 조금 후에 그것은 바람을 타고 눈보라가 되어 내렸다. 차가 들판을 지날 때는 눈보라가 하늘과 땅에서 쏟아져 나와 공중에서 서로 부딪치는 것처럼 보였다.

풍산에 닿은 것은 밤 9시가 지나서였다. 마음 같아서는 쉬지 않고 움직이고 싶었지만 오랜 시간 여행한 끝이라 몹시 피로했다. 여관에 들어가 잠을 청하다가 그는 문득 여교사 조해옥이 생각났다. 한동안 일에 쫓기다보니 그녀를 까맣게 잊고 있었다. 가을 밤에 그녀와 함께 섬진강변을 걷던 일이 뿌듯하게 가슴에 젖어왔다. 그날 밤은 유난히 달이 밝았었다. 헤어질 때 그녀는 집에서 시집가라는 바람에 하는 수 없이 학교에 사표를 냈다고 하면서 뛰어가버렸다.

그러나 서울집에는 가기 싫다고 했었지. 지금도 여기 있을까? 병호는 자리에서 몸을 일으켰다. 갑자기 외로움이 엄습해

오면서 그녀가 보고 싶어졌다. 그렇다고 만나서 어쩌자는 것도
없었다. 할 말도 없었고, 더구나 수작을 걸어보는 것은 생각할
수도 없는 노릇이었다. 괜한 감상은 집어치우는 게 어떨까. 만나
봐야 괜히 이쪽만 초라하게 느껴질 뿐이겠지. 상대는 대법원 판
사의 딸인데다 뛰어난 미모를 갖춘 싱싱한 처녀였다. 젊고 유망
한 청년과 결혼하는 것이 마땅하지 않은가. 나는 뭔가. 비록 아
내가 죽었지만 결혼한 전력이 있는 데다 박봉에 시달리는 경찰
나부랑이에 지나지 않는다. 게다가 나이는 서른 여섯. 여자가
그리운 것은 하는 수 없는 일이지만 자기 분수에 맞게 적당한 여
자에게 마음을 써야 하지 않을까. 그는 드러누워 이불을 푹 뒤
집어썼다. 그리고 한동안 뒤척이다가 잠이 들었다.

　이튿날 오후, 그는 효당리로 나갔다. 그리고 마을에 들어서기
전에 강만호가 말해준 그 언덕배기에 있는 국민학교에 들러보
았다. 겨울 방학이라 학교는 조용했다.

　그는 학교 운동장에 서서 단층 석조 건물을 한참동안 바라보
았다. 목조 건물들이 공비들의 방화로 불타버리자 그 자리에 새
로 지은 모양이었다. 돌로 튼튼하게 지었기 때문에 화재의 위험
은 없을 것 같았다. 조그만 석조 건물, 어린이 놀이터 같은 운동
장, 그 둘레에 듬성듬성 서 있는 키 큰 포플러 나무, 오밀조밀하
게 꾸며진 화단…… 이 모든 것들이 평화로운 분위기를 띠고 있
었다.

　여기에서 살육이 있었다고는 도무지 믿어지지 않았다.

　그는 고개를 들어 학교 너머 맞은편 하늘을 바라보았다.

　눈쌓인 지리산 정상이 햇빛을 받아 눈부시게 빛나고 있었다.
눈이 없는 아래쪽은 푸른 빛을 띠고 있었다. 산은 줄기를 이루
면서 양쪽으로 끝없이 퍼져 있었다. 그것을 보고 있는 동안 지
리산의 신비한 정기가 가슴에 와 닿았다. 그는 그 산속으로 영
원히 들어가버리고 싶었다. 그 속에 평생 묻혀버려도 바깥 세상

이 그리울 것 같지는 않았다.

학교를 나온 그는 곧 마을로 들어가 일전에 그에게 친절을 베풀어준 바 있는 박노인을 찾아갔다. 박노인은 반색을 하며 그를 맞았다. 병호는 안으로 들어 오라는 것을 굳이 사양하고 노인의 조카 되는 박용재를 좀 만나게 해달라고 부탁했다.

「그 애헌테 무슨 일이라도 생겼능가요?」

노인은 약간 근심스런 눈치를 보였다.

「아닙니다. 그때 그 일로 좀 자세히 물어볼 게 있어서 그럽니다.」

병호는 노인을 안심시켰다.

「아, 그렇께 그 양달수 사건이 아직 해결 안된 모양이구만.」

노인은 안심하고 아이를 불러 병호를 안내하도록 일렀다.

박용재는 집에 없었다. 그러자 똘똘하게 생긴 아이는 그럴줄 알았다고 하면서 병호를 어느 집 사랑으로 데리고 갔다.

박씨는 그곳에서 화투를 치고 있었다. 병호가 문을 열고 안으로 고개를 디밀자 그는 몹시 놀라는 눈치였다. 얼굴이 창백하고 눈에 핏발이 선 것으로 보아 며칠째 노름에 빠져 있는 것이 분명했다.

「재미있게 노시는데 미안합니다. 알아볼 게 있어서 그러니까 저하고 잠깐 이야기 좀 해야겠습니다.」

눈이 벌겋게 충혈된 사내들의 적의에 찬 시선을 병호는 침착하게 맞대했다. 박씨는 주위의 힘을 얻었던지 얼른 일어서려고 하지 않았다.

「도대체 무슨 일 땜에 그러지요?」

그는 아니꼬운 듯 시치미를 떼고 물어왔다.

「잠자코 따라오시오. 가보면 알 테니까.」

병호가 날카롭게 쏘아붙이자 박씨는 금방 기가 죽으면서 슬그머니 일어섰다. 병호는 처음에는 그를 술집으로 데리고 가서 차근차근 물어 볼 생각이었지만, 상대가 노름이나 하면서 요령있게 세상을 살아가는 위인이라는 것을 알자 그를 지서로 데리고 갔다.

지서 주임은 의아한 눈으로 병호를 바라보았다. 병호가 신분을 밝히고 용건만 말하자 그는 묵묵히 턱으로 뒤쪽을 가리켰다. 병호는 박씨를 앞세우고 보호실로 들어갔다.

보호실은 벽과 바닥이 모두 판자로 되어 있었는데, 낡을 대로 낡아 발을 옮길 때마다 삐걱거리는 소리가 났다. 창문이 없었기 때문에 실내는 어둠침침했다.

병호는 불을 켤까 하다가 그만두었다.

「거기, 앉으시오.」

병호의 퉁명스러운 말에 박씨는 방 가운데 놓여 있는 의자 위에 주춤거리며 앉았다. 병호는 그 앞을 왔다갔다 하며 물었다.

「어렵게 말하지 말고 쉽게 쉽게 합시다. 그게 서로를 위해 좋을 테니까. 자, 한동주를 만난 게 언제 어디서였지요? 그때 듣긴 들었는데, 잊어먹어서 그러니 다시 한번 이야기 해주시오.」

「제가 그때, 숙부님 댁에서 이야기하지 않았능가요. 잘못보고 그렇게 말한 거라고 말입니다. 한씨는 벌써 옛날에 죽었는디……제가 그날 무슨 귀신이 들어서 대낮에 헛것을 봤는지, 알다가도 모르겠습니다.」

박씨는 어둠 속에서 두 눈을 번득이며 완강히 부인했다.

병호는 이 사내를 점잖게 대해서는 안되겠다고 생각했다. 그래서 구둣발로 마룻바닥을 쾅하고 찼다.

「거짓말하지 마시오! 한동주가 살아있다는 건 다 조사해서 밝혀진 사실이니까, 더 이상 숨겨봤자 소용없는 일이야. 당신 그렇게 거짓말하면 위증죄로 집어 넣어 버릴 테니까 알아서 해요. 뭐 숨길 것이 없어서 그런 걸 다 숨기는 거요!」

64

박씨는 병호의 거친 태도에 놀랐는지 한동안 입을 다물고 있었다. 병호는 다시 그를 다그쳤다.

「한동주를 봤다는 사람이 한둘이 아니란 말이오. 당신이 말한다고 해서 당신한테 해가 되게 하지는 않을 테니까, 염려 말고 본 대로 말해 보시오. 추운데 이런 곳에서 며칠 밤 떨어봐야 좋을 거 하나도 없을 테니까.」

「비밀을 지켜주신다면……」

박씨는 더듬거리며 입을 열었다.

「물론 비밀은 지킬 테니까 그 점은 염려 마시오. 그 점이 문제라면 염려할 거 없어요.」

병호는 박씨 앞에 바싹 다가가서 그에게 담배를 내밀었다. 그리고 자기도 담배를 피워 물었다.

「재작년 여름이었는디 광주에 볼 일이 있어 갔다가 역 앞에서 그 양반을 봤지요. 서로 다른 마을에 살았지만 그 양반 동생인 한봉주와 저와는 친구 사이였기 땜에 그 양반을 잘 알고 있었지요.」

박씨는 담배를 깊이 빨아들이면서 무엇인가 한참 생각하다가 다시 말을 이었다. 목소리가 떨리는 것으로 보아 몹시 긴장하고 있는 것 같았다.

「저는 20년 전에…… 이미 그 양반이 죽은 줄로 알고 있었기 땜에 처음엔 혹시 귀신을 본 것이 아닝가 하고 제 눈을 의심했지요. 허지만, 아무리 봐도 그가 틀림없었어요.」

「그때 그 사람은 혼자 있었소?」

「아니지요. 어떤 사람들과 이야기를 하고 있었는디, 퍽 늙고 삐쩍 말랐던디요. 그래도 옷은 양복에다 넥타이까지 매고 잘 입었던디요.」

「그래서 어떻게 됐나요?」

병호는 홍분해 오는 가슴을 진정하면서 다급히 물었다.

「한씨는 아직 저를 못 보고 있었지요. 저는 좀 무서웠지만 하도 이상해서 그 형님에게 다가가 보았지요. 그리고…… 이거 형님 아니냐고 물었더니, 깜짝 놀라는 거예요. 그땐 저도 어떻게나 놀랐던지……」

「놀란 건 당연하지요. 죽었다는 사람이 살아 있었으니…… 그래서요?」

「동주 형님은 거의 사색이 다 돼 가지고 저를 잡아끌더니 사람이 없는 쪽으로 데려갑디다. 그리고는 저 혼자만 봤느냐는 거예요. 그래서 일행이 없이 혼자뿐이라고 했지요. 동주 형님은 땀을 뻘뻘 흘리면서 저를 붙잡고 하는 말이, 자기가 살아 있다는 건 아무헌테도 얘기하지 말라고 합디다. 자기는 옛날에 이미 죽은 목숨으로, 지금까지 숨어서 살아왔다고 하면서 말입니다. 만일 자기가 살아 있다는 것이 세상에 알려지면 자기는 이젠 꼼짝 없이 죽게 된답니다. 그래서 저는 도대체 무슨 일 때문에 그러느냐고 물었어요. 그러나 그 형님은 그건 묻지 말고, 좌우간 자기를 못본 걸로 해달라고 통사정을 했지요. 나중에는 한턱 내겠다고 하면서 저를 어디로 데려가려고 합디다. 무서워서 거절헝께 돈뭉치를 하나 꺼내서는 호주머니에 넣어 줍디다. 한사코 거절했지만, 막무가내로 떠맡기데요. 제가 어디 살고 있느냐고 물었지만, 그런 건 제발 묻지 말라고 하면서 대답을 안했습니다. 정말 알다가도 모를 일이었지요. 그런디 참 기가 막힌 것이, 헤어질 때는 저한테 협박까지 합디다. 만에 하나라도 누구한테 자기를 봤다는 말을 하면 저를 죽이겠다고 말입니다. 그런 말을 들으니까 사람이 무서워 보입디다. 지금도 그 생각을 하면 꿈자리가 사나와서……」

박씨는 바닥에다 가래침을 탁 하고 뱉었다.

「그 다음엔 어떻게 됐습니까?」

「그리고는 그냥 헤어졌지요. 저는 귀신에 홀린 것만 같아서,

지금도 그때 일이 도무지 믿어지지가 않아요. 원, 시상에 그
런 일도 다 있을까……」
「그 뒤로는 보지 못했나요?」
「그럼요. 소식도 못 들었는디요.」
「소식을 못 들었을 리가 있나요. 그 사람 동생한테서라도 들
었을 텐데……」
박씨는 한숨을 푹 내쉬었다.
「이것만은 정말입니다. 봉주한테서 그 형 이야기는 하나도 듣
지 못했습니다. 제가 그렇지 않아도, 광주 역에서 동주형님을
보았다고 말해 주었지만, 봉주는 그걸 믿지를 않았습니다. 나
중에는 외려 화까지 내면서…… 그런 쓸데없는 말하고 다니면
제 목을 따겠다고 협박까지 했지요. 친구지간이지만 그 말을
들응께, 등골이 오싹해서, 그 뒤로는 서로 안 만나고 있지요.
이젠 서로 의리가 상해서 친구라고 할 수도 없어요.」
병호는 박씨를 지긋이 내려다보았다.
「당신은 그 사람한테서 돈을 많이 받아먹은 모양이군.」
「아, 아닙니다.」
「아니긴 뭐가 아니야. 그러니까 지금까지 비밀을 지켜 온 거
아니오?」
「돈 때문에 아니라 죽인다고 해서 무서워서 말 안한 거지요.」
「그건 그렇다 치고…… 얼마 받았소?」
「조금밖에 안 받았습니다.」
「글쎄, 얼마?」
「오, 오만 원 받았습니다.」
「틀림없죠?」
「네, 틀림없습니다.」
「많은 돈이군. 당신 입을 막으려고 오만 원을 주다니…… 뭐
가 있는 모양인데……」

　분명히 무엇인가 깊은 내막이 있다는 생각이 번개처럼 머리를
스치고 지나갔다. 공비들한테 부역한 것이 무서워 지금까지 죽
은 것으로 위장한 것일까. 그것을 위해 황바우를 희생시킨 것일
까. 그렇다면 혹시 사전에 양달수와 어떤 묵계가 있었던 게 아
닐까. 비밀이란 그것을 만들어낸 사람들을 더욱 가깝게 맺어놓
을 수도 있고 멀리 떼어놓을 수도 있는 것이다. 따라서 그 비밀
을 완전한 것으로 하기 위해, 또는 그것을 깨기 위해 상대방을
죽이는 경우도 충분히 생각할 수 있는 일이다. 묵계의 내용이
무엇인지는 모르지만, 그것 때문에 한동주가 양달수를 죽인 게
아닐까. 그러나 이건 어쩐지 좀 평범한 것 같다. 그 이상의 내막
이 있을 것이다.
「한동주 동생은 지금 어디서 살고 있소?」
「요 건너 마을 냉골에 살고 있는디, 읍에 있는 농협에 출근하
고 있지요. 논마지기도 실히 가지고 있고 직장까지 다니고 있
기 땜에 아주 잘 살지요. 그런디 그 사람 만날 건가요?」
「그럴 생각이오.」
「그러면 날 만났단 말 하지 마십시오. 큰일납니다.」
박씨는 겁먹은 소리로 말했다.
「염려 마시오. 그런 말은 안할 테니까. 그 대신 당신이나 몸
조심하시오. 위험할지 모르니까.」
「예, 잘 알았습니다.」
박씨는 얼른 나가고 싶은 바람에 건성으로 대답했다.
「참, 잊은 게 있는데…… 한동주란 사람 장례식에 당신도 참
석했드랬소?」
「그러문요. 참석하고 말고요. 동생하고 친구니까 갔드랬지
요.」
「시체는 못 봤겠지요?」
「그야 물론이지요. 죽어서 장례를 치른다기에 그냥 가본 거뿐

이지요. 그렇게 장례까지 치른 사람이 살아 있으니, 정말 귀신이 곡할 노릇입니다.」

「가짜 장례식을 치른 거겠지요. 사람들의 눈을 속이기 위해서.」

「정말 그런 모양입니다.」

「자, 가도 좋소. 수고 많았소.」

병호가 가라고 하자 박씨는 머리를 한번 숙여 보이고는 도망치듯 사라져버렸다. 지서를 나온 병호는 혼자 주막집으로 가서 막걸리를 마셨다. 앞으로는 좀 더 바쁘게 움직여야할 것 같았다.

어느새 자신이 사건의 핵심에 들어와 있다는 것을 그는 오늘 비로소 느낄 수가 있었다. 무엇인가 어마어마한 흑막이 곧 그 자태를 나타내려 하고 있었다. 그는 그것을 육감으로 느끼고 있었다.

술집을 나왔을 때는 이미 날이 어두워져 있었다. 언제나 즐기는 버릇대로 그는 밤길을 걸어갔다. 바람 한점 없는 조용하고 차가운 밤이었다.

이튿날 여관에서 눈을 떴을 때 그는 오늘이 매우 중요한 날이라는 생각이 들었다. 아침식사도 집어치운 채 그는 읍 사거리에 위치하고 있는 농협(農協)으로 나갔다.

출근 시간이 가까와 오자 사방에서 자전거를 탄 사내들이 줄을 이어 나타났다. 모두가 자전거 뒤에 도시락을 싣고 있었는데 그것이 병호에게는 몹시 인상적으로 보였다. 모든 사람들이 열심히, 그리고 성실하게 살려고 노력하고 있구나 하고 그는 생각했다.

안으로 들어가 한봉주를 찾으니 이미 그는 출근해 있었고 조금 전에 화장실에 갔다는 사환 아이의 말이 있었다. 창구 앞에는 벌써 농부들이 상당수 몰려 있었다. 가만히 보니 거의가 농

자금을 타내려고 그런 것 같았다.

　병호가 칸막이 위에 팔꿈치를 괸 채 농협 직원들의 일하는 모습을 구경하고 있을 때 이윽고 뒷문 쪽으로부터 사십대의 사내 하나가 나타났다.

　사내는 얼굴을 잔뜩 찌푸린 채 한쪽 손에는 신문지를 들고 있었고, 또 다른 한 손으로는 배를 쓰다듬고 있었다. 그는 자리에 앉으려다가 사환 아이의 말을 듣고 병호가 서 있는 쪽으로 다가왔다.

　「한봉주 씨 되십니까?」

　「네, 그렇습니다만……」

　「아침 일찍 미안합니다. 경찰에서 왔습니다.」

　병호의 나지막한 말에 한봉주는 순간적으로 당황한 빛을 보였다. 얼굴이 노리끼하고 피로한 기색이 있는 것으로 보아 몸이 매우 불편한 모양이었다.

　「나가야 되는가요?」

　「네, 잠깐 나오시죠.」

　한봉주는 더 이상 묻지 않고 순순히 밖으로 나왔다.

　「어디 아프십니까?」

　병호는 사내 곁에 바싹 붙어서서 걸으며 물었다.

　「네, 위가 좋지 않아서……」

　봉주는 동정을 구하는 시선으로 병호를 바라보았다. 그는 무슨 일 때문에 이렇게 연행하느냐고 미처 묻지도 못한 채 다만 당황한 나머지 병호의 눈치만을 살피려 들었다.

　병호는 사내를 데리고 다방으로 들어갔다.

　아침이라 그런지 다방에는 손님이 하나도 없었다. 병호는 차를 시킨 다음 대뜸,

　「한선생 형님되시는 분은 지금 어디 있습니까?」

하고 물었다. 한봉주는 어리벙벙한 표정으로 병호를 응시했다.

「네？ 무슨 말씀인가요？」

「한동주 씨가 형님되지 않습니까？」

「네, 제 형님입니다만……」

봉주는 눈을 크게 떴다. 병호는 천천히 담배를 피워 물었다. 대답을 듣기가 쉽지 않을 것 같았다.

「그 형님이 어디서 살고 있느냐 말이오？」

「아니, 그게 무슨 말씀이십니까. 제 형님은 벌써 옛날에 돌아가셨는디요.」

한봉주는 펄쩍 뛰다시피 하면서 말했다. 병호는 고개를 끄덕이다가 조금 웃어보였다.

「가서 근무를 하셔야 할 테니까, 얼른 이야기를 끝냅시다. 이미 알려진 사실이니까 숨기려고 들지 마시오. 한동주 씨가 살아 있다고 해서 이제 와서 처벌하려고 하는 것은 아니니까, 그 점은 안심하시고 이야기를 해주시오.」

병호는 어디까지나 정중하게 이야기를 끌어나가려고 애를 썼다. 그러나 한봉주는 처음부터 완강하게 버티기 시작했다.

「그거 무슨 말씀을 그렇게 하시능가요. 형님이 살아 계시다니, 그럼 돌아가신 분이 살아나셨단 말잉가요？ 도대체 누가 그런 말을 하든가요？ 그리고 형님이 생전에 무슨 죄라도 졌능가요？ 그렇게 죄인처럼 취급하시니……」

「그러지 말고 바른대로 말하시오. 모든 걸 다 알고 왔으니까.」

「바른대로 말하지요.」

「말하시오.」

병호는 앞으로 상체를 기울였다. 봉주는 확고한 표정을 지었다.

「제 형님은 땅 속에 있습니다.」

병호는 화가 치미는 것을 꾹 눌렀다.

「정말이오?」

「정말입니다.」

그의 얼굴에는 처음에 놀라던 모습은 사라지고 절대 물러설 수 없다는 굳은 결의 같은 것이 엿보였다. 병호는 다시 그를 설득했다.

「재차 말하지만 형님을 체포할 생각은 없소. 다른 사건을 조사하다 보니까, 한동주 씨와 관련이 되어 있어서, 이를테면 증언을 들으려고 그러는 거요. 그러니 바른대로 대답해 주시오. 모든 걸 비밀로 해둘 테니까.」

「정말 답답합니다. 옛날에 죽은 사람을 찾겠다니……. 도대체 제 형님이 사건과 관련이 되어 있다고 하셨는데, 그 사건이란 무엇인가요?」

「그건 한선생도 잘 아시는…… 양달수 씨 살인사건이오.」

「아, 그 문창에서 일어난 저수지 사건 말이군요. 그럼 문창 경찰서에서 오셨는가요?」

「그렇소.」

「어쩐지 처음 보는 형사라고 생각했지요. 그런디 살인사건 하고 옛날에 돌아가신 우리 형님하고 무슨 관계가 있는가요?」

「직접적으로 그렇다는 것은 아니고, 수사상 보충할 것이 있어서 그러는 거요. 자, 이만큼 이야기해 주었으면 알아들으셨을 테니까, 형님이 어디 살고 있는지, 그것만 좀 알려주시오.」

「글쎄, 형님은 옛날에 돌아가셨다니까요. 벌써 돌아가신 지 20년이 넘었어요. 전 그것밖에 모릅니다. 정말입니다.」

「거짓말 마시오. 누굴 바보로 아시오?」

병호는 화를 못 참고 소리를 질렀다. 그러나 한봉주는 끄떡도 하지 않았다.

「정말입니다. 제가 거짓말 할 리가 있습니까.」

「나는 이야기가 잘될 줄 알았는데, 그게 아니군. 나갑시다.

당신 같은 사람하고는 정상적인 말로는 안되겠어.」

병호는 봉주를 데리고 경찰서로 갔다. 서(署) 앞에 이르자 봉주는 갑자기 후들후들 떨었다. 추위를 무척 타는군, 하고 병호는 생각했다. 곧 있으면 진땀을 흘리겠지.

한봉주가 문앞에서 머뭇거리며 들어오려고 하지를 않았기 때문에 병호는 그의 팔을 잡아끌었다.

안으로 들어가자 서원들은 눈이 휘둥그레져서 그들을 바라보았다. 한봉주는 병호가 미처 말을 꺼내기도 전에 여러 서원들과 반갑게 인사를 나누었다. 서로들 잘 아는 사이인 것 같았다. 그 중에서도 계장이라고 불리는 서원과는 친분이 두터운지, 봉주는 그를 구석으로 끌고가더니 한참 동안 무엇인가 열심히 쑥덕거렸다.

그동안 병호는 그 자리에 우두커니 서 있었다. 갑자기 그는 피로하고, 배가 고프고, 동시에 울화가 치밀었다.

얼마 후 한봉주와 이야기를 끝낸 계장이 어깨를 으쓱 하며 병호에게 다가왔다.

「수사계장 김입니다. 문창서(汶昌署)에서 왔다구요?」

병호는 그렇다고 대답했다.

「한봉주 씨는 무엇 때문에 조사하는가요?」

계장은 이죽거리는 투로 따져 물었다.

「조사할 일이 있어서 조사하는 겁니다.」

병호의 퉁명스러운 대꾸에 계장은 좀 움찔하는 것 같았다.

「글쎄, 그 조사할 일이란 게 뭡니까?」

「지금은 말씀드릴 수 없습니다.」

「우리 관할 구역에서 수사를 한다면 수사계장에게 마땅히 그 내용을 알려야 하지 않을까요? 그게 상식인 줄 알고 있는데 …… 그래야 서로 수사에 도움이 될 테니까 말이오.」

계장의 말은 옳았다. 그러나 병호는 그 요구를 끝까지 거부

했다.

「풍산에서 일어난 사건은 아니니까 그렇게 굳이 아실 필요는 없지 않습니까.」

난로가에 앉아 있던 서원들은 모두 놀라는 눈치였다. 계장은 몹시 기분이 상했는지 미간을 찌푸렸다. 그는 새삼스럽게 병호의 아래위를 훑어보더니 신분증을 좀 보자고 말했다. 병호는 신분증을 꺼내 보인 다음, 단도직입적으로 말했다.

「방을 좀 빌리겠습니다.」

한봉주는 불안한 눈으로 계장과 병호를 번갈아보았다. 계장은 못마땅했지만 규정상 거절할 수가 없었으므로 앞장서서 들어갔다. 그 뒤를 병호는 한봉주를 앞세우고 따라갔다.

계장이 안내한 곳은 취조실이 아니라 회의실같이 생긴 널따란 방이었다. 방 가운데에는 긴 탁자들이 한 줄로 길게 잇대어 놓여 있었고, 그 양켠에는 의자들이 아무렇게나 흩어져 있었다.

「지하실에 있는 방은 습기가 차서 냄새가 지독해요. 차라리 이 방이 좋아요.」

계장은 이렇게 말한 다음 병호를 한쪽 구석으로 데리고 갔다.

「무슨 일인지, 내막은 잘 모르겠지만, 너무 심하게 다루지는 말고 잘 좀 부탁해요. 저 양반하고는 가까운 사이니까 나를 봐서라도 잘 좀 부탁해요. 정 뭣하면 내가 알아봐 줄 수도 있겠는데……」

계장의 목소리는 은근했다.

「아니, 괜찮습니다. 이 일은 저 혼자 처리하는 게 좋을 것 같습니다.」

병호가 단호하게 끊어 말하자 계장은 더 이상 말을 꺼내지 못한 채, 그 자리에 서서 머뭇거리다가 슬그머니 밖으로 나가버렸다.

「이리 와 앉으시오.」

병호는 의자를 끌어내 놓고 턱으로 한봉주를 가리켰다. 봉주는 멍청히 서 있다가 주춤주춤 다가와 앉았다. 병호는 그의 어깨를 툭 쳤다.

「황바우란 사람 알지요?」

이 갑작스런 질문에 사내는 고개를 번쩍 들었다. 그러나 이미 준비하고 있었는지 대답은 침착했다.

「네, 알고 있습니다.」

병호는 창가로 걸어갔다가 돌아왔다.

「그 사람이 지금 어떻게 되어 있는지나 아시오?」

「알고 있습니다. 감옥에서 징역을 살고 있습니다. 무기징역을 살고 있습니다.」

「그래, 무기징역을 살고 있소. 왜 그렇게 되었는지 말해줄 수 없소?」

「제 형님을 칼로 찔러 죽였지요. 게다가 부역까지 했고⋯ 사형받지 않은 게 다행이지요.」

「그럴 테지. 당신 말이 옳을지도 모르지.」

병호는 한봉주에게 가까이 다가서서 그의 어깨를 힘껏 밀어버렸다. 그 바람에 한봉주는 힘없이 바닥에 나뒹굴었다.

「아니, 왜, 왜, 왜 그러십니까? 제가 무슨 죄가 있다고 이럽니까? 사람을 이렇게 학대할 수가 있습니까?」

「뭐, 학대한다고? 그래, 당신 같은 사람은 백번이라도 학대하고 싶어.」

병호는 일어서려는 사내를 주먹으로 때렸다. 한봉주의 몸은 먼지를 뒤집어쓰고 금방 허옇게 되어버렸다.

「이쪽에서 순순히 나가면, 잘 알아들어야 할 게 아니냐 말이야. 이미 다 알고 묻는데 그렇게 거짓말을 하면 어떻게 되느냐 말이야. 그래 봐야 결국 당신 손해야.」

「제가 무슨 거짓말을 했단 말입니까? 왜 생사람을 잡습니

까? 할 말 있으면 말로 하십시오. 저도 처자가 있는 몸입
니다.」

한봉주는 씨근거리며 대들었다. 눈이 곤두서는 것이 무서워
보이기까지 했다. 이 자식, 여간해서는 불지 않겠는데. 병호는
난처한 생각이 들었다.

「정 그렇다면 내가 이야기를 하지. 옛날에 황바우를 고발한
사람은 당신이지? 황바우가 당신 형을 죽였다고 고발했지?
그랬어, 안 그랬어?」

「그, 그랬습니다.」

「죽이지도 않은 사람을 왜 죽였다고 고발했어?」

병호는 한봉주의 멱살을 틀어 쥐었다가 놓았다. 한봉주는 헐
떡거리기 시작했다.

「그때 당신 형인 한동주는 죽지 않았어. 황바우의 칼에 찔리
긴 했지만, 죽지는 않았단 말이야. 그런데도 당신은 당신 형
을 몰래 도피시킨 다음, 황바우를 살인범으로 고소했단 말야.
이런 멀쩡하고 악질적인 거짓말이 지금까지 20여년 동안 그대
로 방치되어 왔어. 그러나 그것이 영원히 비밀로 남아 있으리
라고 생각했나? 이건 생각만 해도 어머어마한 무고(無告)야.
왜, 왜 그런 짓을 했어? 양달수와 서로 짜고 그런 짓을 한 거
지? 말해 봐. 잠자코 있지 말고 말해 봐. 당신이 그런 무고를
하는 바람에 황바우는 20년이 지난 지금도 감옥에 갇혀 있어.
그 사람 생각 한 번이라도 해봤어? 한번도 안해봤겠지. 안
그래? 말해 보란 말이야.」

병호는 주먹을 쥐고 상대를 노려보았다. 생각 같아서는 몇대
실컷 후려갈기고 싶었지만, 차마 그런 짓만은 할 수가 없었다.

한봉주는 머리를 숙이는가 싶더니, 의자에 슬그머니 쭈그리
고 앉았다. 그리고는 두 손으로 얼굴을 감싸 쥐면서 흐느껴 울
기 시작했다. 마치 자기는 억울하고, 그래서 서러움만 당한다는

듯이 제법 큰 소리로 우는 것이었다.

「이런 망측한 양반 봤나. 뭐가 서럽다고 여자들처럼 훌쩍거리
는 거야. 그렇다고 해서 당신 죄가 가벼워지는 줄 아나. 어림
없는 수작 하지도 마!」

병호는 주먹으로 탁자를 두드렸다. 그러나 한봉주는 여전히
큰 소리로 훌쩍거렸다.

「저는 억울합니다. 이럴 수가 있습니까?」

「뭐가 억울하단 말이야. 똑똑히 말해 봐.」

병호는 신경질이 나서 소리를 꽥 질렀다. 한봉주는 손등으로
눈물을 닦은 다음 원망스런 시선으로 병호를 쳐다보았다. 이 치
가 꽤 연극을 잘 하는구나 하고 병호는 생각했다. 정말로 눈물
이 나올 정도로 연극을 할 수 있는 사람이면 여간 교활한 놈이
아닐 것이다.

한봉주는 울먹이는 소리로 말했다.

「제가 죄를 졌다면 달게 받겠습니다. 그러나 이건 정말이지
너무 억울합니다. 형님이 억울하게 돌아가신 것도 원통한데
…… 이제 와서 저까지 이런 대접을 받아야 쓰겠습니까. 세상
에 이런 법이 어딨습니까. 황바우가 무고하게 감옥살이를 하
고 있다고 하셨는데 대체 그런 말은 어디서 들었습니까. 황바
우 그놈은 죽어 마땅한 놈입니다. 그놈은 빨갱입니다. 아시겠
습니까. 그놈은 빨갱이라고요. 자기 죄가 무서워서 그걸 숨기
려고 형님을 칼로 찔러 죽인 겁니다. 이래도 모르시겠습니까.
형님은 빨갱이한테 죽은 겁니다. 그런데 뭐라고요? 형님이
살아 있다고요? 살아 있다면 귀신이 살아 있겠지요. 귀신을
보고 형님이 살아 있다는 것 아닙니까? 세상에 어느 미친놈
이 죽지도 않은 사람을 죽였다고 그러겠습니까?」

「흥, 큰 소리 치는군. 당신 그럼 형이 죽었다는 걸 뭘로 증명
할 수 있어?」

「그렇게 믿을 수 없다면 묘라도 보십시오. 저하고 함께 가서 직접 눈으로 보십시오.」

이것은 병호가 기대하던 말이었다. 한봉주는 엉겁결에 이 말을 했는지도 몰랐다.

「당신이 그렇게 우기니까 할 수 없군. 내 눈으로 직접 확인하겠어. 그 대신 말이야. 겉만 봐서는 안돼. 속에까지 봐야겠어.」

「뭐라고요? 묘를 파 보겠다고요?」

봉주는 놀란 나머지 눈을 부릅떴다.

「그래, 내 말이 틀렸어? 그게 진짠지 가짠지 어떻게 아느냐 말이야. 시체가 들었는지 안 들었는지 확인해야 되지 않겠어?」

「세상에 그런…… 그런 말이 어딨습니까. 돌아가신 형님한테도 욕되는 일이고…… 더구나 집안 어른이 그걸 들어줄 리도 없고……」

한봉주는 머리를 흔들었다. 병호는 쿡 하고 웃었다.

「겉만 본다면야 가볼 필요도 없는 거지. 당신이 정말 거짓말을 안하고 있다면 묘를 파보는 일을 피하지는 않겠지. 그게 가짜니까 피하는 거 아니야?」

「아닙니다. 그건 제가 혼자서 결정할 일이 아니기 때문에 그러는 겁니다.」

「이유야 어떻든 당신이 그걸 거부한다면 경찰에서 강제집행할 수도 있어. 강제로 파볼 수도 있단 말이야. 알아들었어?」

이 말에 한봉주는 한참동안 입을 다물었다. 이제 그는 병호의 요구를 피할 수 없음을 깨달은 것 같았다. 진땀이 나는지 그는 연방 손등으로 땀을 닦고 있었다. 병호는 봉주가 이제 모든 것을 자백할 것이라고 생각했다. 이 이상 버텨봤자 쓸데없는 짓이었다. 그러나 한봉주는 쉽게 자백하려 들지 않았다. 그는 생각보다도 만만치 않게 나왔다.

「좋습니다. 묘를 파서 한번 보십시오. 그 대신 이것은 극비로 해야겠습니다.」

「물론이지. 나도 그 정도는 생각하고 있어.」

「집안 어른들은 물론이고 마을 사람들도 이걸 알아서는 안됩니다. 그러니까 좋은 방법은…… 밤에 파는 게 안전합니다.」

「밤에?」

「네, 밤에……」

병호는 순간 위험을 느꼈다. 밤에 이런 일을 감행한다는 것은 확실히 위험한 일이었다. 그러나 이제 와서 물러설 수도 없는 일이었고, 이쪽이 약하다는 것을 보이고 싶지도 않았다.

그래서 그는

「좋아. 오늘 밤에 하지.」

하고 말했다.

한봉주가 6시에 퇴근하는 길로 다방으로 나오기로 하고 그들은 일단 헤어졌다. 밖으로 나올 때 수사계장이 말을 걸려는 눈치였으므로 병호는 그를 거들떠보지도 않은 채 급히 그곳을 빠져나왔다.

혹시 한봉주가 어디론가 도주해 버릴지도 모른다는 생각이 문득 들었다. 그러나 지금까지의 생활기반을 내팽개치고 도망친다는 것도 쉬운 일은 아닐 것이다. 또한 도망친다는 것은 모든 것을 인정한다는 말도 된다. 도망친들 어디로 도망가겠는가.

한봉주를 다시 만나기 전에 할 일이 있었으므로 병호는 택시를 집어타고 냉골로 달려갔다.

마을에 들어서서 한동주의 유족을 찾으니 생각보다는 의외로 큰 기와집에서 풍족하게 살고 있었다. 주인을 찾자 수다스럽게 생긴 50대의 부인이 방문을 열고 나왔다.

「주인 되십니까?」

「네, 그렇구만요. 어디서 오셨능기라 ?」

「경찰에서 왔습니다. 방을 좀 조사하겠습니다.」

병호는 대답도 듣지 않고 방안으로 불쑥 들어갔다. 절차도 밟지 않은 불법적인 행동이었지만 가택수색영장 따위를 발부받을 겨를도 없었고 그럴 입장도 되지 못했던 것이다.

부인은 시골 아낙이라서 그런지 꼬치꼬치 따져 묻지도 못한 채 멀거니 병호를 바라보다가 이내 겁을 잔뜩 집어먹은 얼굴이 되었다. 병호는 다행이라고 생각하였다. 그러나 이 여자도 마음을 놓을 상대는 아니었다. 어디엔가 숨어 있을 남편과 연락을 취하고 있을 것이고 보면 꽤 교활한 일면이 있을지도 몰랐다.

「한동주 씨는 언제 돌아가셨는가요 ?」

병호는 방안을 둘러보면서 지나가는 투로 넌지시 물어보았다.

「벌써, 옛날에 난리 때 돌아가셨구만요.」

부인은 재빨리 대답했다. 병호는 고개를 끄덕이면서 장롱을 가리켰다.

「이것 좀 열어 보실까요 ?」

부인은 머뭇거리다가 장롱 문을 열었다. 병호는 옷을 젖히고 안에 깊이 넣어둔 앨범과 편지 꾸러미를 꺼냈다. 앨범을 젖히니 가운데쯤에서 한동주로 짐작되는 낡고 바랜 사진이 한 장 나왔다.

「이 분이 한선생이시죠 ?」

「네, 그렇구만요.」

「이거 언제 찍은 겁니까 ?」

「글쎄요. 아주 옛날에 찍은 거라 잘 모르겠구만요.」

사진의 얼굴이 비교적 젊은 것으로 보아 아마 30대 전후에서 찍은 것 같았다. 이마가 좁고 광대뼈가 유난히 튀어나온 인상이었다.

「돌아가시기 직전에 찍은 사진은 없습니까?」

「글쎄요. 그런 건 없구만요. 모두 잃어먹어서요.」

「좋습니다. 그럼 이 사진 좀 빌리겠습니다.」

그가 사진을 호주머니에 집어넣자 부인은 당황한 기색이었다. 그러나 그것을 돌려달라고 요구하지는 않았다. 병호는 편지 꾸러미를 풀었다. 그리고 그것을 한참 동안 뒤적거리던 그는 이윽고 네 통의 편지를 골라내었다. 네 통의 발신자 이름은 모두 최대수(崔大秀)라고 되어 있었는데, 하나같이 주소가 적혀 있지 않았다. 무엇보다도 병호의 주의를 끈 것은 우체국 소인(消印)에 나타난 발신지가 모두 다른 점이었다. 제일 오래 된 편지는 광주(光州)에서 부친 것이었고, 그 다음이 목포와 부산에서, 그리고 최근의 것이 서울에서 보낸 것이었다.

그렇다면 최대수는 몹시 바쁘거나 주소가 일정하지 않은 사람임이 분명했다. 아니 주소가 일정하지 않은 몹시 바쁜 사람이라고 보는 것이 옳을 것이다.

「이거 아주머니 이름입니까?」

병호는 배정자(裵正子)라고 쓰인 수신자 이름을 가리켰다. 여자는 말없이 고개를 끄덕거렸다. 병호는 네 통의 편지를 모두 꺼내어 읽어보았다. 바쁜 탓인지 편지 내용들이 매우 간단했다.

〈너무 염려하지 말고 마음을 푹 놓게. 수일 내로 사람을 하나 보낼 테니 그리 알게.〉

〈보낸 돈은 적절하게 쓰게. 그렇다고 돈이 있는 체하면 절대 안되네. 목포에 한번 다녀가게.〉

〈왜 오지 않았는가. 1월 5일에 꼭 올라오게. 이번에 빠져서는 안되네.〉

겉보기에는 간단했지만 내용이 매우 함축된 묘한 편지라는 생각이 들었다. 1월 5일이면 앞으로 열흘 남짓 남았다. 그렇지만 차 시간을 알 수 없는 게 유감이었다.

「최대수 씨는 누굽니까?」

병호는 편지 글씨와 몇 장의 낡은 사진 뒤에 적어놓은 글씨를 슬그머니 비교하면서 물었다.

「제 먼촌 오빠뻘 되는 사람이구만요.」

병호는 별로 신통한 것을 발견하지 못한 듯 편지와 사진을 뒤적거리다가 지나가는 투로 다시 물었다.

「이 사진들 뒤에 적어놓은 글씨는 누가 쓴 겁니까?」

「그거야 애들 아버지가 생전에 써 둔 것이지라우.」

「한선생 말입니까?」

「그렇지라우.」

부인은 선뜻 대답하는 것이 이쪽의 놀라움을 아직 눈치채지 못한 것 같았다. 병호는 급히 그 집을 나왔다.

놀랍게도 편지 글씨와 사진 뒤에 적힌 글씨가 너무나 흡사했다. 양쪽 글씨가 모두 오른쪽으로 비스듬히 기울어진 채 끝을 흘리고 있었다. 글씨체란 일생 동안 거의 변하지 않는 법이다. 그렇다면 편지는 한동주가 최대수라는 가명을 사용해서 그 부인에게 보낸 것이 분명했다. 이제 한동주가 살아 있다는 사실이 구체적으로 밝혀지고 있었다. 큰 수확이었다. 한동주의 사진을 얻고, 가명을 알아내고, 1월 5일이란 날짜까지 알게 되었다는 것은 정말 일대 수확이었다.

그는 마을 중간쯤 나오다가 다시 발길을 돌려 한동주의 집으로 급히 뛰어갔다. 그리고 그 집 앞에 이르자 안으로 들어가지 않고 한동안 부근을 서성거렸다. 그렇게 한참을 있자 얼마 후에 머슴처럼 보이는 청년 하나가 빈 지게를 지고 골목 어귀에 나타났다. 청년이 한동주의 집으로 막 들어서려고 할 때 병호가 막아섰다.

「이 집에 사시오?」

「예, 그런디요.」

82

청년은 좀 바보스럽게 웃어보였다.
「잠깐 봅시다.」
병호는 청년의 팔을 잡아끌었다.
「왜 그라시요?」
「나 경찰인데 잠깐 따라오시오.」
경찰이라는 말에 청년은 순순히 따라왔다. 사람의 통행이 드
문 곳에 이르자 병호는 청년의 등을 두드렸다.
「겁낼 것 없어요. 그 집 머슴이오?」
「예.」
청년은 작은 두 눈을 꿈벅거렸다. 병호는 천 원을 꺼내어 청
년의 손에 쥐어 주었다.
「내 뭘 좀 알아볼 게 있어서 그러니까 숨기지 말고 말해주시
오.」
「뭘 아실라구요?」
머슴은 돈 천 원에 금방 기분이 좋아졌는지 히죽히죽 웃었다.
「당신 주인 집에 혹시 낯선 사람 온 적 없소?」
「글씨요…… 가끔 낯선 이들이 오지라우.」
「주인 아주머니는 항상 집에만 있소?」
「어디요, 잘 돌아다니지라우.」
「며칠씩 집을 비울 때도 있소?」
「그라믄요. 사흘 거리로 집을 비우지라우.」
「아주머니하고 농협 다니는 시동생하고는 자주 만나나?」
「아, 작은 집 어른 말이군요. 그라믄요. 형수 형수하면서 여
그 잘 놀러 오지라우. 아는 것 많고 말도 잘 하지라우.」
「잘 알겠소. 그건 그렇고…… 죽은 한씨 묘는 어디쯤에 있
소?」
「저그 잣골 가는 데 있지라.」
「여기서 멀어요?」

「벨로 안 멀어요.」

「그럼 좀 안내해 주겠소?」

「거그는 가서 뭘 할라구요?」

「내 좀 아는 사람이라 여기 온 김에 한번 둘러보려구.」

「그렇게 하지라우.」

「우리가 여기서 한 말 다른 사람한테는 절대 하지 마시오. 나를 만났다는 말도 하지 말고. 만일 그런 말을 하면 재미없어!」

「그, 그라믄요. 그런 말 안해요.」

머슴은 집으로 돌아가 지게를 벗어놓고 나왔다. 그리고는 빠른 걸음으로 앞장서서 걸어갔다.

마을을 벗어나 언덕길로 올라서자 군데군데 잔설이 덮여 있었다. 점점 깊어지는 골짜기를 내려다보면서 그들은 산으로 올라갔다.

한동주의 묘는 산 중턱 솔밭 속에 거의 묻히다시피 자리잡고 있었다. 묘는 자그마했고, 손질이 거의 되지 않아 주위는 온통 마른 잡초투성이였다. 가짜 무덤이니 이렇게 버려져 있을 수밖에 없을 것이라고 병호는 생각했다. 그는 조그마한 빗돌에 흐릿하게 새겨진 비문(碑文)을 눈여겨 읽어보았다.

〈韓東周之墓 檀紀 四二八五年 十月 二十八日〉

형식적으로 세워 놓은 것 같은 매우 간단한 묘비였다.

「왜 이렇게 벌초(伐草)도 하지 않고 내버려 두었지?」

병호는 머슴에게 담배를 권하면서 물었다.

「명절 때 성묘도 하지 않는디요, 뭐.」

머슴은 못마땅하다는 투로 말했다.

「왜 성묘도 하지 않지?」

「글씨, 모르겠는디요.」

「거, 이상하군. 자, 수고 많았소. 갑시다.」

내려가는 길에 병호는 다시 머슴에게 오늘 일을 비밀로 해달라고 부탁했다. 머슴은 두말도 말라는 듯 약속을 단단히 했다.

다시 읍으로 돌아간 병호는 먼저 플래시를 구입했다. 그런 다음 여관방으로 들어가 피스톨을 손질했다. 총알을 재어 넣고 그 차가운 쇠붙이를 손바닥 가득히 그러쥐었을 때는 자신이 마치 살인을 준비하고 있는 것만 같은 기분이 들었다.

대강 준비가 끝나자 그는 방에 드러누운 채 연거푸 두 대의 담배를 피웠다. 되도록 편안한 마음을 가지려고 했지만 웬지 자꾸만 긴장감이 느껴지곤 했다.

이윽고 시계가 오후 6시를 가리키자 그는 즉시 다방으로 나갔다. 날은 이미 어두워져 있었고, 어느새 눈이 조금씩 내리고 있었다.

한봉주는 그보다 십 분쯤 뒤에 나타났다.

차를 다 마실 때까지 그들은 서로 아무 말도 나누지 않았다. 한봉주는 창백한 얼굴로 병호의 눈치를 계속 살폈다.

「갑시다.」

병호가 찻잔을 놓고 일어서려고 하자 봉주가 마침내 그의 소매를 붙들었다.

「한번만 봐주십시오.」

그는 호주머니에서 두툼한 봉투를 꺼내어 병호에게 내밀었다. 병호는 그것을 멀거니 내려다보았다.

「십만 원입니다. 눈감아 주십시오.」

봉주는 두 손을 잡고 비굴하게 웃었다. 병호도 웃음이 나왔다.

「쓸데없는 짓하지 말고 집어 넣으시오.」

「부탁합니다.」

「허어, 이러지 말래두.」

「부탁합니다. 한번만…… 부족하다면 더 드리겠습니다.」

한봉주는 붙잡고 늘어지면 통할 것이라고 생각한 모양이
었다. 병호는 사내의 손이 두번 세번 봉투를 내밀자 나중에는
신경질적으로 그것을 뿌리쳤다. 한봉주는 그렇게 모욕을 당하
고 나서야 돈 봉투를 도로 주머니에 집어넣었다. 그의 얼굴은
웃음이 가시고 냉랭하게 굳어 있었다. 그는 병호를 쏘아보다가,

「너무 그러시면 신상에 좋지 않습니다. 이쪽이라고 당하고만
 있으란 법은 없으니까요.」

하고 말했다. 아주 도전적인 말이었기 때문에 병호는 기분이 상
해오는 것을 느꼈다. 그러나 그는 화를 꾹 눌러 참고 이렇게 대
답했다.

「당신은 협박도 할 줄 아는군. 그렇지만 누구나 거기에 넘어
 가는 게 아니야. 시끄럽게 굴지 말고 빨리 나가요.」

한봉주는 몸을 한번 부르르 떨더니 이를 악물고 일어섰다. 자
기 나름대로 어떤 결의가 세워진 듯했다. 택시를 타고 냉골에
이른 그들은 일단 헤어졌다. 한봉주가 무덤을 팔 인부들을 비밀
리에 물색해야 했기 때문에 그동안 병호는 다른 곳에서 기다리
고 있어야 했다. 한아름이나 되는 나무 밑에서 그는 한참 동안
서 있었다. 눈송이가 굵어지는지, 그것이 나뭇가지에 부딪히는
소리가 꽤 요란스러웠다. 그는 추위를 참지 못해 이리저리 움직
였다.

한봉주가 인부들을 데리고 나타난 것은 8시가 가까와서였다.
건장한 사내 세 명이 한봉주 뒤에 서 있었는데, 어둠 때문에 얼
굴을 잘 알아볼 수가 없었다. 들고 있는 연장들이 서로 부딪히
는 소리가 섬뜩했다.

그들은 묵묵히 언덕을 올라갔다. 바람이 불자 눈송이는 금방
눈보라가 되어 휘몰아쳤다. 병호는 추위와 두려움에 어깨를 웅
크리면서 이런 밤에 이런 일을 하게 된 것을 후회했다. 그와 함
께 자기의 사는 방식이 너무 서투른 것 같이 생각되었다.

그는 삽과 곡괭이를 든 사내들이 아무래도 마음에 켕겼기 때문에 일행의 맨 뒤로 처져서 걸었다. 두 눈을 셰퍼드처럼 앞을 날카롭게 주시하고 있었고 오른쪽 손은 자신도 모르는 사이에 코트 호주머니 속에 들어 있는 피스톨을 움켜쥐고 있었다.

골짜기를 끼고 올라가는 길목에 이르자 일행은 왼쪽으로 꺾어 돌았다. 병호는 낮에 확인해 둔 방향과는 다르다는 것을 알았다. 이자들이 다른 무덤을 파헤칠지도 모른다는 생각이 들자 그는 그 자리에 멈춰섰다. 그리고 소리를 질렀다.

「어디로 가는 거요?」

그 순간 앞서 가던 한봉주가 획 돌아서면서 곡괭이를 휘둘렀다.

「뒈져라, 이 새끼!」

악에 바친 고함 소리가 밤하늘을 쩌렁 울렸다. 병호는 반사적으로 몸을 돌렸지만, 상대가 일격에 찍어 죽일 생각으로 사정없이 내려치는 바람에 어깨에 심한 충격을 받고 뒤로 쿵하고 쓰러졌다.

「죽여버려!」

고함 소리와 함께 사내들이 우르르 몰려드는 것을 어렴풋이 느끼면서 병호는 뽑아든 피스톨의 방아쇠를 살며시 잡아 당겼다.

탕.

손바닥 가득히 전해져 오는 첫 발의 전율과 충격, 비명소리, 가슴에 깊숙이 배어드는 어둠의 혼, 그리고 차갑게 얼굴에 부딪혀오는 눈보라…… 이러한 것들에 친밀감을 느끼면서 그는 마약이 주는 환각 같은 야릇한 쾌감을 느꼈다. 동시에 그의 손가락 사이에서 방아쇠가 계속 놀았다.

탕.

탕.

탕.

탕.

그는 자기가 죽어간다고 생각했다. 별 고통도 없이 갑작스레 죽게 된 데 대해 다행이라고 여겨지기도 했다. 총소리에 놀라 허겁지겁 도망치는 발자국 소리를 들으면서 그는 정신을 잃었다.

그가 눈을 뜬 것은 한참이 지나서였다. 머리가 어지럽고 아려 왔다. 뒤로 넘어지면서 머리를 돌에 심하게 부딪힌 모양이었다. 그런데 눈이 얼굴에 쌓이고 그것이 녹아내리자 갑자기 정신이 든 것이다.

한봉주 일행은 모두 도망쳐 버렸는지, 바람 소리와 짐승의 울음 소리, 그리고 물흐르는 소리만이 들려올 뿐 주위에는 인기척 하나 없었다. 그는 엎드린 채로 손을 더듬어 플래시를 찾았다. 이어서 피스톨을 찾아든 다음 주위를 자세히 관찰했다. 핏방울이 많이 떨어져 있는 것으로 보아 한봉주 일행 중의 누군가가 총상을 입은 것이 분명했다.

그는 가슴이 덜컹 내려앉았다. 사람이 죽었을 경우를 생각하자 전신에 소름이 끼쳐 왔다. 죽지 않는다 하더라도 부상을 당했으니 문제가 간단할 것 같지는 않았다.

그는 한쪽 어깨를 싸 안으면서 허둥지둥 비탈길을 내려왔다. 어깨가 몹시 아파왔지만 거기에 신경을 쓸 여유가 없었다.

마을 어귀에 들어서자마자 그는 불심 검문을 받았다. 철커덕 하고 총을 재는 소리와 함께 플래시의 불빛이 강렬하게 눈을 찔렀다. 총소리를 듣고 출동한 경찰들이었다.

「산에서 내려오는 길이오?」

플래시를 든 경찰관이 물었다.

「네, 그렇습니다.」

「신분증 좀 봅시다.」

병호는 말없이 증명을 내보였다.

「문창서에서 오셨군요. 그럼 당신이 총을 쐈나요?」

「네, 하는 수가 없어서……」

병호는 두 명의 경찰관 사이에 서서 걸었다.

「무슨 일 때문에 그랬습니까?」

「살인사건이 하나 있어서 그걸 조사하다가……. 자세한 건 나중에 말씀드리겠습니다.」

그는 죄인처럼 힘없이 말했다. 경찰관이 그를 동정했다.

「잘못 걸렸군요. 그 사람 죽으면 문제가 크겠는데……」

「부상자를 봤습니까?」

「읍으로 가는 걸 봤어요. 여긴 병원이 없어서 바로 읍으로 간 모양이에요. 배를 맞은 것 같은데, 창자가 나온 걸 보니까 아주 중탠가 봐요.」

「부상자는 누굽니까?」

「누군지도 모르고 쐈나요?」

「어두워서 분간할 수가 있어야지요.」

경찰은 뜸을 들이다가 대답했다.

「한봉주라는 사람이 다쳤어요.」

「그래요? 역시…… 그랬군.」

병호는 지서에 들러 주임으로부터 몇 가지 질문을 받은 다음 마침 택시가 있어 그것을 집어타고 읍으로 갔다.

병원 앞에는 경찰 지프가 서 있었다. 병호는 머뭇거리다가 안으로 슬그머니 들어갔다. 한봉주가 들어 있는 병실은 많은 사람들로 가득 차 있었다. 병호는 안으로 들어가지도 못한 채 열린 문을 통하여 병실 안의 동정을 살폈다. 아직 아무도 그가 여기 나타난 것을 모르고 있었다. 안에서는 막 울음 소리가 터져 나오고 있었다. 여자들의 울음도 섞여 있는 것으로 보아 아마 가족들이 울고 있는 것 같았다. 울음 소리 사이로 퉁명스런 목소리가 들려왔다.

「그 자식, 살인범으로 당장 체포해!」

「네, 알겠습니다. 수갑을 채울까요?」

「그걸 말이라고 해? 경찰이라고 봐줄 수는 없어. 사람을 죽였으니까 살인범이란 말이야. 지서에도 사망했다고 알리고 그놈을 발견하는 대로 체포하라고 지시해. 즉시 비상망도 펴. 나는 서장을 만나볼 테니까.」

잠바 차림의 사내가 정복 경찰관에게 지시하고 있었다. 사내는 아침에 보았던 풍산서(署) 수사계의 김계장이었다. 병호는 그들 앞에 나설까 하다가 생각을 달리 고쳐먹고 얼른 화장실로 몸을 피했다. 경찰들이 구두 소리를 내면서 밖으로 우르르 몰려 나가는 소리가 들려왔다. 병호는 화장실의 퀴퀴한 냄새와 알콜 냄새를 맡고 있는 동안 자신이 몹시 나약하고 초라하게 느껴졌다.

비상망이 펴지기 전에 얼른 풍산을 빠져나가지 않으면 체포될 것이 뻔했다. 이유야 어떻든 사람을 쏴죽인데 대한 벌은 받아야 했다. 그것이 두려운 것이 아니었다. 문제는 이제 실마리가 풀리기 시작하고 있는 사건 수사를 여기에서 그만 두어야 하는가 하는 점이었다. 아무리 생각해도 그럴 수는 없었다. 욕심인지는 몰라도 자신이 벌을 받는 것보다 사건을 먼저 해결하는 것이 보다 급하고 중요한 일인 것 같았다. 벌은 나중에 받아도 늦지 않다고 생각하자 그는 급히 밖으로 빠져나갔다.

여관으로 돌아가 가방을 챙겨든 그는 급히 우체국으로 가서 문창의 김서장에게 전화를 걸었다. 서장은 집에서 전화를 받았는데 매우 반가와 하는 눈치였다.

「어, 오형사, 수고 많군. 어떻게 됐나?」

「큰일났습니다.」

「큰일이라니? 지금 어디 있나?」

「풍산에 있습니다. 그런데……사람을 죽였습니다.」

「뭐라고? 자네 미쳤나? 전번에도 말썽을 일으키더니 이번에도 또 말썽이야? 어떻게 된 거야? 자초지종을 이야기해봐.」

「저를 죽이려고 했기 때문에 권총을 쐈습니다. 정말이지 어쩔수 없었습니다.」

병호는 몹시 난처해서 말했다.

「정당방위란 말이지? 증인이 있나?」

「있긴 하지만 모두 죽은 사람 편입니다. 그리고 밤에 일어났기 때문에 어두워서 얼굴을 잘 알아볼 수 없었습니다.」

「곤란하군. 증인이 없으니 정당방위였다는 걸 어떻게 증명하나? 바보같은 친구 같으니라구. 살인사건을 해결하라니까 오히려 살인을 하고 다녀? 당장 자수해. 지금까지 수사한 건 다른 사람한테 넘기고 빨리 자수해!」

서장은 당장 전화를 끊을 기색이었다. 병호는 당황했다. 어떻게 해서든지 서장을 설득시켜야 했다. 여기서 손을 뗀다면 그는 자수를 하든가, 아니면 도망자가 되든가 해야 했다.

「자수하는 건 문제가 아닙니다. 거의 다 돼 가는 판에 그만두기가 억울해서 그럽니다. 양달수 사건은 보통 살인사건이 아닙니다. 여기엔 굉장한 흑막이 있습니다.」

「그러니까 다른 사람한테 그걸 넘겨.」

「그럴 수는 없습니다. 이건 다른 사람한테 넘길 수 있는 사건이 아닙니다.」

「자네 아니라도 그걸 맡을 사람은 많아.」

「물론 잘 알고 있습니다. 그렇지만 이건 좀 곤란합니다. 제가 우수해서 그렇다는 것은 아닙니다. 저는……이걸 꼭 해결해 보고 싶습니다. 다른 이유는 하나도 없습니다. 며칠간만 여유를 주신다면 결과를 보고해 드리겠습니다. 그리고 자수하겠습니다. 며칠간만 기다려 주십시오.」

병호는 어느새 호소하듯 말하고 있었다. 그는 그동안의 수사 내용을 대충 이야기했다. 서장은 이야기를 듣고 나자 적이 놀라는 눈치였다. 긴 침묵이 그것을 말해 주고 있었다.

한참 후에 서장의 무거운 음성이 들려왔다.

「음, 꽤 기괴한 사건이군. 그렇지만 자네를 봐주고 있다가는 내 입장이 곤란하게 될지도 몰라.」

「잘 알고 있습니다.」

병호는 전화통 앞에다 고개를 숙였다.

「며칠간이면 되겠나?」

「네, 충분합니다.」

「한 달 여유를 주지. 사건을 해결하면 자네의 정당방위도 인정될지 모르지. 내 풍산 서장한테 전화를 걸어서 부탁을 해 볼 테니까, 그렇게 알고 열심히 뛰어. 그렇지만 나도 장담할 수는 없어. 풍산 서장이 자네를 잡겠다고 고집을 피우면 나도 어쩔 수 없는 거니까. 왜 하필 풍산에서 그런 일이 일어났어? 풍산 서장이 여간 까다로운 친구가 아닌데. 그리고 또 피해자 가족들이 들고 일어나면 곤란하단 말이야. 그땐 자네를 봐줄 수도 없어.」

「당장 그러지는 못할 겁니다. 그쪽에도 약점이 있으니까요. 오히려 조용히 끝나기를 바랄지도 모릅니다.」

「아무튼 일이 끝나면 자넨 자수를 해야 해. 나한테만은 자네가 있는 곳을 수시로 보고해. 그리고 참, 지금 당장 곤란한 점은 뭔가?」

「없습니다.」

「수사비가 바닥이 났을 텐데.」

「제가 저금해 둔 돈이 좀 있으니까……」

「이 사람, 자기 돈을 쓰면서 수사하는 사람이 어디 있어. 그러지 말고 에……또……자네 풍산을 떠나 어디로 갈건가?」
「광주(光州)로 가겠습니다.」
「그러면 말이야, 이렇게 하지. 광주서(署) 정보과에 내 처남
이 있으니까 그리루 자네 봉급하고 수사비를 보내지. 아무 때
고 그 사람을 만나 돈을 찾아. 내 처남이니까 안심해도 돼. 전
화로 불러내어 만나는 게 좋을 거야.」
「잘 알겠습니다. 정말 감사합니다.」
「난 자네를 믿어. 건투를 비네.」
서장은 전화를 끊었다. 병호는 가슴이 뜨거워 왔다.
우체국을 나온 그는 눈이 내리는 밤하늘을 우두커니 바라보다
가 역 쪽으로 천천히 걸어갔다. 곡괭이로 얻어맞은 어깨가 쓰리
고 아팠기 때문에 그는 한쪽 어깨를 내리고 이상하게 걸어갔다.

死者의 무덤

　세 명의 건장한 사내가 급히 골목길을 걸어갔다. 그들은 매우 재빠르게 움직이고 있으면서도 발소리를 거의 내지 않았다. 달빛 하나 없는 캄캄한 밤이었다.

　이윽고 그들은 초가 앞에 이르자 한 사람만 밖에서 망을 보고 나머지 두 사람은 담을 넘어 안으로 들어갔다. 그들은 안방 앞에 이르자 한참 동안 방안의 동정을 살피면서 있었다. 안에서는 코고는 소리가 요란했다.

　이윽고 모두 잠이 든 것을 확인한 그들은 방문을 조용히 열고 안으로 들어섰다. 그때 그들 중의 하나가 잘못 아기의 손을 밟는 바람에 아기가 놀라 깨어 자지러지게 울었다.

　「누구야?!」

　젖가슴을 풀어헤치고 자던 아낙이 몸을 일으키며 물었다.

　「조용히 해!」

　사내가 플래시를 비치며 사납게 말했다. 여자가 다시 뭐라고 말하려고 하자 사내는 여자의 가슴을 냅다 걸어찼다. 여자는 가슴을 싸 안으면서 입을 딱 벌리고 사내들을 바라보았다. 그리고 공포에 질려 더 이상 말을 하지 못했다.

　그런 줄도 모르고 여자의 남편은 여전히 코를 골며 자고 있

었다. 사내가 어깨를 두어번 걷어차자 그제서야 그는 끙하고 돌
아누우면서 눈을 떴다.

「일어나. 네가 박용재(朴容載)지?」

「누, 누구야!」

박씨는 벌떡 상체를 일으켰다. 사내가 무릎으로 박씨의 얼굴
을 내질렀다. 코가 깨지면서 피가 흘러내렸다.

「밖으로 나와. 빨리!」

「누, 누구요? 왜 이러는 거요?」

「이 새끼야 나오라면 나오지 웬 잔소리가 그렇게 많아. 우린
경찰이야. 알겠어?」

플래시를 얼굴 가까이 들이대고 있었으므로 박씨 쪽에서는 눈
이 부셔서 상대방의 모습을 알아볼 수가 없었다. 경찰이라는 말
에 그는 주섬주섬 옷을 입었다. 그러다가 그는 생각난 듯 무슨
일 때문에 그러느냐고 물었다.

「이 자식아, 가보면 알아!」

주먹이 그의 턱을 갈겼다. 박씨는 비틀거리는 몸을 겨우 가누
면서 확실한 이유도 모른 채 용서를 빌었다.

「한 번만 봐주십시오. 다시는……」

「다시는 뭐야?」

「노름하지 않겠습니다.」

「알겠어. 좌우간 따라와.」

따라나서려는 아낙을 윽박질러 놓고 사내들은 박씨를 끌고 밖
으로 나갔다. 그들은 대문을 벗어나자 박씨의 손을 뒤로 비틀어
서는 밧줄로 꽁꽁 묶었다.

자정이 지난 밤이었기 때문에 길에는 강아지 한 마리 얼씬 하
지 않았다. 북풍이 거세게 불고 있어서 날씨는 거칠고 추웠다.

지서와는 반대 방향인 산 쪽으로 끌려가자 박용재는 버티고
서서 가지 않으려고 했다.

「어디로 가는 건가요? 지서는 저쪽인디요.」

「이 자식이 죽고 싶나. 죽고 싶지 않으면 시키는 대로 해, 이 자식아!」

사내들의 말투는 이 지방 말투가 아니었다. 아무리 어둡다고는 하지만 직감적으로 낯선 사람들임을 알 수 있었다. 박씨는 더럭 겁이 났다. 차라리 이들이 진짜 경찰이라면 죄가 있으나 없으나 하룻밤 곤욕을 치르는 것쯤이야 마음 턱 놓고 받아넘길 수 있을 것 같았다. 그러나 아무리 봐도 이들의 행동이 경찰같지가 않았다. 어딘가 조심스럽고 당황해하는 투가 그것을 말해 주고 있었다.

「정말 경찰인가요?」

「잔말 말고 빨리 가.」

사내 둘이 양쪽에서 겨드랑이를 끼고 끌어당겼고 다른 하나는 뒤에서 그를 걷어찼다.

박씨는 완강히 버티기 시작했다. 금방 소리라도 칠 기색이었다. 사내 하나가 칼을 목에 대면서 박씨의 얼굴을 때렸다. 박씨는 으윽 하고 숨을 들이켰다.

「말 안 들으면 알지? 너 같은 놈 하나 죽이는 건 문제가 아니야. 다시 개수작하면 목을 잘라버릴 테다.」

사내들은 박씨가 소리치지 못하게 입까지 틀어막았다. 잔꾀가 많은 박씨도 더이상 버티지 못하고 소처럼 끌려갔다.

마을을 벗어난 그들은 개울을 따라 한참 동안 올라갔다. 박씨는 도중에서 고무신 한 짝이 벗겨졌는데, 그것을 찾아 신으려다가 그는 문득 한 가지 생각이 떠올라 그대로 내버려 두고 걸어갔다.

개울을 벗어나서 잔솔밭으로 들어서자 박씨는 나머지 한쪽 고무신도 벗어버렸다. 자신이 지금 매우 위험한 처지에 놓이게 된 것을 깨달은 그는 만일을 생각해서 자기가 끌려가는 길목마다에

96

표시를 남겨두고 싶었던 것이다. 그 경황에도 그런 것을 생각해 낸 것을 보면 매우 영리한 사람이라고 할 수 있었다. 납치범들은 이러한 낌새를 미처 눈치채지 못했다.

솔밭이 끝나는 곳에 공동묘지가 있었다. 그들은 그 안으로 들어섰다.

박씨는 다시 양말 한 짝을 벗어던졌다. 발이 시리고 아팠지만 어떻게든 살아야 한다는 생각에서 그는 절망적인 몸부림을 하고 있었다. 그들이 공동묘지 중간쯤에 이르렀을 때 누군가가 거기에 서 있었다.

「데려왔어?」

어둠 속에서 그림자가 빠른 어조로 물었다. 몹시 쉰 목소리였다.

「네, 데려왔습니다.」

납치범들은 거의 동시에 말했다. 쉰 목소리의 사내는 앞으로 바싹 다가와서 박씨를 들여다보았다. 그리고

「너 이 자식, 나 모르겠어?」

하고 물었다. 손수건으로 입이 틀어막힌 박씨는 아무 말도 할 수 없었다. 무서운 공포로 하여 그의 몸은 마구 떨리고 있었다.

「난 한동주다!」

그는 박씨의 반응을 기다리다가 다시 말했다.

「난 한동주야. 네놈도 알다시피 지금까지 나는 숨어서 살아왔어. 이렇게 늙어서까지 말이야. 하지만 이렇게나마 무사히 살아가기를 바랬지. 그런데 네놈이 입을 잘못 놀리는 바람에 그것이 어려워졌어. 내 동생이 총에 맞아 죽은 것도 순전히 네놈 때문이야. 넌 나한테 돈까지 받아처먹고 약속을 깨뜨렸어. 왜 그렇게 입을 놀리고 다니는 거야? 넌…… 입이 너무 가벼워. 그대로 살려둘 수는 없어. 옛정을 생각하면 안됐지만 하는 수 없어. 남조선 혁명을 위해서는 너 같은 놈 하나쯤 희

생되도 괜찮아. 이봐, 이놈을 처치해!」

박씨는 항거할 틈도 없었다. 지시를 받은 사내들은 미리 준비해 온 삽과 곡괭이로 그를 난타했다. 박씨는 비명 소리 하나 지르지 못한 채 풀썩 쓰러졌다. 사내들은 사정을 두지 않고 무자비하게 그를 내려쳤기 때문에 연장이 몸에 부딪히는 소리가 퍽퍽하고 주위를 울렸다.

그들은 매우 능숙한 솜씨로 일을 처리했다. 박용재가 죽은 것을 확인하자 그들은 무덤 하나를 파기 시작했다.

무덤은 얼어 있었기 때문에 곡괭이를 내려찍을 때마다 그것은 쳇소리를 내면서 가볍게 퉁기곤 했다. 그와 함께 파란 불꽃이 번쩍번쩍 일곤 했다. 질펀하게 뻗어 있는 공동묘지 위로는 북풍이 이상한 소리를 내면서 불어닥치고 있었다. 차가운 바람과 어둠 속에서 사람을 하나 때려 죽이고, 다시 임자없는 무덤을 파헤치고 있는 이들의 모습은 귀신보다도 더 음산하기 짝이 없었다.

이 공동묘지에는 수천 개의 무덤들이 자리잡고 있었다. 별로 인구도 많지 않은 이러한 시골에 이렇게 큰 공동묘지가 있다는 것은 아무래도 이상한 일이었다. 공동묘지로 자리잡히기 시작한 것은 일제 때의 일이었다. 그러나 해방 때까지만 해도 이곳에는 그렇게 많은 무덤들이 없었다. 그러다가 여순반란사건(麗順叛亂事件)과 6.25사변을 맞아 급격히 불어났던 것이다.

무덤들은 언덕을 갉아먹고, 들을 지나 맞은편 산에까지 기어올랐다. 거의 모두가 억울하게 죽어간 원한에 사무친 사람들의 무덤이었으므로 마을 사람들은 대낮에도 이 공동묘지를 지나기를 매우 꺼려했다.

그러다 보니 마을 아이들 사이에는 어느새 이 공동묘지에는 귀신이 우글거린다는 소문이 확신에 가깝게 퍼져 있었다.

「이 무덤 정말 말썽 없겠어?」

쉰 목소리가 물었다.

「괜찮습니다. 주인이 없는 게 확실합니다. 벌초도 안해서 거의 묻혀 있지 않습니까.」

사내 하나가 말했다.

「빨리빨리 해. 날 새기 전에 해치워야 하니까.」

쉰 목소리가 다시 말했다.

무덤의 거죽이 벗겨지자 그 다음부터는 얼어 있지 않아 일이 수월하게 진행되어 나갔다. 건장한 사내들은 힘이 좋았기 때문에 쉬지 않고 파 내려갔다.

한참 후, 관(棺)이 나타나자 그들은 코트로 플래시의 불빛을 가리면서 관이 깨어지지 않도록 조심스럽게 관 뚜껑을 열었다. 관은 썩어 있어서 금방이라도 부서져버릴 것만 같았다.

이윽고 뚜껑이 열리자 안에서는 해골과 뼈가 나왔다. 불빛을 받자 그것들은 은백색으로 빛났다. 그들은 관 속을 한동안 들여다보다가 해골과 뼈를 미리 준비해온 상자 속에 담기 시작했다. 팔과 다리에서 해어진 옷자락을 걷어낼 때는 그들도 섬짓한 기분이 들었던지 손이 뻣뻣하게 움직였다.

「이건 여자 아니야?」

쉰 목소리가 옷자락을 집어올리며 말했다.

「옷은 그대로 놔두고 뼈만 추려가면 되지 않습니까?」

이 말에 쉰 목소리는 대꾸하지 않았다.

사내들은 뼈를 모두 추려내자 이번에는 죽어 있는 박씨의 옷을 벗기기 시작했다. 온몸이 피에 젖어 있었으므로 옷을 벗기는 데는 상당한 애를 먹어야 했다.

벌거벗긴 박씨의 몸을 관 속에 대신 집어넣고, 뚜껑을 다시 닫고, 처음의 모습대로 무덤을 만드는 일이 매우 재빨리 진행되었다. 그들은 모두 허덕거리며 일에 열중하고 있었으므로 온몸이 땀에 젖는 것도 모르고 있었다. 쉰 목소리의 주인공, 다시 말

해 한동주의 지시에 따라 그들은 철저하게 움직이고 있었다. 그
만큼 권위가 있었고, 무섭게 들리고 있었다.

모든 일이 끝나자 그들은 뼈를 담은 상자와 박씨의 옷을 들고
그곳을 떠났다.

「벌써 2시야. 빨리 하지 않으면 날이 새.」

쉰 목소리가 앞장서 걸으면서 말했다.

공동묘지를 벗어난 그들은 언덕 하나를 넘어 냉골 쪽으로 움
직였다. 그리고 냉골에 이르자 마을에는 들어서지 않고 잣골 쪽
으로 방향을 잡았다.

언덕을 기어올라 계곡의 물소리를 들으면서 곧장 걸어가던 그
들은 얼마 후에 한동주의 무덤 앞에 이르러 걸음을 멈추었다.

쉰 목소리의 사내는 자기의 묘비 위에 한쪽 발을 올려놓은 채
허리를 굽히고 한동안 소리없이 울었다. 자신의 기구한 인생이
몹시 서러웠던 모양이다.

아까와 똑같이 사내들은 한동주의 무덤을 파기 시작했다. 묵
묵히 허덕거리면서 그들은 일에 열중했다. 기계적으로 움직이
는 것 외에 그들은 각자의 성격을 나타낼 만한 행동이나 말을 일
체 하지 않았다.

마침내 관이 나타나자 그들은 썩은 관 뚜껑을 열었다. 플래시
불빛에 드러난 관 속은 굵은 돌덩이만 몇 개 들어 있을 뿐 텅 비
어 있었다. 그들은 돌을 들어내고 그 대신 공동묘지에서 가져온
뼈와 박씨의 옷을 그 속에 집어넣었다. 그리고 다시 둥그런 무
덤을 만들어나갔다. 무덤을 파헤친 흔적을 없애기 위해 그들은
마른 뗏장까지 뜯어다가 그 위에 입혔다. 괴이한 일이 끝났을
때는 첫닭의 홰치는 소리가 들려오고 있었다. 그러나 어둠은 아
직 걷히지 않고 있었다. 산을 내려오자 그들은 마을 어귀에서
악수를 나눈 다음 어둠 속으로 제각기 뿔뿔이 흩어져 갔다.

이 엽기적인 사건이 표면에 드러난 것은 납치범들이 사라진 후 수 시간이 지나서였다.

박용재의 아내는 그날 아침이 지나도 남편이 돌아오지 않자 큰 시아버님인 박노인을 찾아가 자초지종을 이야기했다. 이야기를 듣고 난 노인은 즉시 지팡이를 휘두르면서 지서로 달려가 주임에게 따지고 들었다.

「웬일이십니까?」

노인이 동네 유지였던 만큼 지서주임은 공손히 맞이했다.

「여러 말 말고 내 조카놈 내놓으시오. 무슨 죄로 한밤중에 그렇게 사람을 끌어 가는 거요. 노름을 좀 했기로소니 어디 아녀자가 있는 방을 그렇게 함부로 침범할 수가 있소? 노름을 한 죄라면 내가 그놈을 때려주겠소.」

노인은 몹시 화가 났는지 수염이 후들후들 떨리고 있었다.

「아니, 거 무슨 말씀이신가요? 우린 그 사람을 연행한 적이 없는데요.」

주임은 눈이 휘둥그래져서 물었다. 다른 서원들도 의아한 얼굴로 노인을 바라보았다. 놀라기는 노인도 마찬가지였다.

「정말 그애를 데려오지 않았소?」

「원, 영감님두. 그 사람은 보지도 못했습니다. 누가 박용재 씨 본 사람 있어?」

주임은 부하 직원들을 둘러보았다. 서원들은 고개를 내저었다.

「영감님, 자세히 좀 말씀해 보십쇼. 어떻게 된 일인데 그러십니까?」

주임은 조금 근엄한 목소리로 물었다. 박노인은 큰 기침을 하고 나서 말했다.

「엊저녁에 글쎄, 웬 사람들이 갑자기 들어닥치더니 그애를 끌고가지 않겠소? 우리 조카 메느리가 누구냐고 물으니까 순겡

들이라고 그러더래요. 그놈들이 순갱이 아니라문 뭐하는 놈
들이겠소. 원 세상에 이럴 수가……」

지서주임은 보통 사건이 아님을 직감하고 벌떡 일어섰다. 요
며칠 사이 잠잠하던 마을에 이상한 사건이 연달아 일어나고 있
었다. 며칠 전만 해도 냉골에 사는 농협 직원 한봉주가 문창경
찰서에서 온 형사의 권총에 맞아 죽은 사건이 있었다. 그 사건
이 일어나던 날 밤 그 형사를 당장 체포하지 않았다 하여 주임은
서장으로부터 호되게 견책을 당했었다. 설마하니 형사가 도망
칠 줄은 생각지도 않았었고, 그래서 읍으로 간다기에 주임은 대
강 중요한 인적 사항만 몇 가지 물어보고는 그를 내보냈던 것
이다. 그동안 그를 잡으려고 비상망이 펴지고 문창서(汶昌署)에
까지 형사들이 가 보았지만 그 오(吳)라고 하는 형사놈은 영 나
타나지 않았다. 듣기로는 문창 경찰서장과 풍산 경찰서장이 이
문제를 놓고 대판 싸움을 벌였고, 결국은 이쪽 풍산 서장의 직
권으로 다시 체포 지시가 강력히 내려졌다는 것이었다. 그러나
그 형사놈은 아직 체포되지 않았고, 때문에 왜 그가 한밤중에
한봉주를 쏴 죽였는지, 그 이유도 정확히 밝혀지지 않고 있
었다. 다만 꽤 복잡한 사건일 것이라고만 짐작이 갔다.

이렇게 골치아픈 사건에 걸려 있는 판에 이번에는 효당리에
사는 박용재가 한밤중에 괴한들에 의해 납치되었다는 것이
었다. 지서주임은 자기의 관할 구역에서 자꾸만 이런 일이 일어
나고 있는 데 대해 몹시 울화가 치밀었다. 제기랄 놈의 것, 이
넓은 천지에 왜 하필 여기서만 이런 일이 일어나는 거야. 이
러다가는 정말 해임이라도 당하겠는데……

「이봐, 빨리 가서 박용재 씨 부인을 이리루 데려와.」

주임은 서원에게 신경질적으로 말했다. 박씨 부인이 나타날
때까지 그는 지서 안을 왔다갔다 하면서 서성거렸다. 이윽고 박
씨 부인이 나타나 자세한 것을 들려 주자 지서주임은 부하 직원

들을 이끌고 직접 수사에 나섰다. 주임은 본서에 보고하기 전에 얼른 이 사건을 해결하고 싶었던 것이다.

효당리 마을을 샅샅이 뒤지면서 그들은 박씨의 행방을 찾았다. 그리고 만나는 사람마다 붙들고는 낯선 사람들을 보지 않았느냐고 물었다. 그러나 박씨나 낯선 사람들을 보았다고 신고한 사람은 아무도 없었다. 그날 하루 종일 주임은 부하들을 이끌고 돌아다녔지만 결국은 이렇다 할 단서는 하나도 잡히지 않았다.

이튿날 오전까지도 주임은 그 나름대로 조사를 해보았다. 그러나 역시 수사는 해본 적이 없었던 터라 시간만 잡아 먹을 뿐 허탕을 치고 말았다. 결국 오후에야 그는 본서에 이 사건을 보고하였다. 예상했던 대로 늦게 보고한 데 대한 서장의 불호령이 떨어지고, 즉시 수사계장이 형사 두 명을 데리고 지서에 나타났다. 수사계 김계장은 자신의 실력을 꽤 자부하는 사람이었다. 그것이 지서주임의 경우처럼 며칠 전 사건으로 하여 상당히 상처를 입고 있는 형편이었는데, 마침 또 사건이 일어난 것이다. 그래서 그는 이것이 상처받은 자신의 입장을 만회할 수 있는 좋은 기회라고 생각했다. 그런 만큼 그는 부지런히 돌아다녔다. 단번에 사건을 해결해 보이고 말겠다는 듯 매우 자신만만한 모습이었다.

그러나 이틀 사흘이 지나도 수사는 도무지 진전이 되지 않았다. 도대체 단서라도 잡혀야 방향을 정해 수사를 할 텐데 꼬투리 하나 걸려들지가 않았다. 경찰이 이렇게 쩔쩔매고 있을 때 박씨의 부인이 놀라운 사실 하나를 발견했다.

그것은 아주 우연한 일이었다. 어느날 징검다리를 건너려던 박씨 부인은 맞은편에서 지게짐을 지고 건너오는 사람이 있어 그 앞에서 기다렸다. 건너오는 사람은 부인도 잘 아는 어느 집 머슴이었다. 그 머슴이 건너오기를 기다리던 박씨 부인은 그의

발에 신겨진 고무신짝이 서로 틀리다는 것을 알았다. 한 짝은
흰 것이었고 다른 한 짝은 검은 것이었다. 그런데 검정 고무신
코가 동그랗게 구멍이 뚫린 것을 발견한 그녀는 깜짝 놀랐다.
남편이 신고 간 고무신과 너무나 흡사했기 때문이었다. 장난이
심한 아이들이 남편의 양쪽 고무신 끝을 낫으로 도려낸 일이 있
었고, 그래서 그녀는 호되게 아이들을 때려 주었던 것이다. 부
인은 뛰는 가슴을 진정하면서, 막 징검다리를 내려서는 머슴을
붙잡았다.

「용범이, 잠깐 나 좀 봐.」

「나 바쁜디 왜 그래유?」

머슴은 짐을 내려 놓으면서 부인을 바라보았다. 부인은 사나
운 얼굴로 머슴을 노려보았다.

「이 신 한쪽 벗어봐.」

「왜 그래유?」

「글쎄, 벗어봐!」

부인은 머슴을 밀쳐내고 우격다짐으로 신을 뺏어들었다. 그
리고 그것을 찬찬히 살펴보았다. 아무리 봐도 남편의 신이 틀림
없었다.

「아이구, 이런! 우리 바깥 양반 어딨어? 어딨냐 말이야. 그
렇게 보지만 말고 얼른 말해봐.」

매우 둔하게 생긴 머슴은 두 눈을 꿈벅거리며 어리둥절한 표
정을 지었다. 한참만에 부인의 말뜻을 알아차린 머슴은 피식하
고 웃었다.

「내가 그걸 어떻게 알아유. 순겡도 모르는디 내가 그걸 어떻
게 알아유.」

「잔말 마. 지서루 끌고 갈 텡께. 어딨어? 우리 바깥양반 어
디 있어?」

「허어 참, 모른당께요.」

「그라믄 이 신발은 어디서 났어?」

부인은 신발을 머슴의 코 앞에다 들이대고 흔들었다.

「그거요? 그거…… 그거…… 줏었지요.」

「뭐라고? 어디서 줏었어?」

「저어기 길에서유.」

「언제 줏었제?」

「어저께 나무하러 가다가요.」

「아이구머니, 이를 어째.」

「왜, 왜 그래유? 무슨 일 땜에 그래유?」

「아이구, 이 사람아, 이건 우리 바깥양반 신발이야.」

박씨 부인은 신발을 들고 어쩔줄 모르다가 지서로 달려갔다. 마침 외출하려던 수사계장이 부인을 맞았다.

부인의 말을 듣고난 김계장은 앞이 환히 트이는 것을 느꼈다. 즉시 머슴을 연행하여 자세한 것을 추궁해 들어갔다. 순진한 머슴은 신발 한 짝을 주워 신은 덕분으로 정신이 나갈 정도로 혼이 났다. 그는 사시나무 떨듯 덜덜 떨면서 계장의 묻는 말에 대답했다.

「나무하러 가다가 줏었지라우. 봉께 떨어진 디도 없고 생생해서 제 신 한 짝하고 바꿔 신었지라우. 제 신발은 빵구가 나서 흙이 막 들어오고 그래서……」

「알았어, 임마, 다른 한 짝은 어디다 뒀어?」

「몰라요. 한 짝뿐이 없었응께요.」

「정말이야?」

「정말이지라.」

수사계장은 지서 직원들과 본서에서 함께 온 형사들, 그리고 마을 사람 몇 명을 데리고 머슴이 신발을 주웠다는 현장으로 나갔다.

현장에 이른 수사계장은 사방을 둘러보다가 납치범들이 박씨를 이끌고 산 쪽으로 끌고 갔을 가능성이 많다고 생각했다.

곧 여러 사람들이 여러 갈래로 나뉘어 수색에 착수했다. 수사
계장은 이상한 것이 있으면 하나도 빼놓지 말고 수집하라고 단
단히 일렀다.

얼마 후에 그들은 박씨의 고무신을 찾는데 성공했다. 그것을
발견하자 길목은 자연 공동묘지 쪽으로 압축되었다. 성질이 급
한 수사계장은 앞장서서 달려갔다. 그가 양말 한 짝을 주워 박
씨의 부인에게 보이자 그녀는 울음을 터뜨렸다.

「틀림없어요. 우리 바깥양반 꺼지라우.」

마치 사냥개가 냄새를 맡고 쫓아가듯이 수사계장은 다시 앞장
서서 달려갔다.

이윽고 공동묘지에 들어선 김계장은 좀 당황했다. 묘지에는
길이 없었기 때문에 어디서부터 수색을 해야 할지 막연했다. 그
러나 그것도 어렵지 않게 해결될 수가 있었다. 잔설이 덮여 있
는 묘지에 사람들의 발자국이 한 줄로 어지럽게 나 있었던 것
이다.

「바로 이거야. 이리루 갔어.」

계장은 흥분한 나머지 큰 소리로 말했다.

마침내 마지막 양말 한 짝이 떨어져 있는 곳에 이르렀을 때 일
행은 숨을 죽이고 한동안 그곳을 응시했다. 그들이 놀란 것도
무리는 아니었다. 그 주위에는 검붉은 피가 처참할 정도로 홍건
히 얼어붙어 있었다. 박씨 부인이 울부짖기 시작하자 그제서야
그들은 침묵을 깨고 웅성거리기 시작했다. 수사계장은 바로 그
곳이 범행 현장임을 직감했다. 흘린 피의 양으로 보아 박씨는
여기서 살해된 것이 분명했다. 납치범들은 여기서 박씨를 죽인
다음 시체를 눈에 안 보이는 곳에다 버렸을 것이다. 어디다 숨
겼을까. 수사계장은 범행의 대담함에 은근히 놀라고 있었다.

주위를 휘둘러보던 그는 옆에 새로 만들어 놓은 작은 무덤에

시선이 멈추었다. 붉은 흙이 그대로 드러나 있고, 거기에만 눈
이 덮여 있지 않은 것으로 보아 그것은 불과 며칠 전, 그러니까
눈이 내린 후에 새로 생긴 것 같았다.

「이게 누구네 묘요?」

계장은 둘러선 사람들에게 물었다. 아무도 대답하는 사람이
없었다. 아는 사람이 없는 것 같았다. 계장은 벌거숭이 무덤에
더욱 의심이 갔다. 그는 즉시 마을 사람들에게 연장을 가져 오
도록 지시했다.

사람이 많았기 때문에 무덤을 파헤치는 일은 그렇게 오래 걸
리지 않았다. 얼마 후 관이 나타나고, 뚜껑이 열리자 사람들은
비명을 지르면서 뒤로 물러섰다. 계장은 까무러친 박씨 부인을
마을로 데려가게 했다.

「옷을 벗겨놓았군. 저 썩은 옷자락은 본래 여기 있었던 시체
의 옷 아닌가. 옷을 보니 여자 무덤이었군. 그런데 해골과 뼈
는 어딨지? 그걸 들어내고 대신 이 사람을 집어넣었군. 어떻
게 된 일이야?」

수사계장은 옆에 서 있는 형사들에게 물었지만 그들은 묵묵부
답이었다. 계장은 눈에 찍힌 발자국을 따라 다시 범인들의 행방
을 추적해 보았다. 그러나 산 아래쪽은 눈이 녹아 있었으므로
발자국을 찾는 것도 포기해야 했다.

이 해괴하고 엽기적인 사건은 즉시 그날로 널리 알려지게 되
었고, 따라서 수사도 강화되었지만, 박씨의 시체가 발견된 공동
묘지의 무덤과 거기서 5리나 떨어진 잣골의 무덤, 이 두 개의 무
덤을 서로 연관지어 생각하는 사람은 아무도 없었다.

사건의 핵심

오병호 형사는 광주에서 며칠 동안 몹시 앓고 있었다. 곡괭이에 맞은 어깨뼈가 부서졌는지 조금 움직이기만 하면 쿡쿡 쑤시고 아팠다. 병원에 가자 의사는 당장 입원하라고 말했다. 그러나 그는 입원을 거절하고 치료만 받겠다고 했다. 일 때문에 입원할 수도 없을 뿐 아니라 무엇보다도 돈이 충분치 못했고, 그자신이 병원에 오래 있는 것을 싫어했던 것이다. 의사는 엉덩이에 주사를 두 대나 찌르고, 어깨에 큼직한 반창고를 붙이고, 복용약을 잔뜩 지어준 다음 하루도 거르지 말고 매일 와서 치료를 받으라고 일렀다. 그리고는 상당한 액수의 치료비를 요구했다. 액수가 많은 데 대해 몹시 투덜거린 병호는 그날 이후 병원에 가지 않았다. 그 대신 약방에서 적당한 치료약을 사다가 사용했다. 고통이 심해서 진통제를 쓰기도 했다. 쉽게 나으리라고는 생각지 않았지만 고통을 참기는 힘들었다. 밤마다 제대로 잠도 못 이루면서 그는 끙끙 앓았다. 그러면서도 한편으로는 한봉주를 꼭 쏴 죽여야만 했을까 하고 거듭 생각했다. 아무리 어쩔 수 없는 정당방위였다 해도 사람을 죽인 것에 대한 죄책감만은 떨쳐버릴 수가 없었다. 상대가 아무리 악인이라 하더라도 네가 어찌 그자를 죽일 자격이 있는가? 너는 남을 죽여도 좋을 만큼 그렇게 완전한 선인인가? 타인을 죽이기 전에 네가 먼저 죽어라. 이렇게 생각에 쫓기다가 정 견딜 수 없으면 그는 술을 퍼마셨다.

모든 것이 허전하고 울적하였다. 또한 모든 것이 귀찮았기 때문에 몸차림에 더욱 신경이 쓰이지 않았고, 그래서 그는 더 한층 초라해져 갔다.

벌써 크리스마스가 지나고 새해가 가까와지고 있었지만, 그는 세월에 대한 느낌이 전혀 없었다. 사실 그는 날짜 가는 것에 대해 별로 관심이 없었다.

광주에 닿은 지 나흘만에 그는 겨우 일어나 지방 신문을 한 장 사들고 다방으로 나갔다. 한숨을 깊이 내쉬면서 천천히 커피를 마시던 그는 신문 사회면 톱기사에 시선이 머물렀다. 그것은 엽기적인 살인사건을 다룬 것이었는데, 피살자는 그에게 귀중한 정보를 주었던 풍산의 박용재였다. 박씨에게 주의를 주기는 했었지만, 그가 정말 이렇게 참혹하게 죽을 것이라고는 미처 생각지도 않았었다. 그래서 그는 강한 충격을 느끼면서 그 기사를 얼른 읽었다.

두번째 읽을 때는 냉정하게 마음을 가라앉히면서 기사내용을 분석했다. 수사는 공동묘지에서 중단되어 있었고, 용의자 하나 나타나지 않은 모양이었다. 병호는 그 이상 수사 진전이 불가능할 것이라고 판단했다. 박용재가 죽은 이유를 아는 사람은 나뿐이야, 하고 그는 생각했다. 범인이 누구인지, 그리고 무덤에서 파낸 뼈와 해골이 어디로 갔는지 그는 충분히 짐작이 가고도 남았다. 그런데 이런 짓은 혼자서는 도저히 할 수 없는 일이다. 범인은 한동주의 지시를 받은 여러 놈일 것이다. 아니 어쩌면 한동주가 직접 나타나 지휘했는지도 모른다. 병호는 피가 끓어오르는 것을 느꼈다. 한동주가 위험을 느끼고 증인을 죽인 이상 이대로 그를 방치해 둘 수는 없었다. 즉시 그를 체포하여 흑막을 가려야 했다.

그러나 병호는 그를 쫓을 여유가 없었고 여유가 있다 해도 그럴 수가 없었다.

바로 어제 그는 돈을 받기 위해 이곳 경찰서 정보과에 근무하고 있다는 김서장의 처남을 만났다. 그 정보과 형사는 돈을 건네주면서 이렇게 말했었다.

「매형한테서 말씀을 많이 들었습니다. 그런데 조심하셔야 되겠더군요. 여기도 체포 지시가 내려와 있습니다. 매형이 부탁을 했지만 풍산 서장이 거절을 한 모양입니다.」

아마 풍산 서장은 문창서(署) 형사가 자기 관할 구역에 나타나 제멋대로 수사를 벌이고 사람까지 쏴 죽인데 대해 몹시 분노한 모양이었다. 더구나 병호가 경찰 신분으로 도망을 쳤다는 사실에 더욱 화가 난 것 같았다. 내막을 모르니 그럴 수밖에 없을 것이라고 병호는 생각했다. 그러나 다행인 것은 아직 그것이 신문에 보도되지 않고 있다는 점이었다. 경찰 자체의 불상사였으니, 아무래도 쉬쉬 하면서 일을 처리하려고 하는 것 같았다.

아무튼 이곳까지 체포 지시가 온 것을 보면 사건은 도경(道警)에까지 보고되어 전국적으로 수사망이 펴진 것 같았다. 헤어질 때 김서장의 처남은 이런 말도 덧붙였다.

「매형 입장이 매우 곤란한 것 같더군요. 상부에서 책임추궁을 한 모양인데 결과가 어떻게 되는지는 잘 모르겠습니다. 그렇지만 아직 오형사께서 파면된 건 아니니까 수사를 계속하라고 그러더군요. 그리고 곤란한 점이 있으면 즉시 연락하라고 그랬습니다.」

일이 이쯤 되었으니 쫓기면서 수사를 하는 수밖에 없었다. 정년퇴직을 눈 앞에 둔 김서장이 이런 일로 불명예스럽게 물러서게 된다면 그보다 더 괴로운 일이 없을 것이다. 따라서 빨리 사건을 해결하여 서장의 곤란한 입장을 되살려주어야 한다.

　그날 저녁 병호는 복잡한 머리를 정리하느라고 어슬렁거리며 돌아다니다가 어느 맥주집에 들어가 여자와 함께 술을 마셨다. 그리고 밤늦게 그녀의 부축을 받으면서 여관으로 돌아왔다.

　새벽녘에 잠이 깬 그는 옆에 여자가 누워 있는 것을 알고는 그녀의 잠자는 얼굴을 한참 동안 들여다보았다. 감기로 코가 막혔는지 그녀는 입으로 푸우푸 하면서 거칠게 숨을 내쉬고 있었다. 그는 여자를 깨울까 하다가, 그녀가 너무 단잠을 자는 것 같아서 그대로 두었다.

　아침 9시쯤 일어난 여자는 부은 얼굴로 그를 바라보다가 해장국을 한 그릇 사달라고 말했다. 그는 여자와 함께 밖으로 나가 해장국을 시켜 먹었다. 여자는 식사를 하다 말고 그를 보고 눈웃음을 지었는데 눈가에 주름이 많이 지는 것이 상당히 나이가 들어 보였다. 그는 머뭇거리다가 여자를 따라 소리없이 웃었다. 내가 못 가게 붙들던가, 하고 그는 물었다. 여자는 아니라고 대답했다. 저보고 막 가라고 그랬어요. 그래서 가기 싫었지요. 여자는 이번에는 킬킬거리고 웃더니 고개를 모로 돌리면서 은근한 목소리로 그것이 불능이냐고 물었다. 그는 술에 취하면 그것이 말을 듣지 않는다고 덤덤하게 말했다.

　여자와 헤어진 뒤 그는 어느 지방 신문사를 찾아갔다.

　편집부에 들어서서 두리번거리고 있는 그에게 젊은 기자가 무슨 일이냐고 물었다. 병호는 가까이 다가서서 공손히 말했다.

　「다름이 아니라, 1952년도 판 신문을 좀 열람했으면 합니다만……」

　기자는 담배를 꼬나문 채 병호를 아래위로 훑어보다가 피식하고 웃었다.

　「우리 신문은 1956년도에 창간되었습니다. 아시겠습니까? 그러니까 52년도 신문은 나오지도 않았지요.」

　기자의 목소리가 크고 유들유들했기 때문에 주위에 앉아 있던 다른 기자들의 시선이 일제히 병호에게 쏠렸다. 병호는 부끄러움을 느끼면서 다시 물었다.

「한 가지만 더 묻겠습니다. 이곳에서 제일 오래된 신문은 어떤 신문입니까?」

「바로 우리 신문이 제일 오래됐지요.」

기자는 턱을 내밀면서 다시 웃었다. 병호는 수치감을 느끼면서 발 끝을 내려다보았다.

신문사를 찾아온 것은 강만호가 말해 준 1952년 여름에 일어난 풍산의 공비 자수 사건, 그리고 뒤이어 발생한 황바우 사건을 알아보기 위해서였다. 그는 보다 정확한 사실을 알고 싶었던 것이다. 그러나 그때 당시의 신문이 없는 이상 그것은 포기해야 했다.

「실례했습니다.」

병호는 처음처럼 기자에게 공손하게 인사한 다음 신문사를 나왔다.

거리에서 서성거리던 그는 생각을 고쳐먹은 듯 형사지방법원을 향하여 급히 걸어갔다. 혹시 20여년 전의 공판 기록을 찾을지도 모른다는 생각이 들었던 것이다. 물론 쉬운 일은 아닐 것이다. 그러나 있기만 하다면 무슨 수를 쓰더라도 그것을 찾아내야 한다.

예상했던 대로 지방법원의 담당 직원은 고개를 설레설레 내흔들었다. 병호가 신분을 밝혔지만 역시 어렵다는 눈치를 보였다.

「소속 경찰서장 명의로 공문을 보내시면 일단 검토한 후 가부를 결정하게 됩니다. 결재가 나야 열람할 수가 있다 이 말입니다.」

「수사상 필요해서 그러는데 그렇게 복잡해서야 어디……」

중년의 그 직원은 힐끔 병호를 바라보았다.

「몇 해 전도 아니고 20여년 전의 기록인데, 그걸 찾기가 그렇게 쉬운 줄 아십니까?」

법원에 근무하고 있다는 사실이 그들로 하여금 경찰관 따위를 대수롭지 않게 생각하게 하는 모양이었다. 병호는 왜소하게 생긴 그 직원을 한참동안 쏘아보다가 다시 부드러운 목소리로 말했다.

「어려운 줄 알지만 어떻게 편리 좀 봐줄 수 없겠습니까? 아주 급한 사건을 수사하다가 걸리는 데가 있어서 그걸 좀 참고하려고 그러는데 편리 좀 봐주십시오. 근무처가 이곳이라면 당장이라도 공문을 보내겠는데, 가까운 데도 아니고 먼 곳이니⋯⋯」

「그렇게는 할 수 없습니다. 곤란합니다.」

직원은 병호가 미처 말을 끝맺기도 전에 말 끝을 잘랐다. 그리고는 바쁘다는 듯이 다른 곳으로 가버렸다.

병호는 하는 수 없이 밖으로 나와 다방에서 반 시간쯤 멍하니 앉아 있다가 다시 법원으로 그 직원을 찾아갔다. 그를 보자 직원은 시선을 돌리고 딴청을 부렸다. 보기에 그는 별로 할 일도 없는 것 같았다. 병호는 그 옆으로 바싹 다가섰다.

「또 왔습니다. 바쁘신데 이거 미안합니다.」

「하아 이 양반⋯⋯ 이렇게 말귀를 못 알아들어서야.」

직원은 의자에 등을 기대면서 하품을 했다. 병호는 억지로 웃었다.

「아니 그런 게 아니라 선생님하고 점심이나 같이 할까 해서 왔습니다.」

병호의 말을 듣자 직원은 헛기침을 하고 나서 상체를 앞으로 천천히 기울였다.

「점심은 무슨 점심⋯⋯ 아직 때도 되지 않았는데⋯⋯」

「우선 차나 한 잔 하시다가…… 자, 나오시죠.」

「이거 바쁜데……」

직원은 얼른 주위를 휘둘러보고 나서 밖으로 나왔다.

다방에 앉아 병호는 무조건 돈이 든 봉투를 직원에게 내밀었다. 무척 어색하고 쑥스러운 순간이 지난 뒤, 직원은 못이기는 체하면서 돈을 받아들었다.

「이거 사실…… 비공식적으로는 볼 수 없는 거지요. 그러다가 발각이라도 되면 나는 당장 목이 달아납니다.」

직원은 조끼 호주머니 속으로 돈 봉투를 슬그머니 밀어넣으며 말했다.

「네, 알고 있습니다. 그러니까 선생님께 이렇게 부탁드리는 게 아닙니까. 웬만하다면 저도 이런 부탁 안합니다. 그리고 이게 또 나쁜 일이라면 몰라도, 수사상 필요해서 그러는 거니까 별로 양심에 꺼리끼거나 할 일은 아닐 겁니다.」

「언제 것을 보시겠다고 그랬죠?」

「1952년 겨울에 난 판결인데, 정확한 날짜는 잘 모르겠습니다.」

「그러면…… 피고소인 이름은 알고 계시죠?」

「네, 알고 있습니다. 본명은 황암(黃岩)인데, 보통 황바우라고 부르지요. 주소는 풍산군 옥천면 효당리……」

직원은 병호가 불러주는 것을 수첩에 적었다.

「이 사람 죄명은 뭡니까?」

「부역 죄에다 살인입니다.」

「그럼 사형됐겠군요?」

「현재 무기징역을 살고 있습니다.」

직원은 알겠다는 듯 고개를 끄덕거렸다.

「찾아놓을 테니까, 3시쯤 와주시오.」

직원은 돈을 받은 사실에 흡족했는지, 점심을 사양하고 바로 사무실로 돌아갔다.

병호는 얼굴을 찌푸린 채 한참동안 다방에 앉아 있었다.

기분이 몹시 상할 때면 그는 언제나 그것을 삭이기 위해서 그렇게 앉아 있는 버릇이 있었다. 이 세상에 무엇 하나도 제대로 되는 것이 없는 것 같았다. 경찰관인 자기까지도 돈을 써야만 일을 해결할 수 있으니 말이다.

3시까지 갈 데가 없었으므로 그는 부근에 있는 극장으로 들어갔다.

상영 중인 영화는 미국판 애정물이었는데, 자리를 잡은 지 얼마 되지 않아 그는 끄덕끄덕 졸았다. 불이 켜지고 사람들이 우르르 몰려나갈 때야 눈을 떴다.

밖에는 조금씩 눈발이 날리고 있었다.

「올해는 유난히 눈이 자주 오는데……」

어느 행인이 혼잣말처럼 말했다.

폭이 좁은 거리를 많은 사람들이 걸어가고 있었다.

3시 전에 그는 법원으로 들어갔다. 아까의 그 직원은 병호를 보자 따라오라고 눈짓을 했다.

병호는 직원이 시키는 대로 한쪽 구석에 놓여 있는 빈 책상 앞에 다가앉았다. 조금 후에 직원은 큰 서류 뭉치를 세 개나 가져왔다.

「52년도 10월부터의 공판 기록은 여기에 전부 있으니까 빨리 찾아보시오. 다른 사람이 보면 좋지 않으니까 될수록 빨리…」

직원의 말에 병호는 고개를 꾸벅했다.

서류는 너무 오래된 것들이라 누렇게 퇴색되어 있었다. 더구나 얇은 미농지(美濃地)로 묶음이 되어 있어서 한 장 한 장 넘기기가 몹시 불편했다.

병호는 앞에서부터 훑어보기 시작했다. 사건이 워낙 많았기 때문에 10월분 서류만 보는 데도 삼십 분이나 걸렸다. 조사에 시간이 걸리자 직원이 다시 다가와 빨리 끝내라고 독촉을 했다.

「네, 곧 끝납니다.」

그는 잘못을 저지르고나 있는 듯이 불안해 하며 서류를 빨리 빨리 넘겨갔다.

이윽고 두 시간 남짓 지나서야 그는 가까스로 황바우 사건의 공판 기록을 찾을 수 있었다. 그는 그 기쁨이 깨뜨려질까봐 얼른 주위를 한번 살펴본 다음, 매우 빠른 속도로 그 기록을 훑어 보기 시작했다.

　　△사건＝ ① 利敵 ② 殺人
　　△피고인＝ 黃岩, 일명 黃바우, 단기 4242년 5월 8일생
　　△검사＝ 金重燁
　　△변호인＝ 변호사 鄭在成
　　△주문＝ 피고인 黃岩을 사형에 처한다.
　　△이유＝ ① 피고인 黃岩은 일정한 직업과 주거도 없이 무
　　　　위도식하던 자로 일찍부터 공산주의에 찬동하여 기회를
　　　　노리고 있던 중 마침 智異山 일대에 共匪가 준동하자 거
　　　　기에 편승하여 자진 입산, 단기4285년 3월 중순부터 共匪
　　　　들과 함께 기거를 하면서 그들의 갖은 만행을 적극 지원
　　　　하고 또 궁지에 몰린 共匪들로 하여금 무사히 도주할 수
　　　　있도록 길을 안내해 주는 등 附逆행위를 함으로써 결과적
　　　　으로 共匪를 이롭게 하였으며, ② 급기야 동년 7월 초순
　　　　부터는 도주하는 共匪殘黨과 함께 下山하여 豊山郡 玉川
　　　　面에 所在한 玉川 國民學校 교실 밑에 은거, 그곳을 아지
　　　　트로 北傀의 指令을 기다리면서 長期戰에 대비하고 있다
　　　　가 警察에 발각되어 포위되자, 자신의 利敵 행위가 탄로
　　　　날 것을 두려워한 나머지 위장 자수하기 위하여 체포되기
　　　　직전인 동년 8월 12일 23시경 일찍이 共匪들에게 끌려와

있던 민간인 韓東周를 殺害했던 것이다.

△증거= ① 피고인의 공판정에서의 판시 사실과 같은 취지의 진술 ② 검사 작성의 피고인에 대한 각 증인들의 진술조서 중 判示 사실과 같은 취지의 각 진술 기재 ③ 사법경찰관 작성의 피고인에 대한 각 증인들의 진술조서 중 판시사실과 같은 취지의 진술기재 ④ 사법경찰관 작성의 押收調書, 檢證調書 중 판시사실과 같은 내용의 기재.

끝으로 적용법조(適用法條)가 나와 있었지만 병호는 그것을 읽지 않고 지나쳤다. 판결 날짜는 단기 4285년 12월 28일이었고, 판사의 이름은 이준섭(李俊燮)이었다.

판결문에 나타난 황바우의 범죄사실, 그리고 일심에서의 사형판결은 병호가 지금까지 여러 사람들로부터 들어온 바와 같았다. 황바우는 지방법원에서의 이 판결에 불복하여 고등법원에 공소(控訴)했고, 고등법원에서는 사형 대신 무기형(無期刑)을 내렸던 것이다. 다시 대법원에 상고하자 대법원에서는 기각판결을 내렸다. 이것이 병호가 현재 알고 있는 것이었다. 그는 이것만으로도 충분하다는 생각이 들었다. 고등법원에까지 가서 더 이상 찾아볼 필요는 없을 것 같았다.

그는 서류철을 닫기 전에 특히 검사의 이름을 눈여겨보았다. 김중엽(金重燁)이라는 이름을 수첩에 적어 넣으면서 그는 문득 지금쯤 이 사람은 무엇을 하고 있을까 하고 생각해 보았다. 상당히 나이가 들었을 테니 현역에서 은퇴했을지도 모른다. 황바우가 지금도 무기징역을 살고 있다는 것을 생각이나 하고 있을까. 아마 까맣게 잊어먹었겠지. 속물적인 출세주의자의 눈에 황바우 같은 약하고 보잘 것 없는 사람의 생명쯤이야 어디 한 가닥 비쳐들 리가 있겠는가.

기묘한 울분에 휩싸이면서 병호는 갑자기 김중엽을 만나보고 싶은 충동을 느꼈다. 당신 때문에 한 무고한 인간이 감옥에서 늙어가고 있다는 것을 생각이나 해보았는가, 하고 그는 외치고 싶었다. 그런 자가 아직도 현역에서 권세를 누리고 있다면 무슨 수를 써서든지 물러나게 해야 한다.

또한 부끄러움을 느끼게 해야 한다. 부끄러운 나머지 자살이라도 해준다면 기꺼이 박수를 치리라. 그리고 보다 중요한 일이 있다. 황바우를 살려내야 한다. 그의 무죄를 공개하고 강자의 횡포를 규탄한 다음 그를 석방시켜야 한다. 그것이 내가 젊어진 또 하나의 의무가 아니겠는가. 이렇게 생각이 들자 그는 가슴이 충만해 오는 것을 느꼈다. 지금까지 느껴보지 못한 생동감에 젖어들면서 그는 잠시 우뚝 서 있었다. 그때 직원이 더는 못 기다리겠다는 듯이 얼굴을 찌푸리면서 급히 다가왔다.

병호는 직원에게 서류를 넘겨주면서 김중엽에 대해서 물었다.

「그런 사람은 들어보지도 못했는데요. 20여년 전에 여기서 근무한 사람이 지금까지 있을 리가 있나요.」

직원은 병호가 얼른 나가주기를 바라는 눈치였다. 병호는 물러서려다가 다시 물었다.

「이 법원에 그 당시부터 근무해 오던 분이 없을까요. 혹시 그런 분이 계시면 소개를 좀 해주십시오.」

직원은 잠깐 생각하고 나서 옆 자리의 다른 사람과 몇 마디 귓속말을 주고 받았다. 그런 다음 맞은편 창가에 앉아 있는 대머리 사내를 가리켰다.

「저기…… 앉아 있는 과장님한테 한번 물어보시오. 그분이 가장 오래 여기에 있었으니까요.」

창가에 앉아 있는 사람의 대머리는 멀리서 보아도 반들반들했다.

병호가 다가가 인사를 하자 대머리 과장은 안경을 고쳐 끼면

서 자세를 바로했다. 그리고 병호의 신분과 용건을 알고나자
실망했다는 듯이 의자에 털썩 등을 기댔다. 그는 얼른 대답을
하지 않고 살찐 턱을 손바닥으로 자꾸만 쓰다듬었다. 그가 입을
연 것은 한참 후였다.

「그러니까, 그 김중엽 씨를 만나겠다 이 말입니까?」

「네, 그렇습니다.」

병호는 허리를 굽신했다. 과장은 고개를 끄덕거리다가 빙그
레 웃었다.

「그 사람은 죽었습니다. 이제 아시겠수?」

병호는 민망한 나머지 얼굴을 확 붉혔다.

「아, 그렇군요. 미처 몰랐습니다.」

「수사를 할려면 그 정도는 알고 있어야지. 더구나…… 김중엽
씨 사건은 유명한 건데, 그것도 몰랐소?」

「김중엽 씨 사건이라니요?」

「하아, 이 양반…… 답답하구만. 내 그 양반하고는 잘 아는 사
이였소. 그 양반이 검사직을 내놓고 변호사 개업을 한 건 벌
써 몇 년 전이었소. 그런데, 변호사로도 한참 드날리더니…
금년 1월에 자기 집 앞에서 피살되었단 말이오. 모든 신문
이 떠들썩하게 이 사건을 보도했지. 흉기로 뒤통수를 때려서
죽였단 말이오. 참 똑똑하고 아까운 사람인데…… 아깝게 죽
었어. 신문은 치정 관계니, 원한 관계니 해서 제멋대로들 떠
들었지만, 그것도 그때뿐이고, 시간이 흐르니까 잠잠해져 버
렸지.」

「그러고 보니까…… 저도 그 사건을 신문에서 본 것 같습
니다. 아, 그렇군요…… 그렇군요…… 그럼 아직도 범인이 체
포되지 않았습니까?」

과장은 하품을 했다. 그리고 피곤하다는 듯이 한쪽 손으로 어
깨를 두드렸다.

「아직 체포되지 않았어요. 단서도 잡히지 않았다니까, 미궁에 빠진 거지요. 도대체 요새 경찰은 무얼 하는지……」

과장은 할 말을 다 했다는 듯 수화기를 들고 전화를 걸기 시작했다. 순간적인 일이었지만 병호는 전류처럼 가슴을 찌르며 스쳐가는 전율 같은 것을 느꼈다.

20여년이 지난 같은 해에, 같은 사건의 관계자가 똑같이 피살되었다는 사실이 갑자기 하나의 충격이 되어 그의 가슴을 때린 것이다.

1월에 살해된 김중엽과, 그 몇 달 뒤인 6월에 피살된 양달수—이 두 개의 살인사건이 하나의 줄로 되어 연상되었던 것이다. 그렇다고 이것이 꼭 연관이 된다고 생각할 수는 없는 일이었다. 왜냐 하면 황바우 사건은 벌써 20여년 전의 사건, 깊은 바다 속에 이미 가라앉아버린 사건이니 말이다.

병호는 법원 계단을 내려오면서, 얼마 전 서울에 갔을 때 친구 엄기자가 하던 말이 생각났다. 그때 엄기자는 어느 변호사 살해사건이 아직 해결되지 않았다고 하면서 연이어 일어나는 강력 사건에 대해 우려를 나타냈었다. 그 변호사가 바로 김중엽이 아닐까. 묘하게 맞아 떨어지는 사건의 연관성에 그는 자못 놀랐다. 그와 함께 자신이 어느새 변호사 살해사건까지 손대고 있었는지도 모른다는 생각이 문득 들었다.

병호는 그길로 아침에 갔던 신문사를 찾아갔다.

지난 1월분 신문을 보자는 병호의 요구에 신문사 직원은 고개를 내흔들었다.

「지난 1월달 신문이라면 깊이 처박아 두어서 찾기가 힘듭니다.」

그때 머리가 하얗게 센 노신사가 안으로 들어서다가 그들의 대화에 발을 멈추었다. 그리고 신문사 직원에게 조용한 음성으로 말했다.

「왜 신문을 찾기 힘들다는 거야? 신문사에서 자기 회사 신문을 찾기 힘들다면 어떻게 되는거야? 그게 말이 되는가? 빨리 찾아드려.」

노신사는 병호에게 목례를 건넨 다음 편집국 안을 한 바퀴 천천히 돌았다.

그리고는 밖으로 나갔다.

직원들이 모두 굽신거리는 것으로 보아 아마 사장쯤 되는 사람인 것 같았다. 꾸지람을 들은 직원은 한참 투덜거리다가 병호에게 따라오라고 퉁명스럽게 말했다.

병호는 직원을 따라 어느 어두침침한 방으로 들어갔다.

「아직 정비를 못했기 때문에 이렇게 쌓아두기만 했어요. 여기서 한번 찾아보시오. 신문을 오리거나 찢으면 안됩니다.」

「알겠습니다.」

거들떠보지도 않고 돌아서 나가는 직원을 향하여 병호는 거북하게 웃었다.

실내는 책상, 걸상, 신문 뭉치 등으로 가득 채워져 있어서 어지럽기 짝이 없었다. 아마 창고처럼 쓰이고 있는 곳 같았다. 구석구석마다 먼지가 쌓여있어, 조금만 움직여도 먼지가 일었다. 무엇보다도 불기가 없었기 때문에 몹시 추웠다.

병호는 덜덜 떨면서 전기불을 켜려고 했지만, 아무래도 스위치를 찾을 수가 없었다. 할 수 없이 그는 어둠 속에 눈을 밝히려고 애쓰면서, 한쪽 구석에 쌓여 있는 신문 뭉치부터 살펴보기 시작했다.

그러나 활자가 잘 보이지 않아 시간이 더디 걸렸다. 하는 수 없이 그는 성냥불을 그어 대면서 신문철을 뒤적거렸다. 그의 몸은 금방 먼지투성이가 되어버렸다. 코 끝이 매워오고 눈까지 쓰렸다. 그는 도둑처럼 눈을 부릅뜨고 신문을 뒤졌다. 그가 마침내 변호사 살인사건 기사가 실린 신문을 찾아낸 것은 거의 한 시간쯤 지나서였다.

그의 입에서는 기쁜 나머지 허허허 하고 탄성이 나왔다. 그는 직원이 말한 것을 무시하고 신문을 북 찢어서는 호주머니에 구겨넣었다.

그리고 밖으로 나오자 바로 다방으로 들어가, 구석진 자리에 앉아 그 기사를 자세히 읽어보았다. 그것은 서울에서 일어난 사건이었지만, 지방지에도 비교적 소상하게 기사화되어 있었다.

현직 변호사였던 김중엽이 살해된 이유는 무엇일까. 그는 검사 시절 상당히 패기만만하고 출세욕에 가득 찼던 그런 사람이었다. 이건 너무 추상적인 생각일지 모르지만, 사건을 쫓다보니 어느새 그에 대한 인상이 사실처럼 굳어져 버린 것이다. 사실 어떠한 사람을 쫓다보면, 직접 그 사람을 대하지 않고도 거의 그 사람의 내면을 환히 꿰뚫어 보는 경우가 허다하다.

김중엽이 살해된 이유는 무엇일까. 그는 다시 생각했다. 경찰 수사는 그것을 원한 관계로 보고 있었고, 그래서 원한을 살 만한 점들을 그럴 듯하게 캐내고 있었다. 아무리 일류 변호사라고 하지만 분에 넘치게 호화스러웠던 그의 생활, 소실까지 두고 있었던 점, 주위로부터 별로 호감을 받지 못한 성격 등이 그것이었다.

그러나 병호는 아까처럼 이미 자기 나름대로 하나의 연관성을 생각하고 있었다. 즉 황바우와 양달수, 그리고 김중엽으로 이어지는 그 눈에 보이지 않는 줄이 그것이었다. 그 믿음은 더욱 굳어져 가고 있었다. 생각하는데 따라서는 물론 막연한 추상일 수도 있는 것이지만, 그로서는 우선 그렇게 생각이 미칠 수밖에 없었다.

20여년이 지난 후, 한 사건에 관련되어 있는 인물들이 왜 하필 같은 해에 살해되었다는 말인가. 우연일까. 만일 이 두 개의 살인사건이 관련이 있다면 동일범의 소행이 아닐까. 황바우는 여기에 어떻게 관련되어 있을까. 그는 지금 감옥에 갇혀 있다. 따라서 그가 직접 두 사람을 살해했을 리는 만무한 것이다. 그렇다면 누가 대신 그렇게 할 수 있는 것이 아닐까. 그 대역(代役)이 누구일까…….

병호는 신문을 구겨쥔 채 밖으로 나왔다. 밖은 어느새 어두워져 있었다. 그는 개천을 따라 어두운 길을 걸어가다가 길가에 세워져 있는 포장집으로 들어갔다. 안에는 노동자로 보이는 늙수그레한 사내들 두 명이 앉아서 술을 마시고 있었다. 병호가 그들 곁에 자리잡고 앉았지만 그들은 그를 보지도 않았다.

그들은 크고 거친 손으로 소주잔을 들고 있다가 별로 얼굴도 찡그리지 않은 채 술을 꿀꺽꿀꺽 마시곤 했다.

바람이 불자 카바이드 불이 금방이라도 꺼질 듯이 흔들거렸고 그것이 노동자들의 얼굴을 붉으락 푸르락 하게 만들었다.

「이렇게 춥고 돈벌이가 안되면…… 차라리 감옥에 들어가서 공짜밥이라고 얻어먹는 게 낫지…… 이런 세상 살아서 뭐해.」

「요새 같으문…… 차라리…… 죽고 싶어. 애새끼들만 없으문 벌써…….」

병호는 그들의 이야기를 들으면서 혼자 소주 한 병을 다 마시고 나왔다. 찬 바람을 맞자 얼굴이 얼얼해져 왔다. 그는 비틀거리면서 여관을 찾아갔다. 그리고 자리에 쓰러져 그는 짐승처럼 끙끙거리며 앓다가 이윽고 잠이 들었다.

이튿날 새벽에 잠이 깬 그는 황바우를 빨리 만나야 한다고 생각했다. 그렇게 판단하자 더 이상 잠이 오지 않았다. 뼈속까지 쑤시는 어깨의 통증을 한 손으로 가만히 누르면서 그는 자리에서 일어났다.

황바우를 만나려면 우선 그의 소재를 알아야 한다. 그러나 병호로서는 현재 황바우가 어느 교도소에서 복역하고 있는지 도무지 짐작조차 할 수가 없었다. 물론 정식 절차를 밟아 법무부에 알아본다면 그렇게 어려운 일은 아닐 것이다. 그러나 쫓기고 있는 그의 입장으로서는 정식 절차란 생각도 할 수 없었다.

어디서부터 황바우를 찾아야 할까. 그가 있을 수 있는 곳은 전국에 산재해 있는 교도소와 지소(支所)라고 할 수 있다. 허나 그곳들을 전부 찾아볼 수는 없는 것이다. 모두 망라하면, 공주교도소·광주교도소·군산교도소·김해교도소·대구교도소·대전교도소·마산교도소·목포교도소·부산교도소·영등포교도소·서울교도소·수원교도소·순천교도소·안동교도소·안양교도소·전주교도소·진주교도소·청주교도소·춘천교도소·소록도지소·의정부교도소·강릉교도소·제주도교도소 등 23개소나 된다.

병호는 생각 끝에 먼저 광주교도소부터 찾아 보아야겠다고 생각했다. 광주에서 처음 재판을 받았기 때문에 십중팔구 광주교도소에 먼저 수감되었을 가능성이 컸던 것이다.

교도소 ─ 이른바 감옥이 이렇게 불리고 있지만, 그런 곳을 찾아간다는 것은 그렇게 유쾌한 일은 못된다. 멀리서 보기만 해도 교도소의 담벽은 기분을 상하게 한다.

병호는 다시 자리에 누워 이 생각 저 생각 하고 있다가 점심때가 가까와서야 밖으로 나갔다.

광주교도소는 택시로 30분쯤 걸리는 시 외곽 지대에 자리잡고 있었다. 그가 신분을 밝히고 용건을 말하자 정복 정모 차림의 교도소 직원은 난색을 표명했다.

「그건 곤란한데요. 워낙 오래 돼놔서……」

하나부터 열까지 빨리, 그리고 쉽게 되는 일이 없었다. 따라서 그는 이미 이러한 것을 각오하고 있었기 때문에 별로 기분 나쁘거나 하지는 않았다.

그는 한 젊은 간수를 구석진 곳으로 불러 돈을 쥐어주었다. 그러자 간수는 이쪽이 놀랄 정도로 돌변하면서 잠깐 기다리라고 말했다.

병호는 난로가에 앉아서 창밖을 내다보았다. 머리를 박박 깎은 죄수들이 가끔씩 열을 지어 오가는 것이 보였다. 바람이 불자 누우런 먼지가 맞은편 운동장 끝에서 이쪽으로 뿌옇게 몰려오는 것이 보였다. 죄수들은 어깨를 잔뜩 웅크린 채 몸을 떨면서 움직이고 있었다. 그들의 모습에는 이미 인간다움이 사라지고 없었다.

비쩍 마른 얼굴과 불안한 듯 끊임없이 움직이고 있는 두 개의 큰 눈, 그것이 그들이 공통적으로 갖추고 있는 모습이었다. 그들의 머리 위로 높이 솟아 있는 회색의 담벽을 한참 바라보고 있자니 어지러운 느낌이 들었다.

젊은 간수가 돌아오자 병호는 급한 마음에 얼른 일어났다. 간수는 그를 데리고 밖으로 나왔다.

「잘 됐습니까?」

「네, 찾았습니다. 여기서 5년 동안 있다가 순천교도소로 넘어갔습니다.」

간수는 재빠른 투로 말했다.

병호는 교도소를 나오자 바로 시외버스 정류장으로 가서 순천행 버스에 올랐다. 그로서는 조금도 지체하고 싶지가 않았던 것이다. 순천까지는 3시간 남짓 걸렸다. 시내에서 내려 택시를 타고 교도소에 이르렀을 때는 이미 날이 어둑어둑해지고 있었다. 교도소 정문 앞에서 그는 퇴짜를 맞았다. 그의 말을 채 듣지도 않은 채 수위는 손을 내저었다.

「오늘은 퇴근시간이 다 돼서 안됩니다.」

병호가 경찰이라고 말했지만 수위는 별로 귀담아 듣는 것 같지도 않았다. 병호는 속으로 욕설을 퍼부으면서 시내로 돌아왔다. 그는 바람부는 거리를 한쪽 어깨를 비스듬히 하고 무작정 걸어갔다. 갑자기 심정이 사납고 울적해져서 한곳에 앉아 있을 수가 없었다.

고개를 숙이고 걷다가 그는 자기도 모르게 어느 파출소 앞을 지나치게 되었다. 자기가 수사선상에 올라 있다는 것, 그리고 가능하면 경찰의 눈에 띄지 말아야 한다는 것, 이런 것이 갑자기 생각났지만, 발길을 돌리기엔 이미 늦어 있었다. 몇 걸음 가다가 힐끔 뒤돌아보니, 불빛 아래서 경찰이 이쪽을 주시하고 있는 것이 보였다. 고개를 얼른 돌리고 내처 걷자 아니나 다를까 경찰이 그를 불렀다.

「여보, 여보, 이봐요.」

건널목에 이른 병호는 못 들은 체하고 재빨리 길을 건너갔다. 뒤에서 호각 부는 소리가 날카롭게 들려왔다. 막 길을 건너자 마침 대형 트럭 세 대가 뒤를 막아주었다. 병호는 급히 골목으로 들어서서 다시 한번 뒤를 돌아본 다음 후닥닥 뛰기 시작했다. 골목이 여러 갈래로 나 있었기 때문에 그는 발길닿는 대로 뛰어갔다. 호각 소리가 뒷덜미를 때리는 것 같더니 점점 작아져 갔다. 그 소리가 완전히 들리지 않을 때까지 그는 헐떡거리며 뛰어갔다. 뛰면서 느낀 것은 몸이 몹시 허약해졌다는 사실이었다. 아내가 죽은 후로는 잠자리와 식사가 뒤죽박죽이었기 때문에 그의 몸은 급속도로 말라갔다.

그가 이렇게 뛸 수 있었던 것은 너무 놀란 탓이지 결코 힘이 있어서 그런 것은 아니었다. 숨이 차 오르고 다리가 뻣뻣해서 더 이상 뛸 수 없게 되자 그는 전봇대를 붙잡고 한참동안 서 있었다. 무엇보다도 현기증이 일어 움직일 수가 없었다. 경찰이면서 경찰에게 쫓기는 자신의 신세를 생각하자 쓴웃음이 나왔다.

이튿날 아침 병호는 다시 순천교도소를 찾아갔다. 그리고 광주교도소에서 했던 것과 똑같은 방법으로 황바우에 관한 소식을 알아냈다.

황바우가 순천교도소에서 목포교도소로 다시 옮겨간 것은 벌써 10여년 전의 일이었다. 더 정확히 말해 그는 1960년 초에 목포교도소로 이감되어 있었다.

병호는 즉시 목포로 향했다. 어느 교도소를 가보아도 모두 을씨년스럽고 음산했다. 그는 줄곧 우울한 마음을 떨쳐버릴 수가 없었다.

오후에 목포에 닿은 그는 세찬 바닷바람에 목을 움츠렸다. 바람은 차고 매서웠다.

교도소로 가는 길은 길게 바다에 면해 있었으므로 그는 물결치는 바다를 볼 수가 있었다. 바다, 특히 겨울 바다 구경은 오랜만이었기 때문에 그는 내내 바다 쪽으로 시선을 돌리고 있었다. 파도가 높이 솟았다가 밑으로 떨어지면서 하얗게 부서지는 것이 무엇보다도 인상적이었다. 수평선은 물안개에 덮여 아무것도 보이지 않았다. 흐린 하늘과 바다가 한데 뒤엉켜 있는 것 같았다. 그는 바다의 짠 소금 냄새를 깊이깊이 들이마셨다.

목포교도소에서 그는 다른 곳에서와 마찬가지로 거절을 당했다. 으레 거절하는 것이 관례처럼 되어 있는 것 같았다. 이런 썩어빠진 속성이 그는 저주스러웠다.

「내일 오십시오. 지금은 안됩니다.」

그의 요청에 대해 간수는 거듭 이렇게 말했다. 간수는 고개를 숙인 채 서류 위에 무엇인가를 부지런히 적고 있었다.

「왜 안됩니까?」

「지금은 안됩니다.」

「난 경찰이오. 왜 안된다는 거요?」

그제서야 간수는 고개를 쳐들고 병호를 바라보았다. 아주 젊은 얼굴이었다. 간수는 좀 누그러진 음성으로 말했다.

「오늘 담당 직원이 안 나왔어요. 그러니까 내일 오세요.」

「담당 직원이 안 나오면 며칠이라도 안되겠군요.」

「난 모릅니다.」

「여기 책임자를 좀 만납시다.」

「안됩니다.」

「왜 안된다는 거요?」

「안되니까 안된다는 거 아니오.」

간수는 언성을 높이면서 새삼스럽게 병호를 아래위로 훑어 보았다. 매우 건방진 태도였다.

「안되다니…… 무슨 소릴.」

병호는 상대를 밀어제치고 안으로 들어갔다. 간수는 그를 제지하려다가 그의 기세가 너무 거세자 멍하니 바라보기만 했다.

안으로 들어가자 거기는 아주 넓은 실내였다. 병호는 가장 큰 책상 앞에 앉아 있는 직원에게 다가갔다. 책임자인 듯한 그 직원은 무척 깡말라 있어서 보기에도 꽤 냉정한 인상이었다. 그러나 손님을 맞는 태도는 몹시 점잖았다. 병호의 말을 듣고 난 그는 처음에는 곤란한 표정을 짓다가, 이쪽에서 재차 급한 수사상의 일로 그런다고 간청하자 잠깐 기다려보라고 말했다. 곧 그는 부하 직원을 한 사람 부르더니 몇마디 지시를 내렸다.

얼마 후에 그 직원은 서류뭉치를 하나 들고 돌아왔다. 책임자는 마르고 긴 손으로 서류철을 뒤적이더니, 곧 그것을 펼쳐 들고 병호를 바라보았다.

「황암이란 사람이 여기 있었던 기간은 1960년 2월부터 1967년 5월까지였습니다. 무기수(無期囚)였는데…… 4·19혁명으로 감형이 되었군요.」

병호는 귀가 번쩍 뜨였다.

「얼마로 감형이 되었습니까?」

「20년입니다.」

「어디로 이감이 되었습니까?」

「전주교도소로 이감되었습니다.」

병호에게는 무엇보다도 황바우의 복역 연한이 20년으로 단축

되었다는 것이 충격적인 사실로 받아들여졌다. 황바우가 투옥되어 일심판결을 받은 것은 1952년 12월 28일, 그렇다면 작년 1972년이 꼭 만 20년째가 아닌가. 그러니까 황바우는 작년에 이미 출옥한 것이다.

놀라운 일이다. 그가 출옥한지도 모르고 지금까지 다른 방향으로 자꾸만 생각하고 있었던 것이다.

잠시도 지체할 수 없는 일이었다. 병호는 급히 그곳을 나왔다. 순식간에 그는 사건의 실마리가 풀리는 것을 느꼈다. 황바우가 이미 출옥했다면 이제 이야기가 되는 것이다. 우선 시간적으로 볼 때 충분한 가능성이 있는 것이다. 즉 황바우는 작년에 출옥하자마자 자기를 20년 동안 감옥에 처넣은 원수들을 찾아나섰을 것이고 그 첫번째로 걸려든 사람이 당시 검사였던 김중엽 변호사였을 것이다.

김변호사를 발견한 황바우는 기회를 노리고 있다가 금년 1월 마침내 그를 타살했을 것이다. 그 다음이 양달수의 차례라는 것은 물어보나 마나한 일이다. 김변호사를 죽인 6개월 후에 황바우는 두번째로 양달수까지 무난히 해치운 것이다. 20년 동안 감옥에서 증오심을 불태우고 있었다면 이런 일쯤이야 그렇게 어려운 일이 아닐 것이다. 황바우는 지금쯤 허탈감에 젖어 있겠지 어디에 숨어 있을까.

병호는 길가에서 두 대째의 담배를 다 피울 때까지 꼼짝 않고 서 있었다. 이 엄청나고 괴이한 드라마에 그는 숨이 콱 막히는 것을 느꼈다.

어떻게 할까. 황바우가 출옥한 것은 거의 확실한 것이다. 그러나 그는 직접 그것을 확인해 보고 싶었다. 혹시 무슨 일로 하여 황바우의 출옥이 연기되었을지도 모르지 않은가. 거의 바랄 것이 못되었지만 그는 그 가능성을 애써 기대하면서 즉시 전주(全州)로 향했다. 목포에서 전주까지는 별로 멀지 않은 거리

였다. 그러나 전주에 닿았을 때는 날이 저물어 거기서 하룻밤을
지내야 했다.

　이튿날 아침에야 비로소 그는 오늘이 1973년의 마지막 날이라
는 것을 알았다. 그래서인지 이 지방도시는 아침부터 사람들이
거리로 쏟아져 나와 북적대고 있었다. 모든 사람이 들떠 있는
연말연시에 공공기관을 찾아가 무엇을 알아본다는 것은 그렇게
쉬운 일도 아니고 마음내키는 일도 아니었다. 그러나 병호는 어
쩔 수 없이 교도소를 방문해야 했다. 밥맛이 없어 대신 다방에
들러 커피 한잔을 시켜 마신 다음 그는 바로 교도소로 향했다.
그곳 교도소는 시(市)에서 한참 벗어난 야산 밑에 자리잡고 있
었다. 가난한 초가 마을을 지나 다시 넓은 들판을 건너야 교도
소에 이를 수가 있었다.

　그를 맞은 간수는 늙은 사람이었는데 의외로 친절했다. 예상
했던 대로 황바우는 이미 출옥하고 없었다.

　「작년 1월 10일에 출옥했습니다. 원래는 작년 연말쯤에 출옥
해야 될 사람인데 모범수라 일찍 가출옥된 것이지요. 여기서
는 그러니까 한 5년 있었는데, 법이 없어도 살 수 있는 그런
사람이었지요. 그렇게 착하고 성실한 사람이 왜 그런 죄를 지
었는지 도무지 이해가 가지 않았지요.」

　간수는 서류철을 손으로 쓰다듬으면서 말했다. 병호는 교도
관을 바라보았다. 20여년 동안 교도소 근무를 해왔다는 그는 머
리가 희끗희끗한 것이 이미 노경에 접어들어 있었다.

　「황노인과는 친하셨나 보군요?」

　「친했지요. 자기는 몰랐겠지만, 나는 속으로 그 사람을 좋아
했어요. 그 사람이 석방될 때는 기쁘기도 하면서 한편으로는
몹시 섭섭합디다. 아주 독실한 신자였고, 그렇게 사람이 선량
할 수가 없었지요. 자기 자신이 감옥에 있다고 생각하는 것
같지가 않았으니까요.」

「무슨 신자였습니까?」

「예수를 믿었지요. 어떤 대학교수로부터 한글을 깨친 다음부터는 밤낮 성경책만 들여다 보았으니까.」

「면회 온 사람이라도 있었습니까?」

「아무도 없었지요. 그런데 이상한 것은 사식(私食)이 가끔 들어온 점입니다. 황씨도 누가 그걸 넣는지를 몰랐어요. 이름을 전혀 밝히지 않았으니까요. 여기서 뿐만 아니라 그전에 있던 교도소에서도 사식을 받았다니까, 아마 20년 동안 계속해서 받은 모양이지요. 누군지는 모르지만 지성이었지요.」

병호는 숨을 깊이 들이쉰 다음 마른침을 꿀꺽 삼켰다. 목이 바짝 타 들어왔다.

「출옥 후 어디로 갔는지 모르십니까?」

「그걸 모르겠어요. 그 사람은 갈 곳이 없어서 자기도 어디로 가야 할지 몰랐으니까요. 아들이 하나 있다고 했지만 아마 있는 곳을 모르는가 봐요. 부인은 아주 옛날에 개가를 했다고 그럽디다. 그런데 자식도 자기 아버지가 감옥살이를 하고 있는지는 몰랐던 게지요. 알았다면 한번쯤 면회를 왔을 텐데… 세월이란 건 아주 이상해서 같은 피를 나눈 사이라도 적잖이 20년간이나 서로 떨어져 있으면 자연 멀어지기 마련이니까, 알고도 안 왔는지 모르지요. 불쌍한 건 결국 당사자지요.」

병호가 사례조로 돈을 좀 내놓자 늙은 간수는 굳이 사양하다가 받았다.

「이거 애쓰시는데, 이런 걸 다 받고 미안합니다.」

「아닙니다. 친절히 가르쳐주셔서 고맙습니다.」

「황씨에게 무슨 일이라도 있습니까?」

간수는 따라나오면서 물었다. 몹시 걱정되는 음성이었다.

「아닙니다. 그런 건 아닙니다.」

　병호가 밖으로 나와 걸어가고 있을 때 뒤에서 교도관이 다시 그를 불러세웠다. 교도관은 가까이 다가오더니 작은 목소리로 이렇게 말했다.

　「사식받는 사람한테 지금 막 물어보니까, 한 사십 가까이 된 잘생긴 부인이 한번 돈을 넣어주고 갔답디다. 이름은 밝히지 않았지만 그동안 사식이 잘 들어갔는지를 묻는 것으로 보아 그때까지 사식을 넣어 온 장본인임에 틀림없다고 하는군요. 그 전에는 다른 사람을 시켜서 사식을 넣은 모양이고요. 그리고 지금 생각나는데…… 황씨 누님이 한 분 있다는 말을 들은 것 같습니다. 지금까지 살아계실지 모르겠다고 하면서 정 갈 데가 없으면 거기라도 찾아가겠다고 말한 것 같습니다.」

　「누님…… 아, 아, 그렇군요. 저도 들은 것 같습니다.」

　병호는 혼자 되자 힘이 갑자기 쑥 빠지는 것 같았다. 무거운 짐에 덮쳐 눌린 듯 어깨가 뻐근했고, 다리가 후들거려 왔다.

　그런데도 그의 머리만은 기민하게 움직이고 있었다. 그는 손지혜가 말해준 적이 있는 황바우의 누님 생각이 났다. 이제 만나야 할 사람은 황바우의 누님일 것 같았다. 그녀를 만나면 어쩌면 황바우의 행방을 알 수 있을지도 몰랐다. 사건을 원점으로 돌릴 만한 변화가 일어나지 않는 한, 병호는 자신의 추리가 이제 거의 제대로 들어맞아가고 있으며, 수사는 멀지 않아 곧 끝이 날 것이라고 생각했다.

　시내로 들어온 그는 아침부터 굶었던 터라 빵을 몇 조각 사들고 상원(尙原)행 열차에 올랐다.

　창가에 앉아 천천히 빵을 먹던 그는 이윽고 눈을 감고 소용돌이치는 머릿속을 하나하나 정리해 나가기 시작했다. 그것은 바로 어제 생각했던 것처럼 황바우를 범인으로 인정하기 위한, 보다 세밀하고 합리적인 사고(思考)라고 할 수 있었다.

　세상에 나온 황바우는 우선 무엇부터 생각했을까. 자기의 억

울함을 그대로 모른 체해버릴 만큼 그는 도덕군자였을까. 그가
아무리 순박하고 착한 사람이라고는 하지만, 20년 동안 감옥에
서 쌓고 쌓아온 원한을 과연 잊을 수가 있었을까. 원한에 사무
친 사람은 문제를 법적으로 해결하려고 하지를 않는 법이다. 왜
냐하면 그러한 사람은 이미 법을 믿지 않고 있으며, 법에 의해
서는 자신의 원한을 풀 수 없다고 생각하기 때문이다.

원한은 증오를 낳고, 증오는 폭력을 부르게 마련이다. 따라서
법 따위는 끼어들 나위가 없다. 육십이 넘은 노인이 원한에 쌓인
몸을 이끌고 이 세상에 나타났겠지.

그는 성경을 읽는다. 자기의 원한을 삭이기 위해서 성경을 읽
는다. 그런데 그것을 소화시키는데 실패하고 만다. 그리하여 결
국 그는 결연히 복수의 칼을 갈았을 것이다.

황바우가 출옥한 다음 해에 김중엽과 양달수는 6개월 간격으
로 죽어갔다. 이것이 우연이란 말인가. 도대체 지금 황바우는
어디 있는가. 그를 체포해야 옳은가.

그러나 아무리 생각해도 황바우를 체포한다는 것은 결코 마음
내키는 일이 아니었다. 육십이 넘은 그를 다시 목을 걸어 사형
시키자는 것인가. 그렇다면 그의 억울한 옥살이, 죽음보다 못한
불행한 인생은 누가 보상할 것인가. 이것은 도대체 누구의 죄인
가.

모든 것이 뒤죽박죽이었다. 그러나 병호는 여기서 먼저 밝혀
두어야 할 것이 무엇인가를 분명히 알고 있었다. 그것은 황바우
의 무죄를 밝히는 일이었다.

이것이 해결되지 않는 한 양달수의 살인사건도, 또 김중엽의
살인사건도 하등 조사할 가치가 없는 것이다. 먼저 황바우의 무
죄가 인정된 다음, 두 개의 살인사건이 거론되어야 한다. 억울
한 옥살이 20년이 낳은 두 개의 살인사건—그러면 세상 사람들
은 충분히 황바우의 행위를 이해할 수 있을 것이다. 이런 모든

것을 뒷받침해 줄 수 있는 것이 바로 한동주의 생존이고, 그가
자행한 제3의 살인, 즉 박용재의 죽음이다.

그러나 사회의 동정은 동정에 그칠 뿐 어떤 구속력도 갖지 못
한다. 법이 사형을 내리면 황바우는 살인범으로 사형을 받아야
하는 것이다. 하물며 일개 형사가 어떻게 그의 생명을 보장할
수가 있단 말인가.

아무튼, 이번 사건에 오랫동안 매달려 온 병호는 지친 끝에
얼른 황바우를 범인으로 단정해버린 것이고, 그래서 거기에 따
른 여러 문제점을 생각하게 된 것이다.

열차가 덜커덕 하고 서는 바람에 그는 눈을 떴다. 어느새 잠
이 들었던 모양이다. 차가 다시 출발하자 그는 또 잠이 들었다.
어깨의 통증으로 그는 얼굴을 잔뜩 찌푸리고 있었다. 요 며칠
사이 그의 마른 얼굴은 더욱 초췌하게 변해버렸고 턱은 온통 수
염투성이였다. 차가 상원에 닿을 때까지 그는 정신없이 졸았다.
몸이 약해진 뒤로는 이렇게 앉기만 하면 졸음이 왔다. 이상하게
도 황바우와 손지혜가 한데 엉켜 자살한 꿈을 꾸다가 그는 잠이
깨었다. 등으로 식은땀이 번져 있었고 머리는 며칠 동안 불면증
에 시달린 듯 몹시 무거웠다.

옆 사람에게 물어보고 나서야 그는 상원에 막 도착한 것을 알
고는 허둥지둥 차에서 내렸다.

새말은 멀리서 보아도 한촌(寒村)이었다. 마을 어귀에서 다리
없는 아들을 데리고 사는 노파를 찾았더니 금방 알려주었다. 그
는 아무런 준비도 없이, 다만 가슴에 차오르는 흥분을 억누르면
서 돌담을 끼고 한참을 올라갔다.

여기저기 서 있는 앙상한 감나무 가지에서 까마귀떼가 요란
스럽게 울고 있었다. 하늘은 잔뜩 흐려 있는 것이 금방이라도
눈이 올 것만 같았다. 그는 까마귀떼를 향하여 돌멩이를 힘껏
집어던졌다. 까마귀들은 더욱 시끄럽게 까악까악 하고 울면서

흩어졌다가 다시 나뭇가지에 날아와 앉았다.

노파의 집은 야산 바로 밑에 자리잡고 있었다. 죽은 대나무 가지가 바람에 황량하게 흔들리고 있는 것이 배경으로 보인 탓인지 그 오막살이는 유난히도 초라해 보였다. 울타리도 없었고, 방 하나만이 부엌과 함께 잇대어 있는 그런 초가집이었다. 지붕은 몇 년 동안 갈지 못해서, 시커멓게 썩은 채로 여기저기가 꺼져 있었다.

집 앞에 서성거리고 있자니, 안에서 인기척이 나면서 방문이 벌컥 열렸다. 비쩍 마른 사내 하나가 이쪽을 쏘아보면서 앉은 채로,

「뉘시오?」

하고 물었다. 매우 날카로운 목소리였다. 병호는 단번에 사내가 전쟁 때 두 다리를 잃은 이집 노파의 아들임을 알 수가 있었다. 그는 사십이 넘어보였다.

「주인되십니까?」

「그렇습니다.」

사내는 휑한 눈에 적의를 품으면서 병호를 바라보았다. 병호는 증명을 꺼내보였다.

「경찰에서 왔습니다.」

「무슨 일입니까?」

「여기에 황바우…… 황암 씨가 와 계시지요?」

「외삼촌 말씀이군요. 지금 여기 안 계십니다.」

사내는 주저하는 빛도 없이 대답했다. 병호는 별로 기대도 하지 않고 단도직입적으로 물은 것인데 그것이 적중한 것이다. 황바우가 여기 있었다는 것이 밝혀진 이상 황바우의 행방은 의외로 손쉽게 잡혔다고 볼 수 있었다. 놀라운 일이었다. 병호는 사내가 자리를 권하지 않았기 때문에 그대로 선 채로 다시 물었다.

「외삼촌께서는 어디 가셨나요?」

「서울 간다고 올라가셨습니다.」

「주소를 아십니까?」

「모릅니다. 갑자기 떠났으니까……」

「무슨 일로 가셨나요?」

「아들 만나러 간 것 같습니다.」

「아들은 어디 있는가요?」

병호는 흥분을 감추려고 애를 썼다.

「모릅니다.」

「나가고 있는 직장도 모르십니까?」

「무슨 공장에 나간다는 것 외에는 그 자식에 대해서는 전혀 모릅니다. 기껏 키워놓으니까 서울로 도망쳐서는 코끝도 비치지 않았으니까요.」

손지혜가 갖다버린 아들이 여기서 성장한 것이 틀림없었다.

「외삼촌께서 서울로 올라가신 것은 언제였습니까?」

사내는 병호를 뚫어질 듯이 응시하다가 격렬하게 기침을 했다. 가슴을 찢는 것 같은 그런 기침이었다. 사내는 깡통 속에 가래침을 거세게 뱉고 나서 다시 병호를 쏘아보았다.

「도대체 무슨 일로 그럽니까? 외삼촌이 또 무슨 죄를 지었나요? 20년 동안 생사람을 잡아가두고 또 뭐가 부족해서 그러는 겁니까? 도대체 왜 그러는 겁니까? 무슨 일입니까?」

「미안합니다. 지금 말씀드릴 수는 없습니다. 그렇지만 안심하십시오. 해를 끼치지는 않을 테니까.」

「안심하라구요? 그럼 제발 가시오. 당신들이 오지만 않으면 안심하고 살 수가 있으니까.」

「도움이 필요합니다. 황노인께서 억울한 옥살이를 했다는 것은 저도 잘 알고 있습니다. 저는 지금까지 그것을 쭈욱 조사해 왔습니다. 그래서 여기까지 오게 된 겁니다. 그러나 그 사

실을 믿고, 또 알고 있는 사람은 저 혼자뿐입니다. 그래서 저
는 이 사실을 세상에 알리고, 노인께서 무죄판결을 받도록 힘
써 볼 작정입니다. 그럴려면 우선 그 분을 만나 봐야 합
니다.」

병호의 말에 다리없는 사내는 코웃음을 쳤다.

「흥, 그럴 듯하군요. 이제 와서 그게 밝혀진다고 해서 무얼
하겠소?」

「절대 필요한 일입니다. 죽은 사람이라도 억울한 일을 당했으
면 그 한을 풀어주는 법입니다.」

「한을 풀어준다…… 어떻게 풀어준다는 거요. 20년이 되돌아
옵니까?」

「국가에서는 억울한 옥살이를 한 사람에 대해서는 무죄판결
을 내린 후 보상금(補償金)을 지불하고 있습니다.」

병호는 자신의 말이 스스로도 우습게 느껴졌다.

「보상금? 돈으로 때운다, 이 말이군요. 참 편리한 세상이
군.」

사내는 담배꽁초를 입에 대다 말고 다시 심하게 기침을 했다.
그러다가 갑자기 하체를 들어올렸다. 허벅지께에서 바지자락
이 덜렁거리며 춤을 췄다.

「보다시피 나는 상이군인이오. 이건 6·25때 싸우다가 잘려
나간 거요. 돈으로 이걸 보상할 수 있겠소? 어림없는 소리
지. 우리 외삼촌도 마찬가지요. 백만금을 준대도 어떻게 그
억울한 인생을 보상할 수 있겠소. 그 어른은 감옥에서 살려고
나온 게 아니라 죽으려고 나온 거요. 20년 동안 죄없이 갇혀
있는 바람에 이젠 너무 늙어서 얼마 살지도 못할 거란 말이
오. 차라리 감옥에서 돌아가셨으면 이 더러운 세상에 미련이
나 안 남길 텐데……」

사내의 말이 몹시 격했기 때문에 병호는 할 말을 잊은 채 주춤

하고 서 있었다. 한동안 침묵이 흐르자 사내는 자기가 너무 심한 말을 했다고 생각했던지 좀 누그러진 표정으로 다시 입을 열었다.

「보상금은 얼마나 되는 거요?」

「20년이니까 상당한 액수가 될 겁니다. 구금일수(拘禁日數)에 따라 보통 하루에 2백 원 이상 4백 원 이하 선에서 책정하고 있습니다.」

사내는 생각에 잠기는 듯 눈을 감았다가 떴다. 그리고 혼잣말처럼 낮게 중얼거렸다.

「이왕 이렇게 된 일 그거라도 받아서 생활이나 꾸려나갔으면 좋겠구만.」

「무죄판결만 받으면 보상금은 즉시 나옵니다. 국가에서 하는 일이니까요.」

병호는 조금 기다렸다가 다시 물었다.

「외삼촌께서 여기 처음 오신 것은 언제였습니까?」

「작년 1월 초순께 왔었지요. 석방되자 이곳으로 바로 오신 모양입니다.」

「서울 올라가신 것은 언제였습니까?」

「며칠 됐습니다.」

「확실히 좀 말씀해 주십시오.」

「일주일쯤 됐나 봅니다.」

「아들 주소도 모르면서 막연히 아들을 만나겠다고 서울 올라간 건 아니겠지요. 안 그렇습니까?」

「글쎄, 편지가 하나 오긴 왔었어요. 이름이 쓰여 있지 않아 누가 보낸 건지는 잘 모르겠지만…… 아마 아들이 보냈을 겁니다. 그리고 그 편지를 보자 바로 올라갔지요.」

「그 편지 내용을 아시는가요?」

「모릅니다. 보여주지를 않았으니까.」

「혹시 다른 사람이 보낸 편지가 아닐까요?」

「아닐 겁니다. 외삼촌이 여기 계시다는 건 아들밖에는 아무도 모르니까요.」

사내의 말은 매우 타당성이 있어 보였다. 그가 거짓말을 하고 있다고는 생각되지 않았다.

「언제쯤 내려오시겠다고 했습니까?」

「모르지요. 내려오게 되면 내려오고, 서울 있게 되면 아들하고 같이 살겠다고 말씀하셨으니까요.」

그때 뒤에서 인기척이 났기 때문에 병호는 뒤를 돌아보았다. 머리에 광주리를 인 노파가 한 사람 거기에 서 있었는데, 머리가 너무 하얀 탓인지 노파에게서는 흰 빛이 나는 것 같았다. 노파는 유난히도 작아보였다.

병호는 노파가 황바우의 누님이라는 것을 금방 알았다. 그리고 그녀의 가난에 찌든 얼굴에서나마 은은히 엿보이는 인자한 빛을 보자 마치 황바우를 보는 것 같았다.

노파는 생각이 깊은 눈으로 병호와 자기 아들을 번갈아보다가 아무 말도 없이 부엌으로 들어갔다. 그리고 이내 나와서는 조심스러운 목소리로 물었다.

「어디서 오신 뉘신가요?」

「경찰에서 외삼촌을 만나러 왔어요.」

사내가 대신 대답했다.

「어디서 왔다고?」

노파는 잘 알아들을 수가 없는지 다시 물었다.

「순경이라구요. 외삼촌 만나러 온 순경……」

그러자 노파는 금방 두려워하는 빛을 띠었다.

「그라문, 추운디 이렇게 있지 말고 안으로 모셔야제. 자, 들어가게요. 방이 누추해서……」

그제서야 사내도 문 앞에서 비켜 앉으며 병호에게 들어오라고 말했다. 병호는 망설이다가 방안으로 들어갔다.

　방안은 좁았지만 노파의 손이 부지런한 탓인지 깨끗하게 정리되어 있었다.

　병호가 사내와 이야기하는 동안 노파는 시종 다소곳이 앉아 있었다. 가끔씩 그녀의 겁먹은 시선이 병호에게 향하곤 했다. 그럴 때마다 병호는 노파에게 미안한 마음이 들곤 했다. 그러나 병호로서는 입장이 입장이니 만큼 좀 더 자세히 캐묻지 않을 수 없었다.

　「외삼촌의 과거를 알고 계시겠지요?」

　「알고 있습니다. 그러나 외삼촌이 석방되어 말씀해 주실 때까지는 전혀 몰랐지요. 그분이 엄청난 죄를 짓고 감옥살이를 하고 있는 줄만 알았지, 그것이 억울한 옥살이란 건 몰랐습니다. 그리고 그 배후에 그런 무서운 모략이……」

　사내는 흥분을 억누르려는 듯 어금니를 물었다.

　「모략이라니, 무슨 모략입니까?」

　「확실한 건 잘 모르겠지만 암튼 생사람을 억지로 옭아매서 감옥살이를 시킨 건 사실입니다.」

　「외삼촌 아들 이름이 황태영(黃泰榮)이라고 알고 있는데, 맞습니까?」

　「네, 맞습니다. 많은 걸 알고 계시는군요.」

　사내와 노파는 사뭇 놀라는 눈치였다.

　「아직 모르는 게 많습니다. 태영이는 여기 있을 때 자기 아버지가 감옥에 있다는 걸 알고 있었습니까?」

　「모르고 있었지요. 어머님과 저는 전혀 내색을 하지 않았으니까요. 자기 아버지가 사람을 죽이고 감옥살이를 하고 있는 걸 알면 충격이 클 것 같아서 전혀 이야기를 하지 않았지요.」

　마침내 노파가 눈물을 훔치면서 끼어들었다.

　「그애 어미가 아직 젖도 떨어지지 않은 이 핏덩이를 여기다

데려다놓고 도망을 갔지요. 그래서 여그서 키웠지요. 커가면서 어떻게나 영특하게 구는지…… 그애처럼 영민하고 착한 애가 없었는디…… 지금은 어디 가 있는지……」

사내가 노파의 말을 가로챘다.

「어디 있으면 뭣 할려고 그래요. 그런 배은망덕한 놈 같으니…… 기껏 키워놓으니까 작년에 도망을 갔어요. 그건 그렇다 치고 원, 세상에 자기 아버지가 감옥에서 20년만에 나왔는데 도망치는 자식이 어디 있어요? 죽일 놈 같으니라구…… 나타나기만 해 봐라. 다리몽댕이를 뿐질러놓을텡께.」

사내는 화가 나는지 몸을 좌우로 흔들었다.

병호는 노파를 보고 물었다.

「바우님께서 감옥에 있을 때 면회간 적 있습니까?」

「못 갔어요. 보다시피 이애 몸이 이래서 어디 집을 비울 수가 있어야지요. 그리고…… 바우가 어디 있는지도 몰랐고요.」

노파는 몹시 부끄러워하는 기색이었다.

「그럼 바우님이 감옥에 있는 동안 전혀 소식을 못 들었겠군요?」

「못 들었어요. 젊은 어멈이 첨에 애기를 데리고 왔을 때 이야기를 듣고는 통 못 들었어요. 난 20년 동안 바우한테서 소식이 없어서 그애가 죽은 줄 알았지요. 그란디 죽지 않고 살아와서 어떻게나 놀랍던지……」

노파가 자꾸만 눈물을 흘렸으므로 병호는 시선을 돌려 사내를 바라보았다.

「태영이는 아버지가 석방된 뒤 이곳을 떠났습니까?」

「그렇지요. 나쁜 놈 같으니라구.」

「그럼 서로 만나봤겠군요.」

「그렇지요. 외삼촌은 석방되자 갈 곳은 없고 해서 바로 이곳으로 오신 모양이에요. 스무 살이 된 자기 아들이 설마 누님

집에서 크고 있으리라고는 상상조차 못했겠지요. 태영이란
놈도 자기 아버지가 없는 줄 알았다가 그렇게 갑자기 나타나
니까 많이 놀랐지요. 처음 여기서 서로 만났을 때, 너무 놀랍
고 기가 막혀서 그랬는지, 서로들 넋을 빼고 쳐다보더군요.
먼저 외삼촌이 우시더군요.」

「태영이는 그런 뒤에 얼마나 있다가 여기를 떠났습니까?」

「제 아버지를 만난 지 한 반 년 지났을까, 여름 장마 땐데 갑
자기 안 들어오더군요. 그리고는 지금까지……. 자기 아버지
가 얼마나 애타게 기다렸는데, 그것도 모르고……」

「왜 여기를 떠났습니까?」

「모르지요. 요새 젊은애들은 알 수가 있어야지요.」

「혹시 낯선 사람이 여기 온 적은 없습니까?」

「그런 적은 없었어요. 그런데 참 지금 생각나는데…… 태영이
란 놈이 여기서 도망치던 날 역에서 그애를 본 사람이 있어
요. 그 사람 말이 태영이가 어떤 나이 많은 사람하고 동행이
더라고 그랬어요.」

「처음 보는 사람이었나요?」

「네, 이 지방 사람 같지가 않은 낯선 사람이었대요.」

태영이를 데려 간 그 나이많은 사람은 누구였을까. 납치는 아
닐 테고, 아마 발을 빼지 못하도록 유혹했겠지.

「태영이는 결국 자기 아버지가 억울하게 옥살이를 했다는 걸
알았겠군요?」

「그렇지요. 자기 아버지를 만나고 나서야 알았지요. 자기 아
버지가 그애한테 직접 그런 이야기를 해준 건 아니죠. 외삼촌
이 나한테만 그 억울한 얘기를 들려준 것인데, 내가 그만 참
지를 못하고 그 이야기를 태영이한테도 말해버렸어요.」

「그걸 듣고 태영이는 충격이 컸겠군요.」

「컸겠지요. 그렇지만, 자식이 나이에 비해서 침착하고 영리

한 데가 있어서 별로 내색을 않더군요.」

「아무래도 그 충격 때문에 집을 나간 모양이군요. 그럴 가능성이 제일 많지 않습니까?」

「그렇게도 생각할 수 있겠지요. 허지만 그 자식 워낙 말이 없는 놈이라……」

사내는 다시 심하게 기침을 했다. 노파가 얼굴빛 하나 고치지 않고 깡통을 아들의 입에 갖다 대주었다. 병호는 기침이 가라앉기를 기다렸다가 다시 질문을 계속했다.

「태영이는 자기 아버지를 어떻게 생각했습니까?」

「아까는 내가 화가 나서 욕을 좀 했지만, 솔직히 말해서 효성이 지극한 놈입니다. 자기 아버지가 20년만에 불쑥 나타나자 밤잠을 안 자고 보살폈으니까요. 아버지한테 드릴 반찬거리를 장만하느라고 온갖 잡일을 다 하더라니까요.」

일단 이렇게 말이 나오자 사내는 태영이를 추켜세우기 시작했다.

「그 자식은 재주도 많은 놈이지요. 그놈이 제대로 공부만 했다면 상당히 발전할 수 있었을 텐데……」

「재주라니, 무슨 재주 말입니까?」

「그 나이에 모르는 게 없어요. 특히 손재주가 아주 비상해요. 전기도 잘 만지고, 미쟁이질도 잘 하고, 목수 일도 썩 잘 하지요. 이 근방에 목수 일로는 그애를 따를 사람이 없어요. 누구한테 직접 배운 것도 아니고 어깨 너머로 그렇게 익힌 모양이에요.」

「재주가 많은 청년이군요. 목수 일을 그렇게 잘 한다면 어딜 가나 제 밥벌이는 하겠군요?」

「그럼요. 그애가 여기 있을 때는 밥은 굶지 않고 살았으니까요.」

그는 섬광처럼 지나가는 하나의 명료한 예감에 부딪쳤다. 황

태영 군이 목수 일을 잘 한다는 사실은 병호로 하여금 사건이 발
생했던 장소인 문창의 저수지를 찾아갔다가 들판을 넘어 대밭골
로 가는 길을 더듬던 중 그 중간에서 만난 백정의 말을 생각케
해주었다. 그때 백정은 한 젊은 청년이 자기와 한동안 같이 지
냈으며, 그 청년의 목수 솜씨가 보통이 아니라고 말하지 않았던
가. 더구나 그 청년이 그곳에서 사라진 것도 사건 직후였다. 그
청년 이름이 뭐였더라.

병호는 재빨리 수첩을 뒤적여보았다. 그가 바삐 적어놓은 수
첩에는 이렇게 적혀 있었다.

△金禹植＝ ① 20세 전후로 목수. ② 주소는 불명이고 전라
도 사투리 사용. ③ 〈서울工藝社〉라는 글자가 찍힌 수건
을 남겨둠. ④ 크게 웃을 때는 오른쪽 위 겉니가 빠져 있
는 것이 보이며, 얼굴은 긴 편.

「혹시 태영군은 오른쪽 윗니가 빠져 있지 않습니까?」
병호의 이 질문에 사내와 노파는 몹시 놀라는 기색이었다.
「네, 그렇습니다. 웃으면 이빨 빠진 게 보이지요. 그런데 어
떻게 그렇게 잘 아십니까?」
병호는 웃으려다가 말았다.
「그게 직업이니까요.」
「아무리 직업이라도……」
사내는 고개를 갸우뚱했다.
병호는 그 나름대로 혼란에 빠져 있었다. 문창의 백정 집에서
한동안 머물렀던 청년은 의심할 여지없이 황태영임이 분명
했다. 그런데 하나 문제되는 것은 이름이 다르다는 것이었다.
김우식과 황태영, 이것이 하나의 이름으로 합쳐져야만 된다. 그
렇다면 김우식이라는 이름은 가명이 아닐까. 영리한 황태영이

그런 곳에서 자기 본명을 밝힐 리는 만무하다. 김우식이 가명일 것이라는 생각은 병호의 뇌리에 깊이 들어와 박혔다. 그는 침착하려고 애쓰면서 얼굴에 나타난 표정을 지웠다.

「외삼촌께서는 출옥한 후 쭉 여기에 계셨는가요?」

「네, 여기에 쭉 계셨지요. 어디 딴 데 갈 데가 있어야죠.」

「혹시 다른 데 갔다 오시거나 한 적은 없습니까?」

「없었습니다. 출옥한 후로는 단 하루도 다른 곳에서 주무신 적이 없습니다.」

「잘 생각해서 대답해 주십시오. 이건 중요한 것이니까.」

「생각할 것도 없어요. 도대체 그 분은 밖에 나가지를 않았으니까요. 이번에 서울 가신 것 외에는……」

「잘 알겠습니다. 일이 있으면 다시 또 들르겠습니다.」

병호가 작별 인사를 하자 사내는 처음과는 달리 허리까지 굽혀보였고, 노파는 병호를 따라나왔다.

노파는 주저주저 하면서 물었다.

「우리 바우한테 무슨 일이 생겼는가요?」

「아닙니다. 별일이 아니니까 안심하십시오.」

「그라문 우리 태영이한테……?」

「아닙니다. 안심하시라니까요. 별일 아닙니다.」

병호가 비탈길을 내려오면서 뒤돌아보니 노파는 줄곧 그를 바라보고 있었다.

그날은 너무 많이 여행을 했고 너무 많이 충격을 느꼈기 때문에 그는 몹시 피로했다. 당장 아무 데서라도 쓰러져 잠들고 싶었다. 그러나 한동주의 출현으로 사태가 심상치 않게 발전하고 있다는 느낌이 든데다 수사망이 갑자기 좁아진 점, 그리고 한시라도 빨리 사건을 해결하고 싶은 욕심으로 그는 그 길로 역으로 갔다.

그리고 한 시간 후, 밤 열차를 타고 서울로 향했다.

　밤새 그는 끄덕끄덕 졸았다. 새벽에 서울역에 내렸을 때는 눈
이 벌겋게 충혈되어 있었다. 골목으로 들어가서 해장국을 한 그
릇 시켜 먹은 그는 여관으로 들어가 곧 잠에 떨어졌다. 그리고
아침 늦게 일어나 수사 방향을 가장 신속하고 효과적으로 잡아
보기 위해 머리를 정리하다가 문득 수첩에서 그동안 잊고 있었던
사실 하나를 발견했다. 그것은 풍산에 있는 양달수의 본처를 찾
아갔을 때 양씨의 유품중에서 발견한 것이었다. 양씨의 수첩을
조사하다가 그는 〈김변호사―⑳2236〉이라고 적혀 있는 것을 보
고는 아무래도 그것이 서울 전화번호인 것 같아 혹시나 해서 수
첩에 기입해 두었었다. 그것을 그동안 너무 바쁘다보니 까맣게
잊고 있다가 이제야 눈여겨보게 된 것이다.

　김변호사가 혹시 김중엽 변호사를 가리키는 것인지도 모른다
는 생각이 들자 병호는 자리를 박차고 일어났다. 그리고 교환을
통해 전화를 걸었다. 전화를 받은 사람은 여자인 것 같았다.

　「김중엽 변호사님 댁입니까?」

하고 병호는 물었다.

　「네, 그런데 누구신가요?」

　상대방 여자는 몹시 의아한 눈치였다. 병호는 대뜸 이렇게 말
했다.

　「김변호사님 계시면 좀 바꿔주십시오.」

　「뭐라고요?」

　「김변호사님 좀 바꿔달란 말입니다.」

　「여보세요. 도대체 누구세요?」

　「문창에서 올라온 사람이라고 하면 잘 알 겁니다.」

　「참 기가 막혀서……. 여보세요, 김변호사님은 벌써 돌아가
　셨어요. 좀 똑똑히 알고 전화를 거세요!」

　여자는 앙칼지게 말하면서 당장 전화를 끊을 기색이었다. 병
호는 다급하게 매달렸다.

「아니 그거 정말입니까? 김변호사님이 정말 돌아가셨습니까?」

「여보세요. 정초 아침부터 남의 집에 전화를 걸려면 조심을 좀 하세요.」

「아니 이거 죄송합니다. 시골에 사느라고 그걸 미처 몰랐습니다. 그런데…… 정말 돌아가셨습니까?」

상대편 여자는 화가 나는지 잠깐 침묵을 지키고 있다가 다시 쏘아붙였다.

「이 사람이 정말 왜 이래. 몇 번 말해야 알아듣겠어요?」

「죄송합니다. 언제 돌아가셨어요?」

「벌써 1년 됐어요.」

「아이구, 저런. 그런데 이거 실례입니다만…… 그렇게 건강하시던 분이 왜 갑자기 돌아가셨는가요?」

「사고로 돌아가셨어요.」

「사고라니요? 자동차 사고 말입니까?」

「참, 기가 막혀서……」

여자는 더 이상 말할 필요가 없다는 듯 전화를 끊어버렸다.

병호는 한동안 멍청하게 앉아 있었다. 이제 그는 김중엽의 죽음과 양달수의 죽음이 굳게 결속되어 있다는 것을 확신했다. 어떻게 해서 양달수의 수첩에 김중엽 변호사의 전화번호가 적혀 있게 되었을까. 물어볼 필요도 없이 이것은 양달수가 죽기 전까지 김중엽과 모종의 관계를 맺고 있었다는 것으로 풀이할 수 있다. 20년의 간격, 그리고 서울과 문창이라는 지리상의 먼 거리감이 일시에 좁혀지는 것을 그는 느꼈다.

그들은 무슨 일로 서로 만나고 있었을까. 그들이 알게 된 것은 20여년 전 황바우 사건 때문이었을 것이다. 그들은 그후 계속해서 관계를 맺어왔던 것일까. 아니면 최근에 와서야 만나게 된 것일까. 아무튼 놀라운 일이 아닐 수 없다. 관계를 맺고 있던 그들이 같은 해에 몇 달 사이로 똑같이 죽어갔으니 더욱 해괴한 일이 아닐 수 없다.

새해 아침이라 그런지 거리에는 사람이 별로 없었다. 색동 치마저고리를 입은 처녀들이 세배를 가는지 즐겁게 웃으면서 그의 옆을 지나쳐 갔다. 그는 처녀들 모습을 부러운 눈으로 바라보다가 택시를 타고 손지혜의 집으로 향했다.

예상했던 대로 손지혜는 이사가고 없었다. 주인 여자는 손지혜가 어디로 갔는지 모르겠다고 말했다. 손지혜를 술집에 소개한 여자를 만나보았지만 그녀 역시 병호를 흘끔흘끔 바라보면서 피하려고만 할 뿐 손지혜의 행방에 대해 말하려 들지를 않았다.

다시 시내로 나온 병호는 공중전화 박스로 들어가 전화번호를 뒤적거렸다. 다행히 서울工藝社의 전화번호가 나와 있었다. 그는 즉시 전화를 걸었다. 한참 후에 중년 사내인 듯한 사내가 전화를 받았다. 병호가 위치를 묻자 상대방은 상세히 대답해준 다음, 오늘은 일을 하지 않는다고 말했다.

「그럼 언제부터 일하는가요?」

「내일부텁니다.」

병호는 전화를 끊고 이번에는 신문사의 엄창규 기자에게 전화를 걸었다. 그러나 신문사 역시 정초 휴가에 들어가 있었다. 갈데가 없어진 그는 길 가운데서 망설이다가 극장에 들어가 영화를 보았다. 프랑스 영화였는데 여주인공이 대단히 미인이라 그는 두 시간 동안 거기에 홀딱 빠져 있다가 나왔다.

그 길로 그는 손지혜가 일하던 청계천의 술집 〈남해집〉으로 나가보았다. 그러나 그 술집 역시 문이 닫혀 있었다. 매우 재수 없는 날이라고 생각하면서 그는 소주 한 병을 사들고 여관으로 돌아왔다.

아랫목에 비스듬히 드러누워서 그는 혼자 술을 마셨다. 얼큰하게 취기가 오르자 그는 갑자기 자신의 신세가 서글프게 느껴

졌다. 정초라고 해야 따뜻하게 맞아주는 이 하나 없었고 정성들
이 밥 한그릇 먹을 곳이 없었다.

어깨는 쑤시고 자꾸만 기침이 나왔다. 그래서인지 그는 더욱
심한 외로움을 느꼈다. 술 한 병을 더 마시고 나서야 그는 겨우
잠이 들었다.

한밤중에 누군가가 문을 두드렸다. 잠이 깬 병호는 놀라서 일
어났다.

「누구요?」

「임검 나왔습니다.」

병호는 불을 켜지 않은 채 방문을 열었다. 가슴이 쿵쿵쿵하고
뛰기 시작했다. 어둠침침한 복도에 잠바차림의 사내가 서 있
었다.

「실례합니다. 정보과에서 나왔습니다. 신분증 좀 보실까
요?」

사내는 거침없이 말했다.

「죄송합니다. 신분증을 안 가져왔군요.」

「뭐요? 이리 나오시오.」

정보과 형사는 현관 쪽으로 걸어갔다. 병호가 뒤따라 가자 그
형사는 병호의 아래위를 훑어보더니 큰 소리로 꾸짖었다.

「이 양반이 정신이 있어, 없어? 사루마다 바람으로 가겠다는
거야? 빨리 옷 입고 나와.」

병호는 그제서야 자기가 팬티만 입고 있는 것을 알고는 허둥
지둥 방으로 돌아와 바지를 주워 입었다.

정보과 형사는 이미 여관 앞에서 기다리고 있었다. 당장 연행
할 모양이었다. 병호는 형사의 손에 돈을 쥐어주고 사정을
했다.

「미안합니다. 한번만 봐 주십시오. 다음부터는 가지고 다니
겠습니다.」

「이거 이러면 안되는데……」

나이가 상당히 들어보이는 사내는 손에 든 돈을 불빛에 들여다본 다음 슬그머니 그것을 호주머니에 집어넣었다.

「앞으로는 증명을 가지고 다녀요. 지금이 어느 때라고 증명도 없이 돌아다니는 거요. 당신 이상한 건 없지?」

「그럼요. 그런 건 없습니다. 다음부터는 주의하겠습니다.」

그의 말이 끝나기도 전에 사내는 돌아서 가버렸다. 저만치 불빛에 정복 경찰이 한 사람 서 있었는데 사내는 그 경찰과 함께 어깨를 나란히 하고 어둠 속으로 사라져갔다.

곤히 잠을 자다가 갑자기 놀란 일을 당했기 때문에 병호는 다시 잠이 오지 않았다. 그는 날이 샐 때까지 벽에 기대 앉아 담배를 피웠다. 충혈된 그의 두 눈은 벽의 한 곳을 줄곧 노려보고 있었다. 이러다가 나는 미칠지도 모른다, 나는 서서히 미쳐가고 있다, 하고 그는 생각했다.

밖에는 눈이 내리고 있었다. 밤새 눈이 상당히 내린 탓으로 사람과 차량이 모두 느릿느릿 움직이고 있었다.

〈서울공예사〉는 미아리 산비탈의 주택 밀집 지역에 틀여박혀 있었기 때문에 찾기가 몹시 힘이 들었다. 한 시간 이상이나 헤매고서야 병호는 간신히 그 집을 찾을 수가 있었다.

조그만 판자문을 밀고 들어가자 먼저 매캐한 냄새가 확 풍겨왔다. 열 서너 명쯤 되어 보이는 사람들이 제각기 벽 쪽으로 돌아앉아 작업에 열중하고 있었는데, 제품을 보니 거의가 손으로 만든 목제품들이었다. 침침한 불빛과 탁한 공기, 그리고 기계 돌아가는 소리 등으로 병호는 금방 머릿속이 멍해져 왔다.

어제 전화를 받은 듯한, 광대뼈가 튀어나온 중년 사내가 그를 맞았다.

「주인 되십니까?」

「네, 그렇습니다만……」

기계 소리 때문에 그들은 큰 소리로 이야기했다.

「경찰입니다. 조사할 게 있어서 왔는데, 여기 직공들 명단을 좀 봅시다.」

주인은 아무 말없이 그에게 명단을 가져왔다. 좀 경계하는 눈치였다. 직공은 모두 15명이었는데, 그 중에 〈김우식〉 또는 〈황태영〉이라는 이름은 없었다.

「김우식이라는 청년이 여기에 근무한 적이 있습니까?」

「없는데요.」

주인은 딱 자르는 투로 말했다.

「황태영이라는 사람도 모릅니까?」

「모르겠는데요. 그런 이름은 처음 들어봅니다.」

「이력서 철 좀 봅시다.」

병호는 명단을 내주면서 직공들의 이력서를 가져오라고 말했다. 주인은 잠자코 이력서를 가져왔다. 병호는 주의깊게 그것을 한 장 한 장 넘겨보았다. 그것을 모두 보고 난 그는 이력서 한 장을 손으로 가리켰다.

「여기 이 친구, 최수일(崔秀一)…… 고향이 상원이군. 이 친구를 좀 만나야겠군. 그리고 참 여기서 언제 단체로 야유회 간 적이 있는가요?」

「일 년에 봄 가을에 한 번씩, 두 번 야유회를 가고 있습니다.」

주인은 조심스럽게 대답했다. 병호는 코트 속에서 〈서울工藝社 야유회 기념·1972년 10월 3일〉이라는 글자가 찍힌 수건을 꺼냈다. 그것은 그가 문창의 백정 집에서 혹시 증거물이 될까 해서 가져온 것이었다.

「72년 가을엔 개천절에 야유회를 갔군요. 이 수건이 분명히 여기 겁니까?」

주인은 수건을 받아들고 앞뒤를 살펴보더니, 고개를 끄덕였다.

「네, 그렇습니다. 작년 가을에 야유회 갔을 때 기념으로 한 장씩 준 겁니다.」

「최수일 군은 오늘 나왔습니까?」

「네, 나왔습니다.」

주인 사내는 한 쪽 구석에서 일하고 있는 더벅머리 청년을 불렀다. 수일은 경찰임을 알자 불안한 기색을 보였다. 아직 시골티가 가시지 않은 순하게 생긴 청년이었다.

병호는 주인에게 양해를 구한 다음 수일을 데리고 밖으로 나왔다.

「차나 한 잔 하면서 이야기하지.」

「……」

그 근처에는 다방이 없었기 때문에 그들은 차도까지 내려와야 했다. 다방에 자리잡고 앉았을 때 보니 수일의 얼굴은 파랗게 질려 있었다.

「자, 차 들면서…… 마음 놓으라고. 상원이 고향인가?」

「네……」

수일은 기어들어가는 목소리로 대답하면서 고개를 숙였다.

「이 봐. 고개를 들어. 왜 그렇게 쩔쩔매?」

수일은 고개를 들면서도 병호의 시선만은 피했다. 그의 눈에는 어느새 눈물이 괴어 있었다. 병호는 어리둥절해서 멀거니 수일을 바라보았다.

「용서해 주십시오. 신체검사를 안 받으려고 그런 게 아니라… 제가 직장을 그만 두면 집안에 생활비 벌어올 사람이 없어서……」

수일은 사뭇 울음을 터트릴 기색이었다.

「가족은 모두 어디 있는데?」

「작년 봄에 모두 서울에 올라왔습니다. 어머니하고 여동생 둘인데, 제가 없으면 꼼짝없이 굶어 죽습니다.」

「그렇다고 신체검사를 기피하면 되나. 절차를 밟아서 받도록 해. 그건 그렇고…… 이 수건 생각나?」

수일은 병호가 갑자기 내민 수건을 보자 어리둥절한 표정이 되었다.

「72년 가을에 야유회 갔을 때 하나씩 준 겁니다.」

「자네, 수건은 어디 있어?」

「집에 있을 겁니다.」

수일은 당황하고 있었다. 찻잔을 잡은 손이 떨리고 있었다.

「거짓말하지 마. 이게 자네 수건이야. 그런데 자네가 이 수건을 친구한테 주었단 말이야. 어느 친구한테 주었어? 그 친구 이름이 뭐야?」

수일은 한참 생각해 보는 것 같았다. 이윽고 그는

「네네, 이제 생각납니다. 오래 돼서 그만 잊어먹었습니다. 그건 제가 친구한테 준 겁니다.」

하고 말했다.

「그 친구 이름이 뭐야? 황태영 아닌가?」

「황태영입니다.」

「어떻게 해서 태영이한테 수건을 주게 되었나?」

「고향에 있을 때 태영이하고는 친했었습니다. 그런데 제가 서울로 이사오고는 몇 달 못 만났었는데, 그렇게 72년 여름에 태영이가 서울로 올라왔습니다. 그래서 당분간 우리 집에 있게 되었지요.」

「얼마나 있었나?」

「한, 한 달 남짓 있었습니다.」

「그리고는?」

「그리고는 나갔습니다. 그때 수건을 주었습니다.」

「태영이는 여기 있을 때 무얼 했나?」

「일자리를 구하러 다녔습니다.」

「일자리는 구했나?」

「네, 구했다고 하면서 나가고는 쭉 소식이 없습니다.」

「어디 갈 만한 곳도 몰라?」

「모릅니다. 저기…… 태, 태영이가 무슨 사고를 저질렀습니까?」

「아니야. 그런 게 아니고…… 자넨 모르는 게 좋아.」

여기서 황태영의 종적은 일단 끊긴 것 같았다.

「자넨 정말 황태영이가 어딜 갔는지 모르나? 숨기면 자네도 처벌받을 거야.」

「정말 모릅니다. 그때 나가고는 편지 한장 없으니까요.」

수일은 두려움을 벗으려는 듯 완강히 부인했다. 병호는 그의 말이 거짓은 아닐 것이라고 생각했다.

「수고했어. 들어가보게. 그리고 만일 태영이한테서 연락이 온다던가 혹은 태영이가 나타나면 주소를 좀 알아 둬. 내 나중에 연락할 테니까. 알았어?」

「네, 알겠습니다.」

「가봐.」

「감사합니다.」

수일은 정말 감사하다는 듯 고개를 깊이 숙여 인사하고는 도망치듯 밖으로 빠져나갔다.

이제 남은 길은 손지혜를 쫓는 것이었다. 손지혜를 만나면 황바우와 태영의 소재를 알 수 있을지도 모른다.

20여년이 지난 오늘 그들 사이에 무엇인가 필연적인 일이 벌어지고 있을 가능성이 많다는 것이 병호의 생각이었다. 이것은 거의 직감적으로 와닿는 생각이었으므로 그는 한시라도 빨리 손지혜를 만나고 싶었다.

그래서 그는 손지혜를 술집에 소개해 주었던 그 영이 엄마라는 여자를 다시 만나러 갔다.

「몰라요. 그 개 같은 년…… 은혜도 모르고……. 잡히기만 하면 모가지를 비틀어버려야지.」

그 부은 듯한 얼굴의 여인은 병호의 요구에 이렇게 사납게 말했다.

「왜 그렇게 욕을 하십니까?」

「말도 말아요. 소개해 주었으면 고맙다는 인사말이라도 있어야 하지, 그렇기는 커녕 아무 말도 없이 떠나버렸어요. 제 체면이 뭐가 되겠어요?」

마치 병호에게 책임이라도 있다는 듯이 그녀는 퍼부어댔다. 병호는 더 물어보지도 못한 채 그 집을 나왔다.

손지혜는 왜 갑자기 사라졌을까. 도대체 어디로 숨어버렸을까. 이상한 일이었다. 우연히 사라졌다고는 볼 수 없는 그 무엇인가가 거기에 분명히 있는 것 같았다. 손지혜는 나를 피한 것이 아닐까, 하고 그는 생각했다. 나를 만난 직후에 그녀는 피한 것이다. 내가 경찰이란 것을 알자 갑자기 좁혀진 수사망을 피해 그녀는 종적을 감추었다. 매우 많은 비밀을 알고 말이다. 지금 단계에서 그녀를 만나지 않고는 아무 일도 할 수가 없다.

그날 밤 병호는 다시 청계천변에 있는 〈남해집〉을 찾아갔다. 무엇인가 손지혜에 관한 것을 알 수 있을까 해서였다.

술집에는 거의 손님이 없었다. 그가 안으로 들어가자 여자들이 우르르 몰려나와 그를 맞았다. 병호는 그 중에서 나이듬직한 접대부를 데리고 방으로 들어갔다.

불빛에 보니 여자는 너무 화장을 진하게 하고 있어서 제 얼굴 모습을 잃고 있었다. 이쪽을 보려고 눈을 치뜰 때마다 이마에 많은 주름이 잡히곤 했다.

여자는 병호의 비위를 맞추려고 나오지도 않는 웃음을 지으면서 그의 곁에 바싹 붙어앉아 술을 따랐다.

「여기 처음 오셨어요?」

「아 아니, 두번째요.」

「그땐 누구하고 술을 마셨어요?」

「저어기…… 손지혜라고…… 아니 여기서 춘희라고 부르던가 …… 그 여자하고 마셨지. 그런데 그 여자 여기 그만뒀나보지요?」

「네, 그만뒀어요. 그 여자 보고 싶으세요?」

여자가 입술을 삐쭉 내밀며 물었다.

「아니, 그런 게 아니라…… 그냥 물어본 거요.」

「아이, 시시해.」

「그 여자하고는 친했소?」

「뭐라구요? 내 참…… 그런 여자는요, 어디 가든 맞아 죽을 거예요.」

「아니, 왜?」

「여자가 어떻게나 건방지든지 나하고도 대판 싸웠다구요. 그 뒤로는 서로 통 말도 안했어요.」

「그렇게 건방졌나?」

「그럼요. 얼굴이 좀 반반하게 생겼다고 어떻게 재는지…… 콱 할켜 줄래다가 말았어요.」

「그런 점이 있긴 있겠지.」

「춘희 진짜 이름을 알고 있는 거 보니까 아주 가까운 사인가 보죠?」

「아니, 그런 건 아니고 좀 아는 사이지.」

「혹시 춘희한테 반하신 거 아니에요?」

병호는 웃으면서 손을 내저었다.

「그런 사이는 아니고…… 좀 만나야 할 일이 있어서 그러는데, 그 여자 어디로 갔는지 몰라요?」

「전 몰라요. 그런 거 알 필요도 없고요.」

「누구 아는 사람 없을까?」

「아무도 모를 걸요. 갑자기 가버렸으니까.」

병호는 곤혹을 느꼈다. 생활비를 벌어야 하기 때문에 손지혜는 분명 어딘가 직장에서 일하고 있을 것이다. 직장이라고 해야 그 나이에 어디로 가겠는가. 역시 술집이 아니면 다방이겠지.

병호는 술을 마시면서도 접대부에게 계속 손지혜의 행방을 물었다. 졸리다 못한 접대부가 마침내,

「마담이 알고 있을지도 몰라요.」

하고 말했다. 병호는 술잔을 놓고 여자의 손을 덥석 잡았다.

「그거 정말이야?」

「누가 정말이라고 그랬어요? 알고 있을지도 모른다고 그랬지요. 마담이 그년한테 돈을 빌려준 게 있는데 아직 못받았다니까……」

접대부는 안주 두 접시를 얼른 먹어치우고 자기 마음대로 또 하나를 시켰다. 병호는 거기에 개의치 않고 손지혜의 행방을 알아내는 데만 온통 정신을 쏟았다.

「이봐, 마담한테 좀 알아봐요. 공짜로 가르쳐 달라는 건 아니니까. 어떻게든 알아내기만 하면 한턱 낼께.」

이 말에 그녀는 자세를 고쳐 앉았다. 그리고는 상체를 앞으로 바싹 기울였다.

「무얼로 한턱 내실 거예요?」

「요구하는 대로 해주지. 직접 돈으로 달라고 하면 돈으로 주고.」

「정말이에요?」

「정말이지.」

병호는 심각한 표정을 지어보였다.

「아주 중요한 일인가 보지요?」

「중요하다면 중요하고 중요하지 않다면 중요하지 않지.」

「무슨 일 때문에 그러세요?」

여자는 잔뜩 호기심어린 눈으로 병호를 바라보았다.

「꼭 알고 싶으면 말해 주지. 누구한테도 이런 말하면 절대 안 돼요. 알았소?」

「말 안해요. 절대 안해요.」

「그럼 이야기를 하지. 옛날 나하고 사귀던 여자야.」

「애인이었어요?」

「애인이 아니라 내가 누나 삼았던 여자야. 서로 고등학교에 다닐 때였지.」

「어머, 기가 막혀. 그래서 어떻게 됐어요?」

「그러다가 헤어졌지. 그리고 얼마 전에 처음으로 여기서 서로 만난 거야. 20여년도 훨씬 넘었지.」

「어머머, 그럴 수가…… 그런 줄도 모르고 나는 그 여자를 막 욕했네. 미안해요.」

「괜찮아.」

「처음 여기서 만났을 때 서로 알아봤어요?」

「내가 먼저 알아봤지. 나중에 내 말을 듣고 나서야 춘희는 몸을 떨더군.」

「그래서 어떻게 됐어요?」

「사실 목이 콱 메는 것이 아무 말도 못 하겠더군. 그때 나는 아주 바쁜 일로 부산엘 다녀와야 했기 때문에 그대로 헤어졌지. 그러다가 오늘 겨우 틈이 나서 와 본 거지.」

병호는 자신의 능청스런 거짓말에 스스로 놀랐다. 접대부는 정말로 알아듣고 있었다.

「오랜만에 만났는데, 춘희는 왜 아무 말도 없이 사라져버렸지요?」

「물어보나 마나지. 자기가 이런 데서 일하다가 나를 만나니까 부끄러워서겠지.」

「그래서 갑자기 떠났군요. 누님 동생 하다가 혹시 서로 사랑한 거 아니에요?」

「그렇진 않지만…… 옛날 학생 때의 감정이 되살아나는 것 같더군.」

「사모님도 계실 텐데, 춘희 만나서 어쩌시려고 그러세요. 누님으로 모시려고 그러세요?」

「어쩌자는 게 아니야. 그저 만나보고 싶어서 그러는 거니까. 이 못난 사내를 이해해 달라구.」

그는 상체를 앞뒤로 흔들었다.

「정말 한턱 내시겠어요?」

여자는 다시 탐욕스러운 얼굴로 돌아갔다. 병호는 이것을 놓쳐서는 안된다고 생각했다.

「가르쳐만 주면 정말 약속하지.」

「꼭 장담할 수는 없지만, 알아봐 드리기는 하겠어요. 그럼 언제 또 오시겠어요?」

「내일 오지. 그렇지만 내일 밤에는 시간이 없으니까 낮에 좀 만나줘요.」

「피이, 그런 법이 어딨어요. 아쉬운 사람이 누군데.」

「에이, 그러지 말고 낮에 좀 나와줘요. 내 톡톡히 생각해주겠다니까.」

「그럼…… 오늘 팁 좀 주고 가요.」

「물론이지.」

병호는 여자의 손에 적지 않은 돈을 쥐어주었다. 그것을 본 여자는 안색이 달라지면서 병호를 대하는 태도가 더욱 자상하면서도 조심스러워졌다.

「다른 사람한테는 절대 이런 일이 있었다고 말하지 말아요. 알았소?」

「그럼요. 염려 말아요.」

이튿날 오후 4시쯤에 병호와 그 술집 접대부는 어느 다방에서

만났다. 그녀는 야할 정도로 온통 빨간 색깔의 옷을 입고 있어
서 병호는 그녀와 마주 대하고 앉는 것이 좀 거북한 느낌마저 들
었다. 그녀는 자리에 앉자 눈부터 흘겼다. 병호는 차를 시킨 다
음,

「어떻게 됐어요?」
하고 물었다.

「혼났단 말이에요.」

「왜?」

「주인 마담이 가르쳐주지 않잖아요.」

「그래서?」

「슬쩍 지나가는 말로 물어봤거든요. 그랬더니 왜 그러느냐는
거예요. 그러면서 저를 이상하게 쳐다보지 않아요. 그래서 아
무것도 아니라고 하면서 우물쭈물 넘겨 버렸어요. 그러고 나
니까 더 물어볼 수가 있어야지요.」
여자는 손수건으로 콧물을 닦았다.

「그래서?」

「그래서 주인 마담이 없는 사이에 도둑년처럼 핸드백을 열어
봤지요. 얼마나 혼났다구요. 그래 가지고 어떻게 한 줄 아세
요?」

「어떻게 했어?」

「말도 마세요.」
그녀는 어깨를 들썩거리면서 갑자기 큰 소리로 웃었다.

「수첩을 거기서 볼 수가 있어야지요. 그래서 화장실로 가지고
가서 봤어요. 하나하나 찾아보니까 춘희 전화번호가 나타나
지 않겠어요? 어떻게나 기쁘던지……」
그녀가 웃는 바람에 병호도 따라 웃었다. 그는 앞이 확 트이
는 것 같았다.

「전화를 걸어봤더니 다방이에요. 가짜 이름을 쓰고 있을 테니

까 전화로는 찾을 수 없고 직접 가봐야 될 거예요.」

여자는 전화번호를 적은 종이쪽지를 내주었다.

「수고 많았군. 아주 감사한데……」

병호는 약속대로 그녀에게 사례비를 주었다. 여자는 기분이
좋은지 코를 벌름거리며 웃더니,

「당신, 보기보다는 신사군요. 뭐 하시는 분이에요?」

하고 물었다. 병호가 잠자코 있자 그녀는 이제 볼 일이 끝났다
는 듯 먼저 일어서서 나가버렸다.

병호는 담배를 피워문 다음 의자에 몸을 깊숙이 묻었다.

그의 육감으로는 거의 결정적인 순간에 다다른 것 같았다.

이튿날 아침 7시부터 그는 손지혜가 나간다는 다방 앞 골목에
서 있었다. 시간이 조금씩 지나면서 행인이 많아지고 있었지만
차가 뜸하게 다니고 있으므로 다방 문을 지켜보기에는 안성맞춤
이었다.

유난히 추운 아침이었다.

그는 담배를 연달아 피우면서 발을 동동 굴렀다. 도중에 소변
이 마려웠지만 그것마저 참을 수밖에 없었다.

8시가 되자 과연 손지혜가 나타났다. 그녀는 틀어올린 머리를
조금 뒤로 젖히면서 당당히 걸어왔다. 겉보기에는 꽤 부유하고
지성적인 모습이었다. 감색 코트가 그녀의 몸매를 말쑥하게 감
싸주고 있었다.

손지혜는 이내 다방 안으로 사라졌다. 병호는 일단 확인이 끝
나자 몹시 춥고 배가 고팠으므로 해장국 집을 찾아 들어갔다.

난로 옆에 앉아서 해장국 한 그릇을 먹고 나니, 그제서야 몸
이 풀리면서 땀이 났다. 그는 하품을 여러 번 했다.

지금 바로 다방으로 들어가서 손지혜를 만난다면 오히려 일을
그르칠 우려가 있다. 그녀가 목숨을 걸고 입을 다물어 버릴 가
능성이 많았다. 때문에 그녀가 저절로 입을 열지 않을 수 없게

상황을 유도할 수밖에 없다.

병호는 이발소에 가서 오랜만에 이발을 했다. 더부룩하게 자란 수염을 말쑥이 밀어버리고 머리에 기름까지 바르자 사람이 달라보였다.

거기다가 색깔있는 안경을 끼자 여간해서는 알아보기 힘들었다. 바람둥이처럼 보이기도 하고 브로커처럼 보이기도 했다.

곧 그는 손지혜가 일하는 다방으로 들어갔다. 들어서면서 손지혜와 눈이 마주쳤으나 그녀는 여느 손님처럼 그를 맞이할 뿐 전혀 눈치를 채지 못하고 있었다.

그가 자리에 앉아 신문을 펴들었을 때 지혜가 다가왔다. 그리고 무슨 차를 마시겠느냐고 물어왔다. 병호는 그녀를 쳐다보지도 않은 채,

「커피.」

하고 말했다. 그녀는 역시 눈치를 못 챈 채 그대로 돌아섰다. 이 정도면 안심해도 좋을 것 같았다. 그는 손지혜의 뒷모습을 바라보다가 밖으로 나왔다.

일이 몹시 바빠질 것 같았다. 누군가 그를 협조해 줄 사람이 한 명쯤 필요했다. 그러나 경찰에 지원을 요청할 수는 없었다. 생각 끝에 그는 친구 엄창규 기자를 찾아갔다. 엄기자는 반색을 하면서 그를 데리고 다방으로 갔다.

「난 안 오는 줄 알았지.」

「일을 끝내고 오느라고 좀 늦었어.」

「끝냈나?」

「아직…… 서울서 할 일이 좀 남아 있어.」

레지가 차 주문을 하자 엄기자는 그녀의 엉덩이를 몇 번 두드려주고 나서 차를 시켰다. 병호는 지난 번에 빌었던 돈 만 원을 엄기자에게 돌려주었다.

「잘 썼어.」

「필요하면 더 쓰지 그래.」

「아니야. 됐어.」

「이거 공돈 생긴 것 같은데……」

엄기자는 웃으면서 돈을 받아넣었다. 병호는 이 기분좋게 생긴 친구를 지그시 바라보다가 물었다.

「김중엽 변호사 사건은 어떻게 됐나?」

엄기자는 웃음을 거두고 병호를 똑바로 응시했다.

「아직 소식 없어. 그때 말한 대로 미궁이지. 뭐 이상한 거라도 있나?」

「음, 어쩌면 그게 풀릴지도 몰라.」

「뭐라고? 어디서 들은 거야?」

「들은 게 아니라 내가 조사한 거야. 전번에 말한 문창 저수지 사건을 조사하다가 알게 됐지.」

「어떻게?」

엄기자는 금방 메모지와 볼펜을 꺼내들고 취재에 들어갈 눈치를 보였다. 병호는 담담한 목소리로 말했다.

「간단히 말해서…… 저수지 사건하고 김변호사 사건이 서로 밀접한 관계를 갖고 있는 것 같아.」

놀란 엄기자는 턱을 쳐든 채 한동안 멍청하게 병호를 바라보았다. 그리고 믿어지지 않는다는 듯 머리를 흔들었다.

「아니, 지금 농담하는 거 아니지?」

「농담이 아니야.」

「자세히 좀 말해 봐. 뭐가 어떻게 된 거야?」

엄기자는 못참겠다는 듯 몸을 비틀어댔다. 거기에 비해 병호는 중요한 이야기를 하기 전에 으레 그러는 것처럼 매우 느린 움직임으로 우선 담배부터 피워 물었다. 그런 그를 엄기자는 답답한 듯 바라보았다. 병호는 담배 연기를 몇 번 길게 내뿜고 나서 이야기를 시작했다.

「어디서부터 이야기해야 할지 모르겠군. 그건 그렇고 이야기
하기 전에 약속해 둘 것이 있어. 자넨 기자니까 기사거리가
되면 아무거나 닥치는 대로 기사화할 거란 말이야. 그렇지만
이건 함부로 기사화시킬 성질이 못되는 거야. 잘못하다가는
여러 사람에게 피해가 돌아가. 그리고 큰 사회문제가 될지도
몰라. 그러니까 기사감으로 듣지 말고 아주 객관적인 입장에
서 냉정하게 들어보란 말이야. 그렇다고 일체 기사화시키지
말라는 건 아니야. 일단 나와 계획을 세운 다음에 기사화시키
란 말이야. 적어도 이것은…… 우리 사회가 아직은 썩지 않고
살아있다는 것을 보여줄 수 있는 기회라고 할 수 있어. 이걸
포기하면 자네나 나나 살아 있다고는 할 수 없고 그저 껍데기
만 남아 있는 위선자에 불과해.」

「이거 왜 이래? 내가 위선자라는 걸 몰랐나. 뭔지 모르지만
떠맡기는 싫은데. 좌우간 빨리 들어보자구.」

「20여년 전인 사변 때 일이야. 그때부터 거슬러 올라가야 해.
정확히 말해 1952년의 일이었지. 자네도 잘 알다시피 당시 지
리산에는 공비들이 우글거리고 있었지. 후퇴하지 못한 인민
군 패잔병들과 지방 출신 부역자들이 모두 지리산으로 들어간
거란 말이야. 지리산 일대에서는 여순반란사건과 6·25사변
으로 자의든 타의든 간에 부역을 하고, 그래서 공비가 된 사
람들이 많았어. 이들은 거의가 농부들로 공산주의가 무엇인
지, 그것을 이론적으로 알 리가 없었고, 다만 무턱대고 그걸
믿은 거야. 이러한 맹목적인 믿음은 마치 무식한 사람들이 사
이비 종교에 미쳐버리는 것과 같은 것이지. 이러한 맹목적인
신앙은 결과적으로 무자비한 약탈과 살육을 가져오게 마련이
지. 당시의 공비 세력은 막강해서 그 일대에는 낮에는 국기
(國旗), 밤에는 인공기(人共旗)가 교대로 꽂힐 정도였어. 그런
데 국군 전투사단 규모가 토벌작전에 참가하면서부터 공비들

은 급격히 줄어들기 시작했어. 사살되거나 자수하는 공비들
이 늘어갔지. 공비주력부대가 무너지자 결국 남은 공비들은
뿔뿔이 흩어져 제 살길을 찾아가게 됐지. 그중 강만호라는 인
텔리 출신이 이끄는 소위 지리산 제15지구 인민유격대 잔당이
풍산에 있는 옥천 국민학교 교실 밑에까지 기어와 숨어 있게
되었는데 문제가 생긴 것은 바로 이때부터였다고 할 수 있어.
그때는 한여름이었는데, 그 교실 밑에 숨어든 사람은 모두
열세 명이었어. 공비 열한 명에 민간인 두 명이었지. 민간인
들은 물론 강제로 끌려다니면서 공비들이 약탈한 물건을 날
라다 준다든가 길을 안내해 주는 그런 사람들이었지. 이 중에
한 사람이 황바우라는 사십 줄에 들어선 사내였어. 그 나이까
지 장가도 가지 못하고 남의 집 머슴살이로 전전한 순박하기
짝이 없는 사람이었지. 또 한 사람은 한동주라는 사내로……」
엄기자는 이야기를 듣다 말고 벌떡 일어섰다. 그리고 다짜고
짜 병호를 끌고 조용한 중국 음식점으로 갔다.

아버지와 아들

오병호와 헤어진 엄창규는 신문사로 돌아왔다. 그러나 너무 큰 비밀을 간직하고 있는 터라 시끄러운 편집국 안에서는 생각을 정리할 수가 없었다. 답답한 기분을 풀려고 연달아 담배를 피웠지만 가슴은 터질듯이 벅차오르기만 했다. 병호가 그에게 말해준 것은 분명 굉장한 특종감임에 틀림없었다. 기자가 특종을 노리는 것은 당연한 일이다. 그러나 이것은 그 이상의 인간적인 문제가 있었다. 병호로부터 그 모든 것을 들었을 때 그는 혼이 빠진 듯 말을 잃고 멍청하게 앉아 있었다. 다만 가슴치는 비애와 분노만을 느끼고 있었던 것이다. 따라서 이러한 것을 단순히 특종감으로 처리해 버린다는 것은 너무나 비인간적인 처사라고 할 수 있었다.

오병호 형사의 말대로 황바우의 무죄를 밝혀 그를 복권(復權)시키는 한편 희생자가 나지 않는 방향으로 이 사건을 끌고갈 필요가 있었다. 이렇게 하려면 단단한 각오와 용기가 필요함은 말할 나위없는 일이다. 많은 협박과 유혹이 있을 것이다. 그러나 물러서지 말아야 한다.

먼저 필요한 것은 오병호가 빨리 수사를 끝내도록 그를 지원하는 일이다. 그는 지금 경찰이면서도 살인범으로 쫓기는 묘한

166

입장에서 외롭게 싸우고 있다. 그를 지금까지 지탱시켜 준 것은 그의 양심과 그 풍부한 감정 때문일 것이다. 그러나 너무 지치다보면 그러한 것도 메말라버리게 마련이다. 병호는 지금 너무 지쳐 있다.

엄기자는 시끄러운 자리를 피해 옥상으로 올라갔다. 바람을 쐬자 머릿속이 맑아지는 것 같았다. 그는 난간에 기대서서 매연과 배기가스에 싸인 더러운 시가지를 내려다보았다. 아무리 퍼내도 솟아나오는 탁한 물, 그는 그것을 보고 있는 것만 같았다.

1주일 후에 그는 아프리카 오지(奧地)를 답사하는 특별탐사반(特別探査班)에 참가하여 출국할 예정이었다. 국내에서는 처음 있는 일인 만큼 기자들은 다투어 여기에 참가하려고 열을 올렸다. 엄기자도 마찬가지여서 오래 전부터 손을 쓴 끝에 마침내 그 일원으로 출국하게 된 것이다. 그러나 그는 그것을 포기하기로 결심했다. 아프리카 탐사보다도 이제부터 병호와 해야할 일이 더 중요하다는 것을 깨달았던 것이다.

다시 편집국으로 내려간 그는 부장을 만났다. 그로부터 한 시간 후 S신문사 주필실에서는 주필 이하 편집국장, 사회부장, 그리고 엄창규 기자가 모종의 긴급 회의에 들어갔다. 엄기자가 자세한 내용을 이야기하고, 간부들이 거기에 대해 결정을 내리기까지에는 두 시간 이상이나 걸렸다.

「이건 우리 S신문과 Y신문과의 싸움이 될지도 몰라. 신문사끼리 싸운다는 건 바람직한 일이 아니지만, 정도(正道)를 포기하면서까지 싸움을 피할 필요는 없는 거지. 오히려 이것으로 우리 신문과 Y신문의 지향점이 분명히 밝혀질지도 모르니까 철저히 파헤치도록 해보시오.」

이것은 주필이 반백의 머리를 쓰다듬으면서 한 말이었다. 편집국장은 그 자리에서 직접 엄기자에게 지시를 내렸다.

「그렇다면 출국 건은 다른 사람한테 돌리고 오늘부터 이 사건

만 전담하시오. 사건이 일단락 될 때까지 출입처에도 나가지
마시오. 모든 경비와 지원은 필요한 대로 청구하시오. 오형사
의 신변을 보호하는 것도 잊지 마시오. 그리고 신문에 발표할
때까지는 절대 비밀로 해둡시다.」

사회부장 정완섭(丁完燮)은 미간을 찌푸리고 있다가 국장과
시선이 마주치자 고개를 돌려버렸다.

정부장은 마흔 살쯤 되어보이는 몸집이 비대한 사나이였다.
그는 처음부터 입을 다물고 있는 것이 몹시 기분이 상해 있는 것
같았다. 납작한 코를 손가락으로 비비고 있다가 회의가 끝나자
그는 얼른 나가버렸다. 엄창규는 이러한 부장의 태도가 불쾌
했다. 부장은 겉모습과는 달리 항상 신경질적이고 모든 일에
불만이 많은 사람이었다.

「저 사람, 신경쓸 필요없어. 곤란한 점이 있으면 나한테 직접
말해요.」

밖으로 나올 때 편집국장이 엄기자의 어깨를 두드리며 한 말
이었다. 편집국장과 정부장 사이가 좋지 않다는 것은 신문사 내
에 잘 알려진 사실이었다. 정부장은 국장을 상관으로 대하려 들
지를 않았고, 그러한 정부장을 국장은 아예 묵살해버렸다. 그래
서 그들 사이에는 언제나 깊은 단절이 가로놓여 있었다.

엄기자가 해외특파를 포기하자 기자들 사이에는 눈에 보이지
않는 소요가 일었다. 무엇보다도 그 이유에 대해 모두들 궁금해
했다. 그러나 엄기자는 일체 입을 열지 않았다. 오후 6시가 지
나자 그는 신문사를 나와 오병호와 약속한 장소로 갔다. 거리는
어두워져 있었고, 눈발이 바람에 심하게 날리고 있었다.

한편 오병호는 다방 앞 골목에 한 시간째 서 있었다. 언제 손
지혜가 나올지 모르기 때문에 그는 날이 어둑어둑해지면서부터
거기에 그렇게 서 있었던 것이다. 소변이 마려운 것도 참은 채
그는 바람과 눈을 맞으면서 기다렸다. 발과 귀가 얼어들어오고

있었지만 시간이 지나자 얼얼한 것이 감각마저 없어졌다.

다시 반 시간쯤 지났을 때 엄기자가 맞은편 보도 위로 급히 걸어오는 것이 보였다.

엄기자는 다방 앞에 이르자 간판을 확인한 다음 주위를 휘둘러보았다. 그리고 나서 길을 건너, 병호가 서 있는 골목으로 다가왔다.

「오래 기다렸지?」

「좀 추운데……」

「얼굴이 새파랗군.」

엄기자는 병호의 어깨에 쌓인 눈을 털어주었다.

「빨리 나왔으면 좋겠는데.」

「언제까지 이렇게 서 있을 셈이야?」

「나올 때까지.」

「언제 나올 줄 알아서?」

「통금 전까지는 나오겠지.」

「이 사람, 얼어 죽을려고 환장했나.」

엄기자는 제과점으로 뛰어가더니 뜨거운 도너스를 몇 개 사가지고 왔다. 그들은 그것을 후후 불어가면서 먹었다.

「맛 좋은데.」

「많이 먹어.」

그들은 서로 권하면서 그것을 사랑스럽게 나누어 먹었다. 성질이 급한 엄기자는 답답한 듯 몸을 비틀다가,

「우리 이럴 게 아니라 교대로 들어갔다 나오지.」

하고 말했다. 병호도 거기에 동의하면서 안경을 꺼내 끼었다.

「안경을 끼고 있으니까 몰라보더군. 그렇지만 몇 시간씩 앉아 있을 수도 없고 해서 아예 밖에서 기다린 거지. 교대로 들어가면 괜찮을 거야.」

「추울 테니까 자네 먼저 몸 좀 녹이고 와.」

「그럴까.」

병호는 길을 건너 다방으로 들어갔다. 손지혜는 어느 나이 많은 손님들과 함께 차를 마시고 있었다. 그녀는 앉은 채로 병호를 힐끔 보더니 그대로 고개를 돌려버렸다. 역시 병호를 못 알아보는 것 같았다.

병호는 난로 옆 빈 자리에 털썩 주저앉았다. 커피를 한잔 마시고 나자 언 몸이 녹아내리면서 졸음이 밀려왔다. 그는 무겁게 내려눌리는 눈꺼풀을 밀어 올리느라고 무진 애를 썼다.

차차 그의 머리가 밑으로 떨어져갔다. 그의 모습은 마치 오갈데 없는 실직자가 다방 구석에 한없이 앉아 있다가 지친 끝에 조는 것 같았다.

「이 사람, 뭐하고 있는 거야?」

엄기자가 나타나 그의 어깨를 탁 쳤을 때에야 병호는 정신을 차렸다.

「저 여자야?」

「그래. 똑바로 쳐다보지 마. 눈치채면 곤란하니까.」

「남자깨나 후리겠는데.」

「쓸데없는 소리.」

병호는 밖으로 나왔다.

그들은 밤 9시까지 이렇게 교대로 다방을 들락거렸다. 손지혜가 다방을 나온 것은 9시가 지나서였다. 그들은 멀찍이 서서 그 뒤를 따라갔다. 손지혜는 갈 길이 바쁜지 한눈도 팔지 않고 곧장 걸어갔다.

「혹시 도중에 헤어지더라도 저 여자를 끝까지 미행하게. 집만 알아두면 되니까.」

병호는 엄기자에게 단단히 주의를 주었다.

손지혜는 도중에 어느 양품점에 들어갔다. 조금 후에 그녀가 나오자 엄기자가 그녀를 따르고 병호는 양품점으로 들어갔다.

「방금 저 여자가 여기서 뭘 샀습니까?」

「왜 그러시죠?」

주인 남자는 날카롭게 되물었다.

「경찰입니다. 빨리 좀 말해 주시오.」

「양말 두 켤레와 내복 한 벌을 샀습니다.」

「남자 겁니까?」

「네, 남자 겁니다.」

「실례했습니다.」

엄기자가 모퉁이 길로 막 사라지고 있었다. 병호는 뛰어갔다.

손지혜는 사람이 빽빽이 들어찬 일반버스의 뒷문에 올라타고 있었다. 뒤이어 엄기자가 차에 오르는 것이 보였다.

병호는 뛰어가서 앞문으로 간신히 올라탔다.

버스 안은 발디딜 틈도 없이 사람들이 들어차 있었기 때문에 꼼짝도 할 수가 없었다. 그는 되도록 뒤쪽으로 움직이려고 해보았지만 키가 크고 억세게 생긴 사내에게 막혀 갈 수가 없었다. 오히려 그는 반대쪽으로 떠밀리고 있었다.

차는 서울역 앞에서 한 무더기의 사람들을 또 태웠다. 병호는 답답해 오는 가슴을 펴려고 목을 길게 뽑아올렸다.

버스는 영등포 쪽으로 달리고 있었다. 손지혜가 내리는지를 보려고 그는 자주 창밖을 바라보곤 했지만, 어두운 데다가 창문까지 흐려서 잘 보이지가 않았다.

한참 후에 사람들이 많이 내리고 자리에 틈이 났을 때, 병호는 뒤쪽으로 다가가 보았다. 그러나 손지혜와 엄기자는 보이지 않았다.

병호는 허둥지둥 버스에서 내렸다. 그리고 앞 정거장 쪽으로 뛰어가보았다. 그러나 그들은 어디서 내렸는지 종적이 묘연했다.

그는 약속 장소를 정해 놓지 않은 것을 후회하면서 여관으로 돌아왔다. 보이가 그에게 전화가 여러 번 왔었다고 말했다. 조금 후에 전화가 왔다. 엄기자였다.

「뭐 하는 거야?」

엄기자는 어이없다는 듯 물었다.

「미안해. 도중에 잃어버렸지 뭐야.」

「차암, 그래 가지고 무슨 형사 노릇을 한다고 그래.」

엄기자는 껄껄거리고 웃었다. 병호는 급했다.

「집을 알아냈나?」

「알아냈어.」

「아아, 이거 감사하군. 수고 많았어. 들키지는 않았나?」

「들키지는 않았어. 이봐. 그런데 여관에 있으면 곤란하지 않아?」

「그렇지. 허지만 할 수 있나.」

「그러지 말고 우리 집에 와 있어. 좀 불편하겠지만 여관보다는 안전하고 나을 거야.」

「글쎄, 번거롭지 않을까?」

「무슨 소릴…… 마침 방이 하나 비어 있으니까 잘됐어.」

병호가 엄기자를 따라 그 집으로 간 것은 그로부터 1시간쯤 후였다. 엄기자의 집은 깨끗한 아파트로, 노모와 여동생이 하나 있었다. 엄기자의 어머니는 매우 후덕한 인상으로 아무 스스럼 없이 병호를 따뜻이 맞았다. 병호는 겉으로는 말 안했지만 엄기자에게 매우 감사하지 않을 수 없었다. 이제 적극적으로 도움을 청할 수 있는 동지를 얻었다는 점에서 그는 오랜만에 마음을 푹 놓고 잠들 수 있었다.

이튿날 병호는 엄기자로부터 손지혜의 집 약도를 그려 받은 다음 우선 다방으로 나가보았다. 다방 안에 들어갈 때는 역시 안경을 끼는 것을 잊지 않았다.

그런데 아무리 둘러보아도 손지혜가 보이지 않았다. 당황한 그는 레지에게 물어보았다.

「왜 그러세요?」

레지는 수상한 듯 그를 바라보았다.

「아니…… 그냥 물어본 거요.」

「오늘 일이 있어서 못 나온다고 그랬어요.」

병호는 급히 택시를 타고 손지혜의 집으로 향했다. 약도대로 찾으니 집은 금방 나타났다.

그 집은 낡은 한옥이었는데, 손지혜는 문간방에 세들어 살고 있었다.

「조금 전에 두 분이 함께 나가셨는데요.」

하고 주인 아낙이 친절히 일러주었다.

「두 분이라니요?」

병호는 놀랐다. 아낙이 웃었다.

「아, 내외분이지 누구는 누굽니까?」

「식구가 둘입니까?」

「그런가 봐요.」

「남편 되시는 분은 혹시 나이가 많지 않습니까?」

「나이가 많아요. 머리가 허연 할아버지예요. 딸 같은 여자하고 어떻게 사는지 모르겠어요.」

여자는 말할 상대가 생겼다는 듯 호기심어린 얼굴로 말했다.

「아들은 없습니까?」

「있긴 있나 본데, 여긴 지금 살지 않아요.」

「여기 한번도 오지 않았습니까?」

「오지 않았어요.」

「두 분이 어디 간다고 나갔습니까?」

「어디 병원에 간다고 나갔어요. 누가 병원에 입원해 있나봐요.」

「무슨 병원입니까?」

「글쎄요, 그건 모르겠어요.」

「방 좀 봐도 좋겠습니까?」

「글쎄, 주인도 없는 방인데…… 어디서 오셨는가요?」

「경찰입니다.」

「네에, 그러시면 뭐……」

아낙은 한발 뒤로 물러서며 병호가 들어오기를 기다렸다.

「그럼, 실례하겠습니다.」

병호는 아낙으로부터 열쇠를 빌어 방문을 열었다.

방안은 간단한 세간살이와 옷가지만 있을 뿐 매우 단조로
왔다.

병호는 방 가운데 서서 벽에 걸려 있는 남자용 바지 저고리를
한참 동안 바라보았다. 그것은 낡을 대로 낡아 누렇게 바래져
있었고, 여기저기가 누덕누덕 기워져 있었다.

병호는 어쩐지 방을 뒤지는 것이 미안한 생각이 들었다. 방안
을 조심스럽게 훑어보다가 그는 트렁크와 벽 사이에 끼어 있는
노트 한 권을 끄집어내었다. 그것은 수입과 지출 관계를 적어
놓은 가계부였다. 별로 신경을 쓰지 않고 무심코 그것을 훑어보
던 그의 눈에 입원비 항목이 크게 확대되어 들어왔다. 입원비는
지난 해, 그러니까 1973년 8월부터 같은 해 12월까지 월별로 적
혀 있었는데, 매월 4만 원씩 지출되고 있었다.

손지혜가 술집과 다방을 전전하면서 악착스럽게 돈을 벌려고
발버둥치고 있는 이유를 이제야 알 수 있을 것 같았다.

그렇다면 그녀가 그 피땀 흘려 번 돈을 털어 입원비를 대주는
사람은 도대체 누구일까. 자기의 혈육이 아니고는 그럴 수가 있
을까. 혹시 아들 황태영이 입원하고 있는 것이 아닐까.

병호의 이러한 생각은 얼마 후에 사실로 나타났다. 어느 상자
안에서 입원비 납부 영수증철을 발견했고 바로 거기에 병원과
환자 이름이 적혀 있었던 것이다. 환자의 이름은 틀림없는 황태

영이었고, 그는 어느 정신병원에 입원해 있었다. 병호의 입에서는 낮은 신음소리가 새어나왔다.

급히 밖으로 나온 그는 서울 변두리에 위치한 그 정신병원으로 향했다. 그곳은 변두리라고는 하지만 서울로 편입된 지 얼마 안된 지역이기 때문에 경기도에 인접해 있었다. 그래서 버스로 거의 한 시간이나 걸렸다.

그 정신병원은 벌거숭이 산을 배경으로 세워져 있었다. 잿빛 하늘 아래 마치 교도소처럼 시꺼멓게 웅크리고 있는 것이 첫눈에도 몹시 우중충하고 꺼림칙한 인상을 주고 있었다.

수위실에서 간단한 수속을 밟은 다음 그는 병원으로 들어섰다. 날씨가 추워서 그런지 병원 마당에는 사람 하나 보이지 않았다. 바람이 세차게 불자 썩은 나뭇잎들이 한쪽으로 소용돌이치면서 몰려갔다.

현관에 들어서자 안내실이 있었다. 검정 작업복을 입은 중년 사내가 졸고 있다가 인기척이 나자 고개를 비스듬히 돌려 바라보았다. 사내는 턱을 조금 치켜올리면서 누구를 찾느냐는 시늉을 해보였다.

「환자 면회를 좀 하려고 왔습니다.」

「누구 말이오?」

「황태영입니다.」

「어떻게 되시우?」

「형 되는 사람입니다.」

거침없이 나오는 자신의 거짓말에 병호는 은근히 놀랐다. 사내는 병호를 무슨 물건을 보듯이 살펴보다가

「이층으로 올라가 보슈. 왼쪽으로 가면 간호원실이 있으니까, 거기 가서 면회왔다고 하슈.」

하고 말했다.

실내는 음산하기 짝이 없었다. 벽은 지저분했고, 낮인데도 주

위는 어둠침침했다. 걸음을 옮길 때마다 복도가 크게 울리는 것
이 더욱 압박감을 주고 있었다.

간호원실에서는 안경을 낀 여자 간호원과 키 큰 남자 간호원
이 머리를 맞대고 주간지를 들여다보고 있었다. 그들은 병호가
가까이 다가서도 고개를 들지 않았다.

「실례합니다.」

그가 인사를 하자 그때서야 두 사람은 고개를 쳐들었다. 여자
간호원은 서른 살이 훨씬 넘어보였고, 남자 간호원은 그보다는
젊어보였다. 여자 간호원이 안경을 고쳐끼면서 무슨 일이냐고
물었다. 몹시 냉랭한 목소리였다.

병호가 황태영 군을 만나러 왔다고 말하자 두 사람은 동시에
이상한 눈초리로 그를 바라보았다.

「조금 전에 누가 다녀 가셨는데요.」

「면회온 사람이 있었습니까?」

「네, 두 분이 조금 전에 왔다 가셨는데요.」

「아, 태영군 부모님이 다녀가신 모양이군요. 머리가 하얗게
센 노인도 오셨지요?」

「네, 그래요. 어떻게 되시는가요?」

「태영이 삼촌되는 사람입니다.」

「아, 그러신가요.」

여자 간호원은 비로소 의심이 풀리는 눈치였다.

「태영이 증세는 좀 어떻습니까?」

「많이 나아졌어요.」

「다행이군요. 무슨 원인으로 그런 이상이 생겼는가요?」

「글쎄, 나보다도 담당 의사 선생님을 만나 보시는 게 좋을 겁
니다.」

「지금 계실까요?」

「오늘은 안 나오셨습니다. 내일 나오시면 만나실 수 있습

니다.」

남자 간호원은 대화에는 흥미가 없는 듯 다시 주간지를 들여다보고 있었다. 여자 간호원 역시 병호가 빨리 나가주기를 바라는 눈치였다.

「태영군을 좀 불러 주시겠습니까?」

여자는 귀찮은 듯 볼펜으로 책상 모서리를 똑똑 두드리다가

「따라오세요.」

하고 재빨리 말하면서 일어섰다.

그녀는 유난히 짧아 보이는 다리를 느릿느릿 움직이면서 걸어갔다. 나태함이 전신에 깔려 있는 그런 모습이었다. 이런 느낌은 이 병원에 들어서면서부터 받은 인상이었다.

「이런 병은 가족들이 잘 돌보셔야 쉽게 나을 수가 있어요. 다른 병과는 달라서 병원만 믿고 방치해 두면 별로 효과가 없어요. 잘 아시겠지만 병원 음식이 어디 그렇게 영양가가 있나요. 그러니까…… 여유있는 대로 사식비를 넣어주는 것이 좋지요. 다른 사람들도 모두 그렇게 하고 있어요. 저한테 사식비를 맡기시면 책임지고 환자한테 사식을 넣을·수가 있어요.」

여자 간호원은 그를 보지도 않은 채 말했다. 병호는 대답하기가 난처했다.

「형편이 닿는 대로 그렇게 해야겠군요. 태영이 부모님은 사식을 넣지 않습니까?」

「가끔씩 넣긴 하지만, 생활이 여의치 않아 충분치가 않아요. 친척되시는 분들이 좀 도와주셔야겠어요.」

「잘 알겠습니다.」

병호는 마치 자신에게 책임이 있는 듯 부끄러움을 느꼈다.

병실로 가는 복도는 상당히 길고 복잡했다. 여기저기서 환자들의 울부짖는 소리가 섬짓한 반향을 불러 일으키면서 들려왔다. 음산한 분위기였다.

황태영은 3등 병실에 입원해 있었다. 문틈으로 보니 병실 안 홀에는 수십 명의 환자들이 우글거리고 있었다. 마치 일종의 수용소 같았다. 벨을 누르자 안에서 남자 간호원이 고개를 내밀었다. 그 뒤로 환자들이 우르르 몰려드는 것이 보였다. 한결같이 불안하고 초조한 눈길이었지만, 거기에는 밖으로 나오고 싶어하는 강한 욕구가 깃들어 있었다. 병호는 전혀 다른 세계에서 살고 있는 그들이 이상하게 보이면서도 한편으로는 측은한 생각이 들기도 했다.

여자 간호원이 귓속말을 하자 남자 간호원은 문을 닫고 도로 돌아갔다.

「데릴러 갔으니까 여기서 기다리세요.」

「감사합니다.」

병호가 꾸벅 인사를 하자 여자 간호원은 고개를 까딱해 보이고는 돌아갔다.

병실 앞에서 기다리고 있는 동안 병호는 자신이 몹시 흥분하고 있는 것을 깨달았다. 침착하려고 애썼지만 가슴이 울렁거리고, 자꾸만 목이 타들어왔다. 갑자기 그는 황태영이 두려운 생각이 들었다. 과연 그를 마주 대할 수 있을런지 의심스럽기까지 했다. 그는 서성거리면서 마음을 진정하려고 담배를 피워물었다.

담배를 절반쯤 태웠을 때 병실문이 철컥 열리면서 남자 간호원이 나왔다. 그 뒤를 따라 무섭게 마른 청년 하나가 나타났다. 눈이 큰 데다 빛이 강해서 병호에게는 눈밖에 보이치가 않았다. 이 청년이 기구한 운명을 타고난 황태영이란 말인가. 그것을 확인이라도 하려는 듯 병호도 상대를 쏘아보았다. 그때 남자 간호원이 말했다.

「밖으로 나가시면 안됩니다. 요 아래 지하실에 휴게실이 있으니까 거기 가서 이야기를 하십시오.」

「잘 알겠습니다.」

병호가 걸음을 옮기자 태영이도 잠자코 따라왔다. 그는 잔뜩 의심이 나는지 두 눈을 번득이면서 경계를 풀지 않았다. 병호가 걸음을 멈추면 그도 따라 섰고 병호가 다시 걸어가면 그도 따라 걸었다. 계단을 내려가자 거기는 더욱 어두웠다. 촉수 약한 전등불이 희미한 빛을 뿌리고 있었다. 병호는 뒤따라 오는 태영이가 덮쳐올까봐 걸음을 빨리했다. 그러자 태영이도 급히 따라 왔다. 후줄그레하게 늘어져 있는 환자복은 걸음을 옮길 때마다 펄럭이면서 이상한 모양의 그림자를 던져주고 있었다. 전기도 없는 제일 어두운 곳에 이르자 태영이 갑자기 걸음을 멈추었다. 그리고는 낮으면서도 날카로운 소리로 병호를 불렀다.

「여보시오! 여보시오!」

병호는 돌아서서 태영을 바라보았다. 태영의 눈에서는 파란 빛이 일고 있었다. 병호는 두려움을 느끼면서 간격을 유지하려고 조금 뒤로 물러섰다.

「당신 누구야? 왜 말 안 해?」

병호는 말문이 막혀 침묵하고 있었다. 이 당돌한 정신이상자를 어떻게 다루어야 할지 몰라 그는 당황하기만 했다. 태영이는 가까이 다가서더니 병호를 벽으로 몰아붙였다.

「당신 나 잡으러 왔지?」

「무슨 소릴…… 아니야. 난 그런 사람 아니야.」

병호는 그의 신경을 건드리지 않으려고 조심해서 말했다.

「당신 나 잡으러 왔지?」

「아니라니까.」

「당신 스파이야. 여기가 어딘 줄 알아? 여긴 사형수들만 있는 데야. 하루에 열 명씩 사형당하고 있어. 당신도 여기 있다가는 사형당해. 나도 며칠 후면 사형당해. 당신 나 내보내 줄 수.있어?」

「그래. 말만 잘 들으면 내보낼 수 있어.」

「언제 내보내 줄 거야? 지금 내보내 줘. 지금 안 나가면. 안 돼. 지금 빨리 !」

「지금은 안돼. 밖에 지키고 있어서 안돼.」

「그럼 밤에 해.」

「그래, 그렇게 해.」

「칼 하나 준비해 가지고 와. 그게 있어야 돼.」

「알았어. 자, 가자고.」

병호가 움직이자 태영은 마음이 놓이는지 순순히 따라왔다. 병호는 갑자기 슬픔이 복받치는 것을 느꼈다.

휴게실에는 면회온 사람들이 몇 명 환자들과 함께 앉아 있었다. 병호가 가게에서 먹을 것을 사오자 태영은 구석진 자리로 그를 데리고 갔다.

「이거 먹어.」

병호는 태영이에게 먹을 것을 권했다. 태영은 고개를 저었다.

「왜 안 먹어?」

「싫어.」

태영은 병호를 흘겨보았다.

「왜 그래?」

「그거 먹으면 안돼. 독약 탔어」

병호는 할 말이 없었다. 그는 시선을 내려 뜨고 있다가 태영을 물끄러미 바라보았다. 어머니 손지혜를 닮은 얼굴이었다. 날카롭게 뻗어 있는 콧대와 청결한 빛을 띠고 있는 반듯한 이마가 인상적이었다. 전체적으로 총기가 넘쳐 흐르는 얼굴이었다. 그 얼굴은 큰 코에 번득이는 광기만 없다면 더없이 친근감이 갈 싱싱하고 매력적인 모습을 하고 있었다.

「내가 누군 줄 아슈?」

태영이 또 엉뚱한 질문을 던져왔다.

「그럼, 알고 말고.」

「난 사형수야. 나는 곧 사형될 거야.」

「알고 있어.」

「오늘 밤 꼭 내보내 줘. 부모님이 보고 싶어.」

「그래 그렇게 해.」

정신이상자를 붙들고 무엇을 알려고 한다는 것 자체가 마음내키지 않는 일이었다. 그러나 캐낼 수 있는 한 캐내야 했다.

「왜 사형수가 됐어?」

「뭐라고?」

「왜 사형수가 됐느냐고?」

태영은 입을 꾹 다물더니 병호를 노려보았다. 병호가 상체를 움직이려고 하자 그는 과자를 집어던졌다.

「이 새끼, 죽고 싶어?」

병호가 놀라고 있는 사이에 그는 탁자 위에 놓여 있는 먹을 것들을 모두 집어던졌다.

「개새끼, 넌 스파이야!」

입에선 허연 침이 흘러나오고 있었다.

「모두 죽여버린다!」

태영의 외침에 실내에 있는 사람들이 모두 그를 바라보았다. 문을 지키고 있던 남자 간호원이 다가와 호통을 치자 태영은 금방 수그러졌다. 그는 「용서해 주십시오.」하고 말하기까지 했다. 그러나 병호에게만은 여전히 적대감을 품고 있는 것 같았다.

「양달수 씨를 알지?」

병호의 단도직입적인 질문에 태영은 움찔하고 놀랐다.

「몰라.」

「그럼 김중엽 씨는 알지?」

「몰라.」

「어머니 이름은 뭐야?」

「그런 여자는 없어.」

「빌어먹을 자식.」

병호가 욕을 하자 태영은 히쭉하고 웃었다.

「너, 이름 뭐야?」

「내 이름?」

「그래. 네 이름 말이야.」

「글쎄, 잘 모르겠는데……」

태영은 고개를 갸우뚱했다. 얼굴은 매우 진지한 표정을 하고 있었다.

「망할 자식.」

「뭐라고? 이런 개새끼. 넌 똥개야.」

「그래. 난 똥개야.」

병호가 그의 말을 인정하자 태영은 기분이 좋은지 낄낄거리고 웃었다. 감정이 방향을 잃은 채 극과 극을 달리고 있었다. 그는 한참 낄낄거리더니 갑자기 병호의 귀에 입을 바싹 들이댔다.

「당신, 최씨 연락받고 왔지?」

그것은 매우 은근한 물음이었다. 병호는 태영의 입에서 구체적으로 사람의 이름이 나오고 있는데 긴장했다. 이때는 태영이 어느 정도 제정신으로 돌아와 있는 것 같았다. 정신병 환자는 언제나 이상(異狀)상태에 있는 것이 아니고 하루에도 몇 번씩 제 정신이 돌아오는 법이다. 그래서 그들은 자기가 미치지 않았다고 믿는 것이 아닌가. 미치지도 않았는데 왜 나를 여기다 가둬 두는 거야. 빨리 나를 내보내 줘. 이것은 정신병 환자라면 누구나 똑같이 주장하는 말이다. 병호는 태영이의 정신상태가 흐트러지지 않게 조심하면서 되물었다.

「최씨가 누구야?」

「흥, 거짓말 마. 최씨 연락받고 왔지? 최씨가 날 데려오라고

그랬지? 날 데리고 가 줘. 그러면 나는 나갈 수 있어. 날 내
보내 줘. 최씨가 제일이야. 날 내보내 줄 수 있는 사람은 최씨
뿐이야.」

「최씨가 누구야? 이름이 뭐야?」

「몰라. 날 내보내 줘. 난 사형당해.」

병호는 안타까웠다. 태영은 다시 정신이 엇갈리고 있었다.

「최씨 이름을 대 줘. 그러면 내보내 줄께.」

「몰라, 이 새끼야.」

벌떡 일어선 태영이 주먹으로 병호의 콧잔등을 후려쳤다. 병
호가 나자빠지자 태영은 철제 의자를 들어 그를 내려치려고
했다. 남자 간호원 두 명이 달려들어서야 겨우 그를 제지했다.
태영은 끌려가면서도 병호에게 욕을 퍼부었다. 병호는 태영이
보이지 않을 때까지 복도에 우두커니 서 있다가 밖으로 나왔다.

갑자기 코를 얻어맞았기 때문에 부어오른 코에서는 피가 흘러
내렸다. 그는 종이를 찢어 코피를 연방 닦았다. 태영에 대한 연
민의 정과 자신에 대한 비참한 기분으로 그는 머리가 어지러
웠다. 그런 가운데서도 그는 태영의 말을 생각하고 있었다. 그
가 말한 최씨라는 사람은 누구일까. 최씨…… 최씨…… 최씨…
이름을 밝히지 못한 게 유감이었다.

병호가 버스 정류장 쪽으로 걸어가고 있을 때 뒤에서 그를 급
히 따라오는 소리가 들려왔다.

「오선생님!」

급히 부르는 소리에 돌아보니 여선생 조해옥이 거기에 서 있
었다. 오랜만에, 그것도 까맣게 잊고 있었던 여자를 보자 병호
는 잠시 멍한 기분이 들었다.

「선생님, 코에서 피가 나요.」

「아, 좀 다쳤지요.」

병호가 다시 종이를 찢어 닦으려 하자 해옥은 얼른 손수건을

꺼내주었다. 병호가 사양을 했지만 그녀는 손수건으로 손수 코
끝을 닦아주다시피 했다.

「여기는 어떻게 오셨소?」

「오빠가 여기 입원해 있어요.」

「아, 그렇지. 오빠가 아프시다고 그랬었지.」

해옥은 시골에서 볼 때보다 훨씬 야위어 있었다. 입술에 곧잘
바르던 루즈도 없었고 머리는 손질이 되지 않은 채 바람에 마구
흩날리고 있었다.

얼핏 생각하기에 그동안 그녀에게는 심한 변화가 있었던 것
같았다.

「선생님은 여기 웬일이세요?」

「환자 면회 좀 왔드랬지요.」

그들은 버스를 타지 않고 길을 따라 걸었다.

해옥이 결혼 때문에 학교에 사표를 내고 상경한 것은 작년 가
을이었다. 병호는 그동안 그녀를 생각할 때마다 그 싱싱한 모습
을 못 잊어 하곤 했지만 일이 바빠지면서부터는 그녀를 거의 잊
고 있었다. 그러다가 이렇게 갑자기 만나게 되자 그는 몹시 반
가우면서도 한편으로는 좀 당황했다.

그들은 부근의 어느 다방으로 들어갔다. 난로가에 앉아 추위
가 좀 녹자 병호는 비로소 해옥을 찬찬히 바라보았다. 검게 빛
나는 코트 때문인지 그녀의 얼굴은 유난히 창백해 보였다.

「결혼은 하셨나요?」

병호는 궁금하던 차라 그녀의 마음은 생각해 보지도 않고 물
었다. 해옥은 찻잔을 들다 말고 그걸 가만히 내려놓았다. 그리
고 벽 쪽으로 시선을 돌렸다가 이내 병호를 바라보았다.

「네, 결혼했는데…… 이혼했어요.」

그것은 감정이 담기지 않은 담담한 목소리였다. 병호는 그녀
가 농담을 하고 있는 것이 아닌가 하고 생각했다.

184

「이혼이라니요. 그거 무슨 말씀인가요?」
「결혼했다가 한 달만에 이혼했어요.」
「그래요? 미안합니다. 쓸데없는 질문을 해서……」
「괜찮아요.」
그녀는 담담하게 말했지만 병호는 그녀의 표정 뒤에 숨겨진 감정의 회오리를 충분히 읽을 수가 있었다. 얼마나 타격이 컸으면 이렇게 야위었을까. 병호는 화장기 하나 없는 그 창백한 얼굴을 똑바로 바라볼 수가 없어 자기의 손을 들여다보았다. 그러한 그를 해옥은 위에서 내려다보듯 하면서 나직하게 말했다.
「너무 서두른 결혼이었어요. 미국에서 박사 학위를 받은 사람이었는데, 정식 부부 관계는 아니지만 처자가 있는 몸이었어요. 부인이 아기를 데리고 저를 찾아와서 하소연을 했어요. 그 집에 식모로 있다가 그 사람 애를 갖게 되었나봐요. 남자가 미국 유학을 가자, 그 여자는 집에서 쫓겨나 여기저기 전전하다가 아기를 낳았대요. 그 아기를 기르면서 남자가 귀국하기를 기다린 거죠. 그 사실을 알자 집에서는 이미 엎질러진 물이니 참고 사는 수밖에 더 있겠느냐고 그랬어요. 그 박사님은 한술 더 떠 그 여자는 정식부인이 아니니까 염려할 것 없다고 하면서 아이나 데려다가 살자고 그랬어요. 허지만 저는… 그런 식으로 제 결혼 생활을 출발하고 싶지 않았어요. 처음부터 제 자존심을 꺾어가면서 비굴하게 살 수는 없었고, 또 그 여자의 호소를 잔인하게 짓밟아버릴 수가 없었어요. 그 여자가 울면서 하소연하기에 저도 따라 울었어요. 그렇지만 그 박사님 앞에서는 울지 않았어요. 그를 욕하지도 않았어요. 욕할 가치도 없었지요. 그런 식으로 세상을 사는 사람이 박사라니 한심한 일이지요. 그런 박사님은 시장의 장사치보다 못한 위인이에요. 전 아무 말도 않고 짐을 싸들고 나왔어요. 일단 시집을 갔으니 친정에 돌아가기도 쑥스럽고 해서 아파트를 하나 얻어 들었어요. 처음은 못 살 것 같고 외롭더니 요새는 익숙해져서 괜찮아요. 봄이 되면 다시 취직이나 할까 해요.」

그녀가 마치 남의 이야기하듯 스스럼없이 말했으므로 병호는 어리둥절했다. 그러한 그를 해옥은 더욱 어리벙벙하게 만들었다.

「화가 나서 위자료 청구 소송을 해서 7백만 원을 받아냈어요. 경험이라면 아주 좋은 경험이었어요. 남자한테 빌붙어서 살아갈 생각은 조금도 없어요. 전…… 얼마든지 혼자 살아갈 수 있어요. 자기 나름대로 사는 방법을 찾아나가면 그게 인생이 아니겠어요? 꼭 남녀가 함께 살라는 법도 없는 거고……. 한 가지 부담이 되는 건 부모님께 걱정을 끼쳐드리게 된 점이에요. 저를 억지로 시집보낸 데 대한 죄책감으로 부모님들은 말씀은 안하시지만 무척 괴로와하고 계셔요.」

병호는 뭐라고 대꾸를 해야겠다고 생각하면서 우물쭈물하다가 불쑥

「큰 일을 했군요. 잘했습니다.」

하고 말했다. 이 느닷없는 말에 그 자신이 오히려 놀랐다.

「그말 정말이세요?」

해옥이 물었다.

「정말입니다. 아주 깨끗한 방법 아닙니까.」

「오랜만에 시원스런 대답 들었어요. 그러고 보니까 제 이야기만 잔뜩 늘어놓았군요. 선생님 일은 어떻게 됐어요? 작년에 조사하시던 일 말예요.」

「아직도 끝나지 않았어요. 그것 때문에 병원에 들른 거죠.」

「어머, 그래요?」

해옥은 지금까지와는 달리 호기심어린 표정이 되면서 사건의 경과를 이야기해 달라고 청했다. 병호는 처음에 이야기해준 바도 있고 해서 기꺼이 그것을 털어놓았다.

　그녀는 숨을 죽인 채 거의 두 시간 가까이 꼼짝않고 그의 이야기를 들었다. 때때로 깊은 한숨이 새어 나오는 것이 몹시 충격을 느끼고 있는 것 같았다. 이야기가 모두 끝나자 그녀는 이렇게 말했다.

「태영이를 체포하시겠어요?」

　병호는 한참 생각을 하다가

「글쎄, 나도 모르겠습니다.」

하고 대답했다. 사실 해옥이 이런 질문을 하기 전까지는 그는 거기에 대해서 미처 생각을 못하고 있었다. 그것이 구체적으로 던져지자 그는 당황하고 난처했다. 황태영이 범인이라는 심증은 거의 움직일 수 없을 정도로 확실한 것이었다. 앞으로 남은 것은 좀 더 사실을 보강하는 일이었다.

　그런 다음 태영이를 체포할 것인가. 그 정신병자를 데려다가 자백과 증거를 얻어낼 것인가. 그는 왜 정신병자가 되었을까. 언제부터 그랬을까. 정신병자의 살인행위는 무죄판결을 받을 수 있다.

　그러나 정신병이 인정되지 않으면 그는 사형언도를 받을 가능성이 많다. 황바우의 아들이 사형을 당하는 것이다. 손지혜의 아들이 사형을 당하는 것이다. 비극의 씨가 암살당하는 것이다. 황바우와 손지혜는 아들의 죽음을 극복할 수 있을까.

　그러나 저러나 황태영은 살인범이다. 모든 것은 나에게 달려 있다. 내가 모른 체하면 모든 것은 그대로 망각의 늪 속으로 삼켜져버린다. 어떻게 할까. 그때 해옥이 말했다.

「체포하지 마세요. 너무 불쌍해요.」

　그녀의 두 눈은 호소하듯이 그를 바라보고 있었다.

「글쎄, 나도 모르겠습니다. 아직 결말이 안 났으니까 좀 더 두고봐야겠습니다.」

「태영이를 체포하면 선생님을 원망할래요.」

그녀는 생기를 찾으면서 투정 비슷하게 말했다. 그는 비로소 처음 그녀를 만났을 때의 그 싱싱한 모습을 보는 듯했다.

「나도 지칠 대로 지쳤습니다. 하루에도 몇 번씩 여기서 손을 떼려고 생각할 때가 많습니다.」

「선생님이 붙잡히시면 어떡하지요?」

「할 수 없는 거죠. 일이 끝나면 자수할 생각입니다.」

시계를 들여다본 병호는 갑자기 놀라서 일어났다.

「깜박 잊었군. 가야겠습니다.」

「제가 도울 일은 없나요?」

해옥이 따라오면서 물었다.

「없습니다.」

「전 한가해요. 뭐든지 부탁하세요.」

병호가 택시에 오르자 해옥도 따라올랐다. 매우 중요한 잘못을 저질렀다는 생각때문에 그는 마음이 몹시 다급해져 있었다.

오늘이 1월 5일이라는 것이 문득 생각난 것이었다. 이 날을 잊어서는 안된다고 생각했으면서도 그는 그만 깜박 잊고 있었다. 오늘 뜻밖에도 태영이를 만나는 바람에 그는 너무 흥분해 버렸고, 그래서 거의 다른 생각을 할 여유가 없었던 것이다.

지난 연말 한동주의 집을 찾아가 부인을 만났을 때 그는 부인 앞으로 온 어느 편지에서 그녀에게 1월 5일에 상경하라는 내용이 적혀 있는 것을 읽었다. 그와 함께 발신인 최대수(崔大秀)라는 이름이 한동주의 가명이라는 확증도 얻었었다. 그녀는 최대수가 자기의 먼촌 오빠뻘 되는 사람이라고 둘러댔었다. 만일 한동주의 부인 배정자(裵貞子)가 나를 속여 넘겼다고 생각한다면 오늘 서울에 올라올 것이다. 아니 아침 차로 이미 상경했을지도 모른다. 풍산에서는 서울행 직행버스가 없기 때문에 그녀는 열차를 이용할 것이다. 서울역을 지키는 수밖에 없다. 가능성은 반반이다.

이런 생각을 하고 있을 때 그의 머릿속으로 또다른 생각 하나
가 뛰어들어왔다. 조금 전 태영의 입에서 나왔던 〈최씨〉라는 성
이 그것이었다. 지금까지 수사한 바로는 최씨라는 성을 가진 사
람은 두 사람뿐이었다. 한 사람은 〈서울공예사〉에 다니고 있는
태영의 친구 최수일이고, 또 한 사람은 바로 최대수였다. 태영
이 자기 친구를 최씨라고 부를 리가 없을 것이고 보면, 결국 최
대수 한 사람만이 남게 된다. 태영이 말한 〈최씨〉가 정말 〈최대
수〉일까?

그러나 이러한 생각은 거의 순간적으로 스쳐간 생각에 불과
했다. 황태영과 최대수(한동주)를 연관지어 생각하기에는 두
사람 사이에 너무 거리감이 있었고, 그래서 병호는 거기에 대해
좀 더 자세히 생각해 보려 하지 않고 금방 잊어먹고 말았다.

서울역에 이르자 그는 급히 대합실로 달려가 호남선 열차시간
표를 훑어보았다. 풍산을 거쳐 올라오는 열차는 완행까지 해서
하루에 네 번 있었다. 첫차가 도착하는 시간이 아침 5시 10분,
그 다음이 11시 30분, 오후 4시 55분, 10시 20분 순서였다. 병호
는 시계를 보았다. 4시가 조금 지나 있었다. 오전에 도착하지
않았다면 오후 열차로 올라올지도 모른다.

「먼저 돌아가십시오. 나는 오늘 저녁 늦게까지 여기서 누구를
좀 기다려야겠습니다.」

하고 그는 해옥에게 말했다.

「여기서 그렇게 늦게까지 계실 건가요?」

해옥은 아쉬워하는 것 같았다. 병호는 그렇다고 대답했다.

「그럼 선생님, 연락처라도 가르쳐 주세요.」

「그럽시다.」

병호는 엄기자의 직장 전화번호를 그녀에게 적어주었다.

「이 친구한테 전화를 걸면 연락이 닿을 겁니다. 지금 이 친구
집에서 기식을 하고 있으니까.」

「어머, 그러세요? 불편하시면 저희 집에 와 계시죠. 유혹하지는 않을 테니까요. 방이 두 개나 비어 있어요.」

「아니. 괜찮아요. 그럴 수가 있나요.」

「선생님, 그러면 저희 집에 한번 다녀가세요. 솜씨는 없지만 식사나 한끼 대접해 드릴께요.」

「좋습니다. 아무 때나 연락을 주십시오.」

어쩐지 신세를 지는 것 같아 머뭇거리는 그에게 해옥은 약도까지 자세히 그려주면서 오는 일요일 점심에 초대하겠다고 못을 박았다.

해옥이 간 뒤 병호는 대합실 안을 어정거리며 4시 55분 차가 도착하기를 기다렸다. 열차는 예정 시간보다 10분 늦어서 들어왔다. 보통급행이었기 때문에 내리는 승객이 매우 많았다. 출구는 세 곳이나 되었으므로 병호는 눈을 부릅뜨고 정신없이 이쪽 저쪽을 살펴야 했다. 마지막 한 사람이 나올 때까지 그는 출구 옆에 서 있었지만 배정자는 끝내 보이지 않았다. 혹시 그물을 빠져나갔을지도 모른다는 생각에서 그는 역광장으로 나와 두번 세번 휘둘러보고 택시 정류장까지 살펴보았다. 그러나 배정자는 그 어디에도 없었다. 이제 10시 20분 차를 기다릴 수밖에 없었다.

그동안 손지혜를 만나야겠다고 생각한 그는 택시를 타고 그녀의 집으로 향했다. 그녀와 황바우를 만난다는 것이 몹시 괴로운 일이었지만 여기까지 와서 물러설 수는 없다는 것이 그의 생각이었다.

한편 그날 낮에 아들을 만나고 돌아온 손지혜는 주인집 여자로부터 경찰이 다녀갔다는 것을 알게 되었다. 당황한 그녀는 처음에는 황바우와 함께 다른 곳으로 피할까 생각했지만 아들이 병원에 입원해 있는데다 이미 수사망을 벗어날 수 없다는 것을 깨닫고 그 자리에 주저앉고 말았다. 할 수 없다. 경찰이 어느 정도 내막을 알고 있는지는 모르지만, 만일 속속들이 알고 있다면 솔직히 털어놓고 사정을 해보는 수밖에 없다. 적어도 눈물이 있고 피가 도는 사람이라면 우리를 이해해 주겠지, 모든 것은 운명이다. 오 하느님, 저를 도와주소서. 그녀는 앞이 어지러워오는 것을 뿌리치며 가만히 눈을 감았다.

그러한 그녀를 황바우는 물끄러미 바라보고 있었다. 그의 주름잡힌 얼굴은 거의 감정을 못 느끼는 듯 무표정했다. 출옥한 지 만 2년이 지난 지금 이 노인은 세상살이에 적응하지를 못한 채 거의 얼이 빠져 있었다. 누가 말을 걸기 전에는 하루종일 가야 말하는 법이 없었고, 웃는다거나 슬퍼하는 법도 없었다. 그의 눈에 감정이 살아나는 것은 손지혜와 함께 병원에 가서 아들을 만나볼 때뿐이었다. 석고처럼 굳어 있는 그의 얼굴은 항상 거무스레한 빛을 띠고 있었고 그것은 눈처럼 하얀 머리와 함께 퍽 대조적인 인상을 주고 있었다.

손지혜는 황바우가 충격을 느낄까봐 경찰이 찾아온 것을 되도록 덮어 두려고 했다. 부엌으로 나간 그녀는 부뚜막에 앉아 눈물을 닦았다. 앞으로 닥쳐올 일을 생각하니 막막하기만 했다. 태영이를 어떻게든 치료하여 세 식구가 단란하게 살아보려던 바램이 이제 산산히 부서져 내리고 있었다. 어떻게 할까. 아무리 생각해도 묘책이 없었다.

손지혜가 이렇게 괴로워하고 있을 때 황바우는 방안에서 성경책을 보고 있었다. 그는 낡은 성경책을 두 손으로 받쳐들고 한 구절 한 구절을 마치 소가 새김질을 하듯이 읽어내려 갔다. 글 읽는 것이 서투른 그는 책을 읽을 때마다 입을 조금씩 움직이곤 했지만 소리는 내지 않았다. 이렇게 성경을 읽는 것이 그의 취미라면 취미였다. 성경의 뜻을 새기고, 그것을 반추하고, 그런 다음 평화로운 표정을 짓는 것이었다. 그러나 그의 얼굴은 이내 굳어져버리곤 했다. 지금도 마찬가지였다. 아들을 생각하고 아내를 볼 때면 그의 마음은 편치가 않았다. 말이 없고 감정을 절대 나타내지 않는 그였지만 지금 사정이 어떻게 돌아가고 있는가 하는 것은 짐작으로라도 잘 알고 있었다.

밖에서 주인 집 여자와 무슨 말인가 주고받던 아내가 갑자기 당황한 얼굴로 방안으로 들어왔다가 이내 고개를 떨어뜨리며 다시 부엌으로 나가는 것을 보았을 때 그는 무슨 일이 일어난 것을 알았다. 그러나 그는 거기에 대해 모른 체했다. 그것을 묻지도 않았다. 아내가 말해주기 전에는 절대 물어서는 안된다고 그는 생각하고 있었다. 그는 자기 때문에 아내의 기분이 상할까봐 몹시 조심하고 있었다. 지금 그에게 있어서 젊은 아내는 마치 하늘과 같은 존재였다.

황바우가 손지혜를 다시 만난 것은 출옥한 지 거의 2년이 다 된 지난 해 연말께였다. 출옥하여 상원 새말의 누님 집에 얹혀 살던 그는 어느날 손지혜의 편지를 받고 서울로 올라온 것이다. 편지 내용은 아들 태영이가 정신병원에 입원해 있으니 빨리 상경하라는 것이었다. 황바우는 서울로 올라오는 동안 거의 제정신이 아니었다.

그들은 서울역 앞에서 21년만에 다시 만났다. 역에서 기다리고 있는 손지혜를 본 순간 황바우는 멈칫 그 자리에 서 버리고 말았다. 그는 후들후들 떨려오는 다리에 힘을 주면서 손지혜를 좀 더 똑똑히 보려고 눈을 크게 떴다. 그러나 앞이 안개가 서린 듯 뿌옇게 흐려와서 잘 보이지 않았다. 가슴은 콱 막혀 심장이 정지해 버린 것 같았고, 입이 굳어 말을 할 수가 없었다.

그와 마찬가지로 손지혜도 멍하니 서 있었다. 그녀는 눈물을 마구 줄줄 흘리면서 마냥 바우를 바라보기만 했다. 처음에는 바우에게 달려들어 그의 손을 잡으려 했지만, 자기가 얼마나 더럽혀진 여자인가를 깨닫고는 그만 주춤 손을 거두고 말았다.

그날 황바우를 데리고 집으로 돌아온 그녀는 바우 앞에 엎드려 울면서 용서를 빌었다. 그는 당황해서 그녀를 품었다. 그는 감옥에 있는 동안 그녀를 원망한 적이 한번도 없었다. 그는 누구를 원망하거나 미워할 줄을 모르는 사람이었다. 자신이 아무 죄도 없이 투옥된 데 대해서도 처음 얼마 동안은 의심도 해보고 괴로워도 해보았지만, 세월이 흘러가자 그것도 없어지고 모든 것을 운명이거니 하고 생각하면서 체념해 버렸다. 그러한 그가 손지혜를 원망할 리가 없었다. 오히려 그는 그녀가 어떻게 살아가고 있는지 걱정되기만 했고, 그래서 그녀가 아무쪼록 그를 잊고 행복한 삶을 누리기를 바랐다. 그런 만큼 출옥한 뒤에도 그는 그녀를 찾을 생각을 하지 않았다. 육십이 넘은 늙은 몸으로 그녀를 만나봐야 오히려 짐이 될 뿐이라고 생각했기 때문이었다.

다른 남자를 만나 잘 살고 있다면 그 이상 다행한 일이 없다고 생각했다. 그러던 차에 손지혜에게서 편지가 온 것이다. 그 편지를 보자 그는 그때까지 참고 있던 생각이 복받쳐올랐다. 그녀에 대한 그리움, 그녀를 보고 싶은 마음이 흡사 봇물 터지듯 그를 휩쓸어버렸다. 더욱이 갑자기 집을 나간 아들이 정신병원에 입원해 있다는 것을 알자 더 이상 자신을 버틸 수가 없었다. 그 날로 그는 서울로 올라왔다.

그리하여 손지혜로부터 그가 어떻게하여 옥살이를 하게 되었으며, 그것이 누구에 의해 저질러진 계략이었는가를 자세히 들었을 때에도 그는 놀라지 않았다.

사실 그는 그 이야기를 들었을 때 오히려 심장이 평온하기만 했다. 이미 그는 세속적인 일로부터 초월해 있었던 것이다. 이것이 손지혜를 놀라게 했다. 이를 계기로 하여 손지혜는 바우를 남편이라기보다는 그 이상의 존재로 보살피기 시작했다.

그런데 황바우를 놀라게 한 일이 일어났다. 손지혜와 함께 그가 아들을 면회했을 때, 그날따라 이 아들은 제정신이 돌아왔는지 매우 정확한 말씨로 어마어마한 사실을 털어놓은 것이다.

「아버님, 제가 아버님의 원수를 갚았습니다. 아버님, 제가 원
수를 갚았어요. 이제 한을 푸십시오. 그…… 양달수란 놈하고
…… 그 김중엽이란 놈을 제가 죽였습니다. 김중엽이란 놈이
누군 줄 아십니까? 아버님을 감옥에 집어넣은 검사놈입
니다. 그놈하고 양달수는 아버님 원숩니다. 제가 모두 죽였지
요. 이제 저는 원이 없습니다.」

「아니, 이 애가……」

새파랗게 질린 손지혜가 그의 입을 틀어막으려 했지만 태영은
막무가내였다. 입에 거품을 물면서 악을 쓰다가 나중에는 껄껄
거리며 웃더니 「만세! 만세!」하고 소리치기까지 했다. 손지
혜가 매달리자 그는 그녀를 때렸다.

「이 쌍년, 넌 뭐야! 너 같은 년이 내 엄마라고! 난 엄마가
없어! 넌 엄마가 아니야! 넌 화냥년이다! 갈보다! 갈보
같은 년!」

황바우의 노한 손길이 아들의 입을 후려쳤다. 아들은 쓰러
졌다가 일어서며 공포에 질린 눈으로 아버지를 바라보았다. 아
들의 입에서는 피가 흐르고 있었다. 바우가 다시 손을 들어 아
들을 때리려고 하자 지혜가 뛰어들었다. 뛰어온 남자 간호원이
태영을 데리고 갔다.

그날 황바우가 묻는 말에 지혜는 숨길 수가 없었다. 그녀는
태영이가 두 사람을 죽인 것이 사실이라고 말했다.

그런 일이 있고부터 황바우는 더욱 말이 없었고, 무엇인가를
기다리는 눈치를 보였다. 마치 어떤 운명의 날을 기다리고 있는
사람 같았다. 식사도 잘 하지 않았고, 밤잠도 설치는 수가 많
았다.

손지혜는 노크 소리에 얼른 밖으로 나가보았다. 초라한 차림
의 사내 하나가 문 앞에 서 있다가 공손히 인사를 했다.

어둠을 배경으로 서 있어서 누군지 얼른 알아볼 수가 없었다. 가까이 다가서서야 그녀는 상대가 〈남해집〉에서 함께 술을 마신 적이 있는 오형사라는 것을 알았다.

「무서운 분이군요.」

그녀가 반사적으로 중얼거린 말이었다. 병호는 얼굴이 화끈 거렸다.

「죄송합니다. 들어가도 되겠습니까?」

「안됩니다.」

「황노인을 좀 만나야겠습니다.」

「안됩니다. 그분한테는 알리고 싶지가 않아요.」

그녀는 완강한 어조로 말했다. 문 앞을 막아서는 것이 얼른 비켜설 것 같지 않았다.

「잘 알겠습니다. 그렇지만 언젠가는 아실 건데, 그렇다면 피할 필요가 없지 않습니까. 이왕 이렇게 된 바에는 빨리 아시는 게 마음을 정리하는데도 도움이 될 텐데……」

「너무 충격적인 일이에요.」

그녀는 떨리는 목소리로 말했다. 병호는 과일 꾸러미를 그녀에게 내밀었다.

「약소하지만 받아주십시오. 황노인은 20년 동안 견디어오신 분입니다. 이번 일도 견디어내실 수 있을 겁니다. 제가 안심을 시켜드리겠습니다. 겁낼 것은 하나도 없습니다.」

손지혜는 병호를 원망스럽게 바라보다가 과일 봉지를 받아들고 안으로 들어갔다.

병호는 추위 때문인지, 아니면 황바우를 만난다는 것 때문인지 몸이 마구 덜덜 떨려왔다. 문득 자기야말로 지금 선량한 사람들을 찾아다니며 괴롭히고 있지 않은가 하는 생각이 들었다.

손지혜는 조금 후에 다시 나왔다. 그리고 낮은 소리로 들어오라고 말했다.

　병호가 그녀를 따라 방안으로 들어가자 황바우는 일어서서 그를 맞았다. 두려운 눈으로 바라보는 황바우를 향해 병호는 머리를 숙였다.

「실례합니다.」

　바우는 함께 맞절을 하면서도 입을 열지 않았다. 병호가 먼저 자리를 잡고 앉은 뒤에야 그도 앉았다. 병호는 침착하려고 했지만 가슴이 자꾸만 울렁거려오는 것이 도무지 바늘방석에 앉은 기분이었다. 무엇보다도 황바우의 그 진하고 깊은 눈길을 견디기가 어려웠다.

　손지혜는 부엌으로 나가 과일을 깎아왔다. 그러나 아무도 거기에 손을 대지 않았다. 무거운 침묵이 한동안 흘러갔다. 병호가 다시 황바우를 바라보았을 때 노인은 고개를 숙이고 있었다. 이마에는 두 가닥 주름이 그의 고뇌를 말해 주는 듯 깊이 자리잡고 있었다. 무릎 위에 올려놓은 투박스런 두 손은 그의 어깨에서 따로 떨어져버린 듯 돌처럼 굳어 있었다. 눈처럼 하얀 머리는 불빛을 받아 신비한 빛을 띠고 있었다. 병호는 오래 앉아 있을수록 자신이 파괴자로서 더욱 죄책감을 느낀다고 생각하자 마침내 어렵게 입을 열었다.

「태영군 병세는 좀 어떻습니까?」

　그의 질문에 두 사람은 모두 놀란 표정을 지었다.

「병원에 가 보셨는가요?」

　손지혜가 물었다. 병호는 그렇다고 대답했다. 그녀는 어떻게 하여 그것을 알게 되었는가 하고 의아한 표정을 지었으나 거기에 대해서 캐묻지는 않았다. 병호의 이 한 마디 질문이 그녀를 꼼짝못하게 만들어 놓고 말았다. 그녀는 모든 것을 체념한 듯 말했다.

「태영이는 차도가 없어요. 벌써 몇 달째 입원하고 있는데 여전해요. 오늘 가 봤더니 더 악화된 것 같기도 하고……」

「태영군을 다시 만난 건 언제였습니까?」

그녀는 대답 대신 고개를 약간 숙였다. 핏기 하나 없는 입술이 파르르 떨리다가 꼭 다물어졌다. 병호는 내친김에 계속 말했다.

「제가 처음 찾아갔을 때 아주머니께서는 많은 것을 숨기거나 거짓말을 하셨죠. 이렇게 된 바에는 솔직히 털어놓으십시오. 그것이 서로 협조하는 길입니다. 저는 가능하면 아주머니나 영감님을 도우려고 하고 있습니다.」

「도우시겠다면 왜 이렇게 찾아다니십니까? 왜 가만 내버려 두지 않습니까?」

병호를 바라보는 지혜의 두 눈이 이글거리며 타올랐다. 병호는 자기도 모르게 두 손을 움켜쥐었다.

「사건을 해결해야 하는 것이 제 직업입니다.」

그리고 그것이 사회질서를 유지하는 길입니다, 하고 덧붙이려다가 그는 그만두었다. 웬지 부끄럽게 생각되었던 것이다.

「직업이니까 모른 체할 수는 없지 않습니까. 제가 부탁드리고 싶은 것은 숨어서 살 생각을 하지 말고 세상에 떳떳이 드러내 놓고 법의 판결을 받으라는 겁니다. 이 사회는 그렇게 썩지는 않았으니까…… 모든 것이 정당하다면 법적 보장을 받을 수 있습니다. 이게 제가 권하는 방법입니다. 당사자로서는 무리일지 모르지만 이미 이렇게 저를 만난 이상 냉정하게 생각하실 필요가 있습니다.」

그의 말이 끝나자 손지혜는 냉소를 띠었다.

「법을 믿으라구요? 법을 믿었기 때문에 이 분은 20년 동안이나 억울하게 감옥에 갇혀 있었지요. 더 이상 무엇을 믿으라는 겁니까?」

병호는 그녀의 말에 대꾸할 수가 없었다. 그것은 그의 가슴을 쿡쿡 쑤시고 들어왔다. 그는 반발이라도 하듯 말머리를 돌렸다.

「그렇게 말씀하시는 것도 무리는 아니겠지요. 충분히 이해할 수 있습니다. 그렇지만 다시 말씀드리는데, 저는 임무를 수행해야 합니다. 그럼 다시 묻겠습니다. 태영군을 다시 만나신 건 정확히 언제였습니까?」

그녀는 고개를 숙였다가 다시 쳐들었다. 어느새 두 눈에는 눈물이 괴어 있었다. 코 끝이 무척 매끄럽다고 병호는 생각했다.

「재작년…… 그러니까 72년 여름이었을 거예요.」

그녀의 말은 끊어지듯 들려왔다.

「그 전에는 만난 적이 없습니까? 그러니까 옛날 상원 새말에 다녀오신 후 말입니다.」

「없었어요.」

「20년 동안 한번도?」

「네……」

그녀는 고개를 돌려 눈물을 닦았다.

「어떻게 20년만에 만나게 되었습니까?」

「그애가 저를 찾아왔어요.」

「문창으로 말입니까?」

「네, 문창 집으로……」

「재작년이면 아직 양달수 씨가 살아 있을 때군요?」

「네……」

양달수란 말이 나오자 그녀는 매우 단호하게 대답했다. 황바우를 보니, 그의 얼굴은 더욱 어두워지는 것 같았다.

「태영군이 찾아와서 뭐라고 그랬습니까? 그때의 일을 좀 자세히 말씀해 주십시오.」

「한낮이었는데, 저 혼자 집을 보고 있었어요. 인기척이 나서 문을 열어보니까 웬 젊은이가 밖에 서 있었어요. 누구냐고 했더니 자기는 황태영이라고 했어요. 저는 아무 말도 못 하고 울다가 그애를 들어오라고 했어요. 그렇지만 들어올 리가 없

198

었지요. 자기를 아들로 생각지 말라고 했어요. 그러면서 한 가지 물어 볼 게 있다고 그랬어요. 아버지가 양씨 때문에 무고하게 감옥살이를 한 걸 아느냐고요. 저는 말문이 막혀 그애를 바라보기만 했어요. 그랬더니 아버지가 20년만에 출옥했다고 말했어요. 저는 그애한테 나를 죽여 달라고 했어요. 그애는 그럴 가치도 없다고 하면서 가버렸어요. 그게 전부예요.」

그녀는 이제 눈물을 닦으려고도 하지 않았다. 병호는 외면한 채 또 물었다.

「그 다음 만난 건 언제입니까?」

「이듬해, 그러니까 작년 초여름이었어요. 6월이었지요.」

「그때는 이미 양씨가 죽은 뒤였지요?」

「네……」

「죽은 지 얼마나 지나서였나요?」

「며칠 됐어요. 딸애와 함께 짐을 싸들고 서울에 가려고 역에 나갔더니, 거기에 그애가 있었어요. 거지꼴로 돌아다니는 것을 제가 붙잡았지요. 그때는 이미 미쳐 있었어요. 그래서 그애를 데리고 서울에 올라와서 병원에 입원시킨 거예요.」

「태영이는 그때 아주머니를 보자 무슨 말 안했습니까?」

이 질문에 그녀는 대답하지 않았다. 어깨를 떨면서 흐느껴 울기만 했다. 얼핏 보니 황노인도 손등으로 눈물을 닦고 있었다. 병호는 그때까지 흔들리던 가슴이 싸늘하게 가라앉는 것을 느꼈다. 그것은 이윽고 알 수 없는 분노로 바뀌었다. 불행한 사람들의 불행한 행동이 그를 노하게 한 것이다.

「말씀 안하셔도 좋습니다. 곤란하실 테니까 제가 말해 보겠습니다. 태영군은 돌아가신 줄 알았던 아버지가 20년만에 나타나자 몹시 놀랐을 겁니다. 충격이 컸겠죠. 더구나 아버지의 무고함을 알자 복수심에 불탔을 겁니다. 결국 그는 어머니가

살아있다는 것도 알았겠지요. 그래서 그는 그 모든 것을 확인
하기 위해 먼저 문창에 살고 있는 어머니를 찾아간 겁니다.
그러니까 태영군은 그때까지도 자세한 내막은 모르고 있었습
니다. 아버지는 차마 자신의 과거를 아들한테 이야기할 수는
없었을 것이고, 결국 고모 아들인 그 상이군인이 이야기했을
텐데…… 그렇지만 그 상이군인도 자세한 건 몰랐을 거란 말
입니다. 이렇게 볼 때 태영군한테 모든 걸 자세히 이야기해
준 사람은 누구겠습니까. 아주머니께서는 아무 말도 안하
셨다고 했지만, 아주머니밖에는·그 말을 해줄 사람이 없습
니다. 제 말이 틀렸습니까?」
그러자 손지혜는 고개를 흔들었다.
「저는 그런 말 해주지 않았어요.」
매우 명확하게 말했기 때문에 병호는 헛발을 딛고 비틀거리는
기분이었다.
「그럼 태영이에게 누가 그런 이야기를 해주었을까요? 제가
지금까지 조사한 결과로 봐서는 태영군은 너무나 자세히 그것
을 알았던 것 같습니다.」
「전 그런 말 한 적이 없어요. 제 입으로 어떻게 그런 이야기를
할 수 있겠어요.」
고개를 흔드는 바람에 머리카락이 막 헝클어졌다. 병호는 황
바우를 바라보았다. 그는 차마 볼 수 없을 정도로 얼굴이 일그
러져 있었고, 여전히 아무 말도 하지 않았다. 그의 침묵은 감히
깨뜨릴 수 없을 정도로 무게를 지니고 있었다.
「그거 이상하군요. 그럼 태영군은 어떻게 해서 20년 전의 일
을 그렇게 자세히 알게 되었지요? 누가 그런 이야기를 해주
었지요?」
병호는 거듭해서 물었다. 정말 알 수 없는 일이라는 생각이
들었다. 이 기막힌 음모사건을 태영이 혼자서 알아낸다는 것은

거의 불가능한 일이었다. 수사에 노련한 자신도 벌써 몇 달째 여기에 매달려오지 않았던가.

손지혜가 역시 모른다고 하자 병호는 거기에 대해서는 더 묻지 않았다.

「좋습니다. 그 점은 그렇다 하고…… 태영군은 어머니를 만나본 후 범행할 것을 결심했습니다. 병적으로 거기에 집착해서 치밀하게 계획을 짰지요. 물론 그동안 집에 들어가지도 않고 떠돌이 생활을 했지요. 그러다가 작년 1월 서울서 마침내… 무고한 아버지를 감옥에 집어넣었던 김검사를 살해했습니다. 그것이 저 유명한 김중엽 변호사 살인사건이죠. 김검사는 그동안 검사직을 그만두고 변호사업을 하고 있었지요. 그다음 몇 달이 지나서 양달수 씨가 저수지에서 낚시질을 하다가 살해됐습니다. 물론 태영군이 저지른 짓이지요. 태영군은 그 저수지 근처에 있는 도살장에서 한동안 잠복해 있다가 양씨를 살해한 겁니다. 그리고 그 다음날 사라졌지요. 그리고 여기에 대해서는 이미 어느 정도 조사해 놓았습니다. 그런데 태영군은 자기가 계획한 일을 모두 완수하자 허탈감이 찾아왔을 겁니다. 여기에 정신적인 어떤 이완작용(弛緩作用)에 의한 이상 현상이 일어났겠지요. 자세한 것은 앞으로 정신과 의사한테 물어보면 알 수 있겠지요. 하여간 이렇게 해서 태영군은 미쳐서 문창역 부근을 배회하다가 아주머니를 만난 것입니다. 제 말에 의심이 가는 점이라도 있습니까?」

이 노골적인 질문에 손지혜는 울기만 했다. 터지는 울음을 막으려고 두 손으로 입을 틀어막고 있었으므로 울음은 이상한 신음소리가 되어 들려왔다. 그녀의 그러한 모습을 보자 병호는 울화가 치밀면서 잔인한 기분이 일었다.

「아주머니는 아들이 범인이란 것을 이미 아셨으면서 전번에 저를 만났을 때 그걸 숨겼습니다. 그건 범인 은닉죄에 해당합니다. 아시겠습니까?」

손지혜는 머리를 흔들었다. 황바우는 쓰러질 듯이 방바닥에 두 손을 짚었다. 그의 얼굴 근육이 씰룩이는 것을 병호는 보았다.

「이미 제정신이 아닌 태영군은 아버지 원수를 갚았다는 데 대해서 무척 자랑스러움을 느꼈겠지요. 그것이 효도라고 생각했을지도 모르지요. 그래서 역에서 어머니를 만나자 자기가 두 사람을 모두 죽였다고 자랑했을 겁니다. 아주머니를 원망하면서도 자식으로서의 혈연이랄까요, 그런 것을 무시할 수가 없었겠지요. 아주머께서 태영이가 범인이라는 것을 안 것은 그때였지요. 아무리 정신이상자라 하더라도 그렇게 정확히 들어맞는 거짓말은 할 수 없었을 거란 말입니다. 아주머께서는 놀란 나머지 태영군의 병도 치료하고, 또 피신도 시킬 겸 태영군을 정신병원에 입원시켰습니다. 도저히 그럴 형편도 아니면서도 말입니다.」

「아니에요! 태영이는 아니에요! 아니에요! 제가 나쁜 년이에요! 제가 죽였어요!」

손지혜는 엎어져 소리쳤다. 병호는 자신도 놀랄 정도로 잔인하게 추궁해 들어갔다.

「쓸데없는 말하지 마시오! 자신을 학대하지는 마시오! 그만큼 학대했으면 됐어요!」

「아니에요. 태영이는 아니에요. 저를 잡아가세요.」

「아무도 잡아가지 않겠소!」

손지혜는 고개를 쳐들고 병호를 바라보았다. 눈물로 범벅이 된 얼굴은 애처롭기 짝이 없었다. 그때 황바우가 처음으로 입을 열었다.

「선상님, 저, 저를…… 이 늙은 놈을 잡아가주시유. 저는 이제 죽으나 저제 죽으나 한이 없습니다. 선상님, 저를 대신 잡아가주시유.」

병호는 울컥 치미는 비통한 감정을 누르려고 숨을 깊이 들이켰다. 20년간 아무 죄없이 감옥살이를 했다는 사람의 마음이 어찌 이렇게 맑을 수가 있단 말인가. 이 사람은 바보인가, 아니면 성자(聖者)인가. 이 노인은 증오심도, 원한도 없는 사람인가. 이 노인이야말로 자기의 피를 받지도 않은 아들을 위해 죽을 수도 있는 사람이다. 하고 생각이 들자 병호는 그때까지 지탱한 자신의 의지가 와르르 소리를 내면서 무너져내리는 것을 느꼈다. 그는 술취한 사람처럼 비틀거리며 일어섰다. 그를 황바우와 손지혜가 붙잡았다.

「안심하십시오. 잘될 겁니다. 저는 누구보다도 태영군은 물론 두 분을 잘 이해하고 있습니다. 우선 영감님이 무죄라는 것을 밝힌 다음 보상금을 타드리도록 할 생각입니다. 재심에서 무죄 판결을 받으면 태영군의 행동도 동정을 받을 겁니다. 더구나 태영군은 정신병원에 있으니까 입장이 유리합니다. 자세한 건 나중에 또 말씀드리겠습니다. 혹시 다른 데로 피하시거나 하지는 마십시오. 오히려 불리해질 테니까요.」

병호의 말에 두 사람은 눈물을 흘리면서 한편으로는 멍한 표정이었다. 그의 말을 사실로 믿어야할지 거짓말로 생각해야할지 도무지 모르겠다는 표정이었다.

「선생님……」

밖으로 나서자 손지혜는 울먹이는 소리로 불렀다. 황바우는 두 손을 모아 쥐고 마치 자기가 죄를 짓기나 한 듯 엉거주춤 서 있었다.

「선생님, 그 말씀 정말입니까? 우리 태영이는 살 수 있습니까?」

「너무 절망하지는 마십시오. 자신을 가지셔도 됩니다. 서로 협조하면 잘될 겁니다.」

그는 밑을 내려다보면서 발끝으로 땅을 후벼팠다.

「바우님은 무죄판결을 받을 수 있을까요?」

「받을 수 있습니다. 그 증거로…… 죽었다던 한동주가 살아 있습니다.」

「네에? 선생님! 그게 정말입니까?」

「정말입니다. 그렇지만 아직 잡지는 못했습니다. 우선 그 사람을 잡아야 합니다. 그러면 모든 게 잘 해결될 겁니다. 다음에 또 오겠습니다. 자, 안녕히 계십시오.」

인사를 하면서 보니 손지혜는 황바우를 부축하고 있었다. 어둠 때문에 노인의 표정은 잘 보이지 않았고, 머리만이 하얗게 떠 보였다.

어두운 거리에는 여전히 찬바람이 세차게 몰아치고 있었다. 그는 추위를 조금이라도 막아보려고 코트 깃을 세우고 몸을 움츠린 채 급히 걸어갔다. 어깨는 더욱 웅크러들고 두 다리는 위태롭게 흔들거리고 있었다. 흡사 꿈을 꾸면서 빙판 위를 걸어가는 기분이었다. 이 상태에서 모든 것을 집어치우고 아무도 모르는 곳으로 훌쩍 떠나버리고 싶었다. 그러면 더 이상 괴로움을 겪지 않아도 될 것이다. 불행한 삶들을 만나 그들의 불행한 모습을 보고, 불행한 이야기를 듣는다는 것은 실로 우울한 일이다. 더구나 거기에다 또 하나의 괴로움을 안겨준다는 것은 더욱 못할 짓이고, 견딜 수 없도록 괴로운 일이다. 어떻게 할까? 그렇다고 범인을 알고도 피해야 한단 말인가. 이렇게 마음 내키지 않는 일은 처음이었다. 지금까지 열심히 추적해 온 것이 후회되기도 했다.

저녁식사도 거른 채 그는 술집으로 들어갔다. 그 술집에는 거의 노동자들로 가득 차 있었다. 두 홉짜리 한 병을 다 마시고 나자 어깨와 콧잔등의 통증이 좀 가시는 듯했다. 10시 가까이 될 때까지 혼자서 그렇게 술을 마신 다음 그는 서울역으로 들어갔다. 가기 싫었지만 몸은 자기도 모르게 그쪽으로 움직이고 있었다.

개찰구 앞에 지켜서서 반 시간쯤 떨고 있자 마지막 호남선열차가 들어왔다. 예정시간보다 20분이나 늦어 있었다. 마지막 한 사람이 빠져나올 때까지 서 있었지만 배정자는 역시 보이지 않았다. 하루 종일 기대했던 것이 무너지자 그는 더욱 기분이 침울해졌다. 배정자는 이미 오전에 도착한 것일까. 혹은 상경일자가 늦어진 것일까. 여러 가지로 생각해 볼 수가 있었다.

집으로 돌아오니 엄기자는 잔뜩 술에 취해 잠들어 있었다. 병호도 취기가 깨지 않아, 자리에 눕자마자 금방 잠이 들었다. 그러나 얼마 가지 않아 곧 잠이 깨었다. 그리고는 좀체로 잠이 오지 않았다. 황바우의 일그러진 얼굴 모습과 태영의 울부짖던 모습, 그리고 손지혜의 흐느끼던 모습이 함께 그의 시야를 덮쳐왔다. 그것을 떨쳐버리려고 엎치락 뒤치락했지만 그럴수록 그는 거기에 시달렸다.

새벽에 다시 잠이 들려하다가 그는 생각하는 바가 있어 자리에서 일어났다. 엄기자는 여전히 곤히 잠들어 있었다. 그는 발소리를 죽이며 밖으로 빠져나왔다. 오늘부터 호남선 상행열차와 하행열차를 하나도 빼놓지 않고 지켜볼 셈이었다. 그것이 며칠이 걸리든 배정자가 나타날 때까지 기다릴 셈이었다.

대결의 章

오병호 형사가 정신병원에 가서 태영이를 만나고, 또 황바우와 손지혜를 만나고, 거기다가 밤늦게까지 서울역에서 배정자를 기다리는 등 눈코 뜰새없이 바쁘게 돌아가던 그날 한쪽에서는 극비리에 다른 일이 꾸며지고 있었다. 그것은 병호가 지금까지 갖은 고생을 다하여 수사해 온 것을 하루아침에 짓밟아버릴 수 있는 매우 강력한 흉계였다.

그 흉계의 첫 단계에는 의외에도 엄창규 기자가 일하고 있는 S신문사 내에서 일어났다. 자신의 출세를 위하여 비열한 배반자가 한 사람 나타난 것이다.

그날 석간신문 기사를 모두 넘기고 난 사회부장 정완섭은 눈을 반쯤 감은 채 반 시간쯤 회전의자에 앉아 담배를 연거푸 피우고 있다가 12시 반이 되자 자리에서 슬그머니 일어섰다. 그리고는 주위를 한번 휘둘러 본 다음 밖으로 빠져나갔다. 그로부터 반 시간 후인 1시 정각에 그는 사(社)에서 멀리 떨어진 어느 고급 일식집에 나타났다.

「Y신문사 사람 오지 않았소?」

그는 좀 불안한 기색으로 카운터에 앉아 있는 사내에게 물었다.

「안 오셨는데요.」

「오면 나한테 연락하시오. 그리고 2층에 방 있소?」

「네, 있습니다. 올라가시죠.」

「조용한 방으로 하나……」

심부름하는 처녀애가 앞장서서 그를 안내했다. 방으로 들어가자 그는 처녀애의 엉덩이를 쓰다듬었다.

「이쁜데…… 사랑해 줄까?」

「아이 아저씨두……」

처녀애가 곱게 눈을 흘기자 그도 비굴하게 웃음을 흘렸다.

십 분쯤 지나자 얼굴빛이 흐린 중년신사가 방으로 들어왔다. Y신문사 편집국장이었다. 그들은 반갑게 악수를 나누었다.

정완섭이 Y신문 쪽에 손을 내민 것은 순전히 그 자신 혼자만을 위해서 저지른 짓이었다. 신문을 미끼로 유난히 돈을 밝히는 버릇이 있는 그는 요즘에 와서 그것이 경영주 측에 자세히 밝혀짐으로써 언제 감원될지도 모르는 처지에 놓여 있었다. 박봉에 시달리는 신문기자들로서는 너나 할 것 없이 은근히 촌지(寸志)를 바라마지 않는 가엾은 속성을 지니고 있게 마련이지만 정부장의 경우는 주위 사람들이 눈살을 찌푸릴 만큼 그 정도가 심했다. 뿐만 아니라 시기심과 험담이 많아 항상 분위기를 뒤숭숭하게 만들어 놓기 일쑤였다. 이러한 그를 부하 기자들도 싫어했다. 그래서 그는 외톨로 남아 전전긍긍하게 되었고, 그것을 자기 탓으로 보지 않고 주위 사람들의 책임으로 돌림으로써 한층 더 자신을 두꺼운 갑피 속으로 몰아넣은 채 자기 보호를 철저히 했다. 신문사에 있어서 한 부서의 책임자라면 적어도 진보적인 사고를 갖추려고 열심히 공부하고, 사회의 움직임에 항상 촉각을 곤두세우고 있어야 하는 것이다. 그런데도 불구하고 그는 이렇게 자기 이익과 보호만을 위해서 폐쇄적인 태도를 취하고 있으니 경영주 측으로서는 눈에 가시일 수밖에 없었다. 서열상으로 볼 때는 그는 벌써 편집국장이 되어야 했다. 그러나 질이 좋지 않은 그는 한쪽으로 밀려나고 그보다 젊은 사람이 국장 자리에 앉게 되었다. 이것이 그의 질투심을 더욱 자극하여 그로 하여금 어떤 탈출구를 모색하게끔 했다. 더구나 아버지를 대신해서 새로 취임한 젊은 사장은 그동안 쌓이고 쌓인 쓰레기를 치워내고 사내(社內)에 신풍을 일으킬 낌새를 보이고 있었다. 이럴 바에는 권고사직 당하기 전에 선수를 치는 수밖에 없다. 이렇게 생각한 그는 기회를 노리고 있다가 엄창규 기자가 물고온 특종감에 날쌔게 촉수를 박은 것이다.

엄기자로부터 그 이야기를 들었을 때, 그는 그것이 보통 사건이 아니라는 것을 알았다. 특히 Y신문과 큰 충돌이 빚어질지도 모른다는 생각이 들자 이것을 미끼로 하여 Y신문사에 손을 뻗어 보기로 작정했다. 이 이야기를 들으면 Y신문측은 깜짝 놀랄 것이다. 더구나 라이벌 관계에 있는 S신문사측이 그 칼자루를 쥐고 있는 것을 안다면 한바탕 소동이 일어나겠지. 그리고 나한테 협조를 부탁하겠지. 나는 적당한 값을 부르는 거다. 마침 그쪽에는 요직(要職)이 두어 개 비어 있으니까 적어도 부국장선 이상의 안정된 자리쯤은 보장해 주어야 한다. 그런 것도 없이 어느 미친 놈이 그 이야기를 해주겠는가. 이렇게 생각한 그는 이것이 발각되었을 때 일어날 결과에 대해 약간은 겁을 집어먹은 채 Y신문사에 은밀히 전화를 걸었던 것이다.

술이 한 순배 돌 때까지 정부장이 입을 열지 않자 Y신문 편집국장은 답답했다.

「하실 말씀이 있다고 하셨는데…… 무엇인지 말씀해 보시죠.」

정완섭은 입맛을 쩍 다셨다. 그리고는 매우 거드름을 피우면서 입을 열었다.

「김중엽 변호사 살인사건 주범이 곧 잡힐 것 같습니다. Y신문 쪽에서는 전연 모르지요?」

「네, 모릅니다. 그런데 어떻게 그걸……」

편집국장은 자기한테 그것을 이야기하는 S신문사의 사회부장이 아무래도 돌지 않았나 하는 생각이 들었다. 그러면서도 김변호사를 살해한 범인이 잡힐지도 모른다는 말에 자못 놀랐다.

「귀중한 정보가 들어왔습니다.」

「우린 전혀 모르고 있는데…… 오늘 석간에 나옵니까?」

「오늘 안 나옵니다. 범인 체포와 함께 터트릴 생각입니다. S신문 독점기사가 될 겁니다.」

「오늘 시경(市警)에 알아봐야겠군.」

「시경에선 모릅니다.」

정부장은 빙그레 웃으며 고개를 흔들었다.

「모르다니, 왜요? 그 자식들, 우리 Y신문에는 기사 안주나?」

「그게 아니지요. 지방 형사가 단독으로 올라와서 수사한 거니까요.」

「그래요?」

편집국장은 난처한 표정을 짓더니 신경질이 난다는 듯 술을 쭉 들이켰다. 그리고 잔을 정부장 앞에 탁 소리가 나게 내려놓았다.

「그 형사 이름이 뭡니까? 어느 경찰서 소속입니까?」

「그건 말씀드리기 곤란합니다.」

「혼자 재미보지 말고 나눠 가집시다. 그래야 우리도 살 거 아니오. 더구나 죽은 김변호사가 우리 사장 형님이란 건 다 아는 사실인데, 우리 신문이 그 기사 하나 싣지 못하면 어떻게 되겠소? 창피해서 사표라도 내야지.」

「문제는 그뿐이 아닙니다. 김변호사의 과거가 폭로되고, 결국은 범인을 잡기보다는 집안 망신이 될 가능성이 많습니다.」

「그건 무슨 말씀입니까? 집안 망신이라니요?」

「S신문에 몸담고 있는 내가 이런 말을 한다는 거 마음내키지 않는 일입니다. 하지만 나로서도 각오를 하고 이렇게 만나자고 한 겁니다. 얼마나 견딜 수 없으면 이 나이에 이러겠습니까.」

「알 만합니다.」

편집국장의 흐린 얼굴은 더욱 흐려졌다. 그러나 그의 눈초리만은 날카롭게 상대를 관찰하고 있었다.

정부장 역시 상대방을 살피는 것을 잊지 않았다. 이를테면 그들은 서로 신경전을 벌이고 있었다.

정부장이 마침내 입을 열었다.

「대강 간단히 이야기하면…… 김변호사가 과거 검사로 있을 때 살인사건을 하나 다룬 적이 있었죠. 그런데 그 범인은 살인을 하지도 않았는데, 살인범으로 누명을 쓰고 20년간 감옥살이를 한 겁니다. 그 죄수가 출옥한 후에 두 사람이 죽었습니다. 바로 김변호사와, 전라도에 사는 양 모라는 사람입니다. 양씨 역시 그 죄수를 감옥에 가게 하는데 한몫 한 사람이지요.」

정완섭은 말을 중단하고 상대의 반응을 살폈다. 편집국장은 고기 조각을 썹다 말고 반쯤 입을 벌리고 있다가 우물거리는 소리로 물었다.

「그럼 그 죄수가 김변호사를 죽였다는 말입니까?」

「아닙니다.」

「그럼 누굽니까?」

「그 아들이오.」

「뭐라고요?」

「아버지의 복수를 대신해준 거죠.」

「그 죄수 이름이 뭡니까?」

「아직 모릅니다.」

210

「그 아들 이름은요?」

「그것도 모릅니다.」

「모르다니요? 그러지 말고 좀 털어놓으슈.」

「그 형사가 아직 자세한 걸 공개하지 않아서 모릅니다. 그렇지만 모든 게 곧 S신문에 공개되겠지요. 그 형사는 범인측을 후원해 줄 것을 전제로 하고 그 정보를 S신문에 제공하기로 한거죠.」

「거 맹랑한 형사 아닌가. 잡으라는 범인은 안 잡고 오히려 두둔하다니, 좀 모자란 친구 아닌가. 지금 그러지 않아도 범인이 안 잡혀서 신경들이 곤두서 있는 판에…… 그러다가는 정말 뼈도 못 추리지.」

「더욱 곤란한 것은 S신문이 범인 측을 지원하기로 약속한 겁니다. 우선 옥살이를 하고 나온 그 죄수로 하여금 재심청구를 하게 하여 무죄선고를 받게 할 셈인 모양입니다. 그 과정에서 김변호사를 깔아뭉기겠죠. 그런 다음 그 죄수의 아들이 저지른 범행을 두둔할 작정인 모양입니다. 대중의 동정심을 불러일으키는 거죠. 살인은 살인이지만 효성이 지극해서 그런 일을 저지른 것이다, 뭐 이런 식이겠죠. 그렇게 되면 죽은 김변호사나 그 집안은 어떻게 되는 겁니까. 이건 확실히 Y신문을 걸고 넘어지려는 겁니다. 그걸 터트리면 Y신문이 가만 안 있을 거고, Y신문이 변명을 하면 그때 가서는 결정적으로 망신을 주려는 게 분명합니다. 세상에 같은 신문쟁이끼리 이럴 수 있습니까. 난 지금까지 S신문에서 월급을 받아왔지만 이런 건 모른 체할 수가 없습니다. 이런 건…… 무슨 수를 써서든지 저지해야만 합니다.」

「으음, 놀라운 일이군. 정말 놀랄 일인데…… 이건 우리끼리 이야기할 게 아니라 사장하고 직접 이야기해야겠군. 아무튼 이렇게 알려줘서 고맙소.」

　　편집국장은 새삼스럽게 악수를 청했다. 그들은 흡사 무슨 혁명모의나 하듯이 힘차게 손을 흔들다가 놓았다. 정완섭이 다시 말했다.

　「이번 일에 가장 중요한 역할을 하고 있는 사람은 그 형사입니다. 그 형사가 혼자서 몇 개월간 이걸 수사해 온 거죠.」

　「그 자식이 말썽이군.」

　　편집국장은 어금니를 지그시 깨물었다. 정완섭은 상대의 기분을 더욱 자극했다.

　「그런데 그 형사도 지금 쫓기고 있습니다.」

　「쫓기고 있다니요?」

　「수사를 하다가 살인을 한 모양입니다. 권총으로 쏘아 죽였답니다.」

　「누구를 말인가요?」

　「글쎄, 잘 모르겠지만 아마 유력한 증인을 죽인 것 같습니다.」

　「그런데 어떻게 그런 놈이 구속이 되지 않고 수사를 하고 있죠?」

　　편집국장은 흥분한 듯 언성을 높였다.

　「그게 글쎄 이상하단 말입니다. 경찰에서는 비밀리에 체포하려고 하는 모양이지만 아직까지 그 형사가 수사를 하고 있는 걸 보면 누가 뒤에서 봐주는 사람이 있지 않나 하는 생각이 듭니다. 파면되지도 않은 모양입니다.」

　「그 자식이 문제군. 지금 그놈이 어디 있죠?」

　「서울에 올라와 있는 모양입니다.」

　「만나봤나요?」

　「아직 못 만나봤습니다.」

　「빨리 조치를 취해야겠군요. 그건 그렇고…… 그 20년 동안 옥살이를 했다는 사람이 무죄라는 걸 증명할 수 있는 무슨 증거라도 있나요?」

「네, 증거가 있습니다. 그 죄수가 죽였다는 사람이 살아 있답니다.」

「그래요? 그게 정말이라면 재심에서 틀림없이 무죄를 받겠는데…… 정말 해괴한 일이군.」

「그러니 김변호사는 죽어서도 오히려 지탄 받을 가능성이 많습니다. 그 형사는 지금 김변호사 살인범을 잡기 보다는 그 살아 있다는 사람을 찾는 데 혈안이 되어 있는 것 같습니다.」

「그 형사놈을 먼저 잡아들여야겠군. 자식이 정말 골칫거리인데……」

「맞습니다. 그놈을 먼저 저지해야 합니다.」

이미 그들의 대화는 현재 누가 올바른 행동을 하고 있는가 하는 것 따위로부터는 멀어져 있었다. 그들은 어떻게 하면 S신문의 공세로부터 Y신문을 방어할 수 있으며, 한 걸음 더 나아가 어떻게 S신문을 제압할 수 있는가 하는 데에만 온통 신경을 쏟고 있었다. 이 외에도 특히 Y신문 편집국장의 입장에서는 이번 일이 사장의 집안 명예와 직접적인 관련이 있는 만큼 무슨 수단을 써서라도 사태를 저지하고 김변호사 살인범을 잡아야 했다. 그것은 바로 사장의 더욱 두터운 신임을 얻을 수 있고, 또한 그 자신의 크나큰 공적이 될 수 있는 길이기도 했다.

「그 형사 이름이 뭡니까? 이렇게 된 이상 일을 빨리빨리 처리하는 게 좋지 않습니까?」

「그 전에 내 입장을 먼저 말씀드려야겠습니다.」

「글쎄, 충분히 이해한다니까요.」

「아니, 그 정도 가지고는 안됩니다. 좀 더 확실한 어떤 보장 같은 게 필요합니다. 그래야만 나도 마음놓고 이야기 할 수 있을 게 아닙니까. 만일 내가 모든 걸 털어놓으면 그 결과가 어떻게 되리라는 건 잘 아실 겁니다. S신문사 쪽에서는 나를 배반자로 생각하고 가만두지 않을 겁니다. 그럼 나는 뭐가 됩니까. 언론계에 20년 가까이 투신해온 몸이 이 나이에 결국엔 올 데 갈 데 없는 실업자가 될 수밖에 없습니다. 그러니까 어떤 보장이 있어야만 나도 자신있게 털어놓을 수가 있다 이 말입니다.」

정부장의 말에 편집국장은 깊이 생각하는 눈치를 보였다. 한참 후에 그는

「S신문 기자들은 이 사건을 모두 알고 있는가요?」

하고 물었다.

「기자들은 한 사람도 모릅니다. 편집국장하고 주필, 그리고 사장만 알고 있습니다.」

정부장은 딱 잘라 말했다.

「그럼 취재는 누가 하는 겁니까? 기사 작성이 문제 아닙니까?」

「사회부 기자 한 명만 알고 있죠. 그 기자가 마침 담당 형사하고 친구라 그걸 물어온 겁니다. 그 기자는 특종감이라 딴 일은 집어치우고 거기에만 매달려 있습니다.」

「그럼 정부장님 손을 거쳐야만 그 기사가 나갈 거 아니오?」

「그렇지요.」

「그럼 정부장께서 어떻게 좀 막아주시오.」

「그건 어렵습니다. 내 손에서 막을 수 있는 거라면 몰라도 위에서 직접 내려오는 것이라 나는 그저 원고 검토나 하는 정도에 불과하죠.」

「그 원고는 준비됐나요?」

편집국장은 당황한 눈치였다.

「지금 준비 중에 있습니다.」

「그 기자 이름은 뭡니까?」

「엄창규라고 합니다.」

「그럼 나하고 지금 우리 사장을 만나러 갑시다. 거기 가면 구체적으로 정부장님 처우 문제도 이야기할 수 있을 테니까…」

「좋습니다.」

정부장은 한숨을 놓으며 일어섰다. 편집국장이 식대를 지불하는 동안 그는 약간은 설레는 마음으로 납작한 코를 손으로 쓰다듬고 있었다.

그곳을 나온 그들은 함께 Y신문사로 직행했다. 그리고 반시간쯤 기다리다가 사장실로 들어갔다.

Y신문 사장, 다시 말해 죽은 김중엽 변호사의 동생되는 김명엽(金命燁)은 50대로, 이마가 훌렁 벗겨지고 눈과 입이 튀어나온 흉물스런 모습을 하고 있는 사나이였다. 성질이 몹시 사납고 팔팔한 그는 대충 이야기를 듣고 나자 책상을 쾅 치며 고래고래 고함을 질렀다.

「이 병신 같은 새끼들, 편집국 기자들은 뭐하는 거야! 여긴 기자도 없어?! 왜 S신문은 알고 있는데 여기서는 모르는 거야?! 주필은 어디 갔어?! 빨리 올라 오라 그래! 사회부장도 오라고 그래!」

워낙 고함소리가 컸기 때문에 안에 있는 사람들은 주눅이 들어 숨소리 하나 제대로 낼 수가 없었다.

곧 사장이 직접 주재하는 긴급 회의가 열렸다. 그 회의가 열리는 동안 정부장은 옆방에서 초조히 대기하고 있었다.

Y신문 사장은 격렬한 어조로 S신문을 질타했다. S신문이 Y신문을 집어삼키려고 하고 있다고 그는 몰아붙였다. 그의 푸짐한 욕설에 간부들은 사태의 심각성을 깊이 깨달았다.

결국 그날의 긴급 회의는 첫째, 오병호 형사의 수사를 중단시키고 둘째, 경찰로 하여금 김변호사 살인범을 빨리 체포하도록 촉구하고, 셋째, 정완섭 부장의 처우를 보장하되 정보 입수를 위해 당분간 S신문에 그대로 머물러 있도록 결정을 보았다. 우

선 발등에 떨어진 불부터 꺼놓고 보자는 것이 그들의 대체적인
의견이었다. 이외에도 엄창규 기자를 포섭하자는 의견도 있
었다. 그러나 그것은 거의 기대할 수 없는 것이었다. 아무튼 가
능한 방법을 모두 동원해 보기로 하고 회의는 끝났다.

사장실에 혼자 남은 김중엽은 자기 형의 죽음을 불명예스럽게
변질시키려는 자들의 음모에 대해 생각할수록 화가 치밀었다.
담배를 뻑뻑 피우던 그는 거칠게 수화기를 들고 검찰청에 있는
조카에게 전화를 걸었다.

죽은 김중엽 변호사의 둘째 아들인 김윤배(金允培) 검사는 누
가 봐도 서슬이 퍼런 검사라고 보기에는 좀 유다른 데가 있는 사
람이었다. 갓 서른 살인 그는 작은 키에 여자처럼 얼굴이 희고
갸름해서 매우 온화한 인상을 풍겨주고 있었다. 아버지와는 전
혀 딴판이었다. 그러나 겉보기와는 달리 어떤 점에 있어서는
매우 확고부동한 데가 있어서, 함부로 흔들 수 없는 기품을 간
직하고 있었다. 이것이 그와 그의 집안 사람들과의 사이에 은연
중에 상당한 거리감을 조성하고 있었다.

현실에 재빨리 적응하면서 오직 자기 보호와 이익을 위해서만
행동하는 집안 사람들은 김검사를 마치 자신들의 방패막이로 이
용하려 들었고, 그러한 그들을 김검사는 매우 못마땅하게 생각
했다. 특히 정당하지 못한 것을 부탁해 올 때면 그는 몹시 반발
하곤 했다. 그래서 집안 사람들은 그를 인정머리없는 놈이라고
생각하게 되었고, 김검사는 김검사대로 될수록 그들을 멀리 하
려고 애를 썼다.

1년 전에 아버지가 살해되어 사회적으로 물의를 일으켰을 때
만 해도 그랬다. 집안 사람들은 아버지의 비행(非行)이 밝혀짐
으로써 집안의 명예가 더럽혀질까봐 두려워했고, 그러면서도
한편으로는 아버지의 비행이 이룩해 놓은 여러 가지 반 사회적
인 사업들이 망하지 않고 계속 번창하기를 바랐다. 이렇게 겉과

216

속이 다른 데 대해서 김검사는 구역질을 느끼면서 집안이 어쩌다가 이렇게 타락했을까 하고 자문해 보기도 했다.

누구보다도 그는 아버지에 대해서 감정이 좋지 않았다. 적성을 고려하지 않은 채 그를 법과대학에 입학시켜 결국 검사가 되게 한 사람도 아버지였고 그에게 부당한 사건 청탁을 많이 한 사람도 아버지였다. 이러한 아버지를 그는 싫어했고 그래서 생전에 싸움이 잦았다. 아버지가 살해되면서 동시에 그의 여자 관계를 비롯한 갖가지 비행이 들추어지자 그는 아버지의 죽음을 슬퍼할 마음도 없어지고 말았다. 입을 꾹 다문 채 굳은 표정으로 그는 장례식을 치렀다. 그리고 아버지에 관한 것은 가능한 한 잊으려고 노력했다. 범인 체포에 대해서도 일체 관계를 하지 않고 담당 경찰부서가 하는 대로 내버려두었다.

그런데 느닷없이 Y신문사 사장인 삼촌으로부터 심상치 않은 전화가 온 것이다. 내용을 모르는 그는 지금은 바빠서 시간을 낼 수 없다고 말했다. 그러자 삼촌은 호통을 쳤다.

「너는 네 아버지 일이 궁금하지도 않아! 명색이 검사라는 자식이 자기 아버지가 살해됐는데도 그렇게 멍청하게 앉아 있어? 내 지금까지는 모른 체해 왔지만 이젠 참을 수가 없어. 우리 집안이 이게 뭐냐. 잔말 말고 빨리 와. 이건 네 아버지 일이야. 알았어? 네 아버지 일이라구.」

삼촌은 그의 대답도 기다리지 않고 전화를 탁 끊었다. 김검사는 이맛살을 찌푸리면서 밖으로 나왔다. 택시를 타고 Y신문사에 이를 때까지도 그는 투덜거렸다.

사장실에 들어서자마자 삼촌은 책상을 두드리며 한동안 그를 꾸짖었다. 김검사는 그 앞에 고개를 떨어뜨린 채 서 있어야 했다. 욕을 먹어야 할 까닭이 없었기 때문에 그는 당황하고 창피했다. 은근히 기분이 상해왔다. 마음 같아서는 획 나가버리고 싶었다. 그러나 어른 앞에서는 비굴할 정도로 참아야 한다는 것을 어릴 때부터 귀가 따갑게 들어온 그는 삼촌의 꾸짖음을 거의 귓가로 흘러버리면서 묵묵히 서 있었다.

일장 훈시가 끝나자 그제서야 삼촌은 그를 자리에 앉게 했다. 그리고 그가 들은 내용에다 잔뜩 살을 붙여가며 이야기를 늘어놓았다.

대수롭지 않게 생각했던 김검사는 이야기를 모두 듣고 나자 적잖게 놀랐다. 그러나 내색은 하지 않았다. 그가 놀란 것은 살인범이 나타났다는 사실 때문이 아니라 사건에 얽힌 그 뿌리깊은 내막의 기괴함과 비극성 때문이었다. 삼촌의 이야기만으로는 자세히 알 수 없었지만 거기에는 직감적으로 와 닿는 그 무엇인가가 있었다. 그것은 분명히 하나의 큰 충격이었다. 그러나 그는 거기에 대해 일체 의견을 말하지 않았다. 다만 삼촌의 비위를 상하지 않게 하려고 수긍하는 빛만을 보였다.

그날 저녁 Y신문사의 사회부 기자 두 명이 비행기로 광주에 급파되었다. 자세한 내막을 모르는 그들은 데스크에서 시키는 대로 충실히 취재에 임할 태세만 갖추고 있었다. 한 시간도 못되어 광주에 도착한 그들은 미리 연락을 받고 대기하고 있는 두 명의 지방 주재 기자와 합류했다. 서울서 내려간 기자 한 명과 주재 기자 한 명은 한 조가 되어 그날 밤으로 문창으로 향했고, 나머지 두 사람은 도경찰국(道警察局)으로 직행했다.

밤 늦게 문창에 도착한 기자 두 명은 일단 경찰서에 들렸다가 사택으로 서장을 찾아갔다.

갑작스레 기자들의 방문을 받은 김서장은 당황한 김이라 잠옷 바람으로 그들을 맞았다. 번쩍하고 플래시가 터지자 서장은 더욱 당황했다.

「무슨…… 무슨 일들이오?」

「오병호 형사는 지금 어디 있습니까?」

기자들은 생각할 겨를도 주지 않고 질문을 퍼붓기 시작했다.

「살인을 했는데 왜 구속하지 않죠?」

「파면하지 않은 이유는 뭐죠?」

「오형사는 지금 어디 있습니까?」

「오형사가 쫓고 있는 살인범은 또 어디 있습니까?」

「도대체 왜 이런 것이 지금까지 보도관제가 되었죠?」

김서장은 아연했다. 그는 정신을 차리려는 듯 냉수를 꿀꺽꿀 꺽 마셨다.

결국 그는 기자들의 집요한 추궁에 손을 들고 말았다. 이렇게 된 이상 피할 수도 거절할 수도 없었다. 그는 대충 오병호의 난 처한 입장을 변호해 주는 것으로 이야기를 끝냈다. 한 시간 남 짓 기자들에게 시달리고 나니 식은땀이 주르르 흘러내렸다. 그 는 내일 출근하는 길로 사표를 써야겠다고 생각했다.

문창에서 하룻밤을 지낸 기자들은 이튿날 아침 일찍 서울 본 사로 취재경과를 보고한 다음, 이번에는 풍산으로 향했다. 풍산 경찰서는 그들을 쌍수로 맞이했다. 수사계장은 기자들에게 커 피 한 잔씩을 권한 다음 이렇게 말했다.

「그 오병호란 자식, 지금까지 잡히지 않는데요. 남의 관할 구 역에 와서 사람을 죽이고 내뺐습니다. 문창 서장이 특별히 봐 줘서 그런지 아직까지 파면되지 않고 질질 끌고 있군요. 도경 에도 보고됐는데 웬일인지 쉬쉬하고 있습니다. 하긴 경찰이 살인을 했다는 건 아무래도 명예스럽지 못한 일이니까 그럴 수도 있겠지만…… 이건 너무 한 것 같아요. 기자분들이야 이 런 걸 듣고 참을 수 없겠지요.」

「왜 사람을 죽였답니까?」

「글쎄, 피해자 측 말을 들으니까, 옛날에 죽은 사람의 무덤을 파헤치라고 그랬다는데…… 누가 그걸 듣겠어요. 안 들으니 권총으로 쐈답니다.」

경찰서를 나온 기자들은 피살자의 유족도 만나보았다. 한봉주의 부인이 울고 있는 곁에서 그 시동생되는 청년은 울분을 토했다.

「힘없는 백성은 어디 살겠습니까. 아무리 경찰이라고 어디 이럴 수가 있습니까. 생사람을 죽여놓고 이렇게 모른 체할 수가 있습니까. 뼈를 갈아먹어도 시원치 않은……」

두 곳에서 취재 활동을 벌인 Y신문 기자들은 이날 오전 중으로 본사에 그 결과를 보고했다. 본사로부터는 상경하지 말고 대기하고 있으라는 지시가 내려왔다.

이런 줄도 모르고 오병호 형사는 호남선 상행과 하행 열차를 모두 기다리고 있었다. 배정자가 이미 상경했다면 반드시 일을 마치고 다시 내려갈 것이므로 하행까지 기다려야 했다. 그러고 보니 상·하행 열차는 모두 해서 하루에 여덟 번이나 있었다. 여기에 오르내리는 승객들을 모두 감시하려면 잠시도 역을 떠날 수가 없었다.

새벽부터 나와서 떨며 기다리던 병호는 아침 10시쯤에 엄창규에게 전화를 걸었다. 신문사에서 전화를 받은 엄기자는 버럭 소리를 질렀다.

「이 사람, 말도 없이 그렇게 다니면 어떻게 하는 거야. 지금 어디 있어?」

「서울역이야.」

「거기서 뭣하는 거야. 좀 만나자구.」

「자리를 뜰 수가 없어. 배정자를 기다리고 있는 거야.」

「배정자가 누구야?」

「한동주의 부인이야.」

병호는 거기에 대해 좀 자세히 설명해 주었다. 그리고 어제 황태영과 황바우, 그리고 손지혜를 만난 이야기도 해주었다. 이야기를 듣고난 엄기자는 함께 가지 못한 것을 몹시 섭섭해 했다.

「그런 일이 있으면 혼자서만 가지 말고 함께 가자구. 나도 자세히 알아야 할 게 아니야.」

「갑자기 두 사람이 들이닥치면 저쪽에서 겁을 집어먹을까봐 혼자 간 거야. 이젠 어느 정도 안심시켜 놨으니까 다음엔 같이 가도록 하지.」

「한 시에 그리 갈 테니까 대합실에서 만나지.」

「시간 있으면 와도 좋아. 그렇지만 지루할 걸.」

틈이 날 때면 병호는 가게에서 무엇을 사먹거나 아니면 대합실 안을 어슬렁거렸다. 지리한 것을 견뎌내는 그의 인내심은 보통사람으로서는 감당해 낼 수 없을 만큼 대단한 것이었다. 더구나 몸까지 불편한 그가 추운 곳에서 그렇게 참아내고 있다는 것은 실로 놀라운 일이었다. 자리에 앉아 있으면 금방 졸음이 밀려왔기 때문에 그는 자주 움직였다. 이렇게 사람을 기다리고, 추위에 떨고, 졸음에 시달리는 것이야말로 수사에 종사하는 사람이면 누구나가 겪어야 하는 어려움이었다. 그것은 그들의 가장 주된 생활이라고도 할 수 있었다. 그러나 병호처럼 이렇게 쫓기는 몸으로 동료의 지원도 없이 혼자서 한없이 기다린다는 것은 거의 드문 일이었다. 열이면 열 모두 이런 짓은 집어치우게 마련이었다. 그러나 가능성도 없는 그 일을 위해 병호는 물러서지 않고 묵묵히 기다렸다. 사태가 급하다는 것을 알면서도, 겉으로 보기에는 할 일 없이 빈둥거리는 한가한 실업자 같은 모습으로 기다리고 또 기다렸다.

12시쯤에 그는 어깨의 통증을 견디다 못해 부근에 있는 병원에 갔다. 가기 싫은 곳이었지만 그로서도 하는 수가 없었다.

의사는 왜 지금까지 이대로 두었느냐고 힐문하면서 그의 상체를 벗기고 어깨에 반창고를 두껍게 붙인 다음 거기에 다시 붕대를 칭칭 감았다. 그리고 주사를 놓고 약을 지어주었다.

「이쪽 팔은 당분간 움직여서는 안되니까 붕대로 목걸이를 해

서 팔을 고정시키세요. 약은 거르지 말고 드시고요. 그리고
모레 다시 오세요.」

이번만은 의사의 말을 따라야겠다고 그는 생각했다. 옷을 입
고난 그는 간호원이 만들어준 붕대에 왼쪽 팔을 걸었다.

「괜찮겠습니까?」

그는 좀 걱정이 되어서 물었다.

「글쎄, 두고 봐야죠. 뼈는 이상하지 않은 것 같은데, 너무 오
래 방치해 놔서 곪지 않을까 모르겠어요.」

밖으로 나오면서 자신의 몰골을 거울에 비쳐보자 먼저 창피한
생각부터 들었다. 그는 팔을 걸었던 붕대를 풀어 주머니 속에
집어넣었다. 아무래도 그런 몰골로 사람들의 시선을 받으면서
다닐 수는 없을 것 같았다.

한 시에 온다던 엄기자는 반 시간이 지나도 나타나지 않았다.
그가 꼭 와야 할 필요는 없었지만 병호는 혼자 있기가 몹시 심심
했기 때문에 그가 기다려졌다.

세 시 가까이 되었을 때 엄기자가 다른 기자 한 명과 함께 헐
레벌떡 나타났다. 그리고 병호를 끌고 역 안에 있는 그릴로
갔다.

「야단났어. 이거 봐.」

자리에 앉자마자 엄기자가 들고 있던 신문을 병호에게 내밀
었다.

그것을 펴본 병호는 소스라치게 놀랐다. 〈殺人刑事가 事件搜
事〉란 제하의 기사가 Y신문 사회면 톱을 장식하고 있었던 것
이다. 그는 숨을 죽이고 그것을 자세히 읽어 보았다. 거기에는
그의 이름 석 자와 함께 그의 살인 행위가 제법 자세히 나와 있
었다. 사진도 실려 있었다. Y신문은 그를 파렴치범으로 맹렬히
규탄하고 있었다. 뿐만 아니라 살인 형사를 지금까지 체포하지
않았다 하여 경찰 당국까지도 신랄히 비난하고 있었다. 시종일

관 이렇게 지탄만 하고 있었지, 어떻게 하여 그가 사람을 죽이게 되었는가 하는데 대해서는 일체 언급이 되어 있지 않았다. 피살자 유족의 말은 분노와 원망으로 차 있었고, 도경(道警)은 책임자를 문책하고 빠른 시일 내에 살인 형사를 체포하겠다고 공언하고 있었다. 다만 마지막에 짤막하게 인용된 문창 경찰서 김서장의 말이 무엇인가 여운을 남겨주고 있었을 뿐이었다.

〈책임을 느끼고 이미 사표를 제출했다. 인명을 살해한 것은 분명 잘못된 일이지만 吳炳鎬 형사로서도 그럴 만한 사정이 있었을 것이다. 그는 현재 매우 중요한 사건을 수사중이다. 나는 그의 소재를 모른다.〉

이것이 김서장의 말이었다. 김서장의 주름이 많은 얼굴이 떠올랐다.

「이거 어떻게 된 일이야?」

병호의 얼굴은 분노로 말미암아 창백해졌다.

「나도 모르겠어. 당한 거야.」

엄기자는 머리를 흔들다가 동행한 청년을 소개했다.

「같은 부에 있는 박기자야. 앞으로 나와 함께 이 사건을 맡기로 했어. 주로 자네와 붙어다닐 거야.」

병호와 박기자는 악수했다. 상대는 아직 싱싱한 맛이 풍기는 20대의 청년이었다. 기자 생활을 한 지 얼마 안되는지 순진해 보이는 두 눈이 이쪽을 호기심어린 눈으로 바라보고 있었다. 병호는 다시 신문을 들여다보았다.

어떻게 그에 대한 기사가 S신문도 아닌 Y신문에 이렇게 나왔을까.

그는 난처한 얼굴로 엄기자를 바라보았다.

「아무래도 이상해. Y신문에 새나간 게 분명해. 이런 식으로 기사를 쓸 수는 없단 말이야. 일방적으로 자네만 이렇게 깔수가 있어? 적어도 왜 그런 일이 일어나게 됐는지 조금이라도 그걸 밝혔어야 하지 않아? 이건 우리가 예상했던 대로 저쪽에서 눈치를 채고 미리 우리 계획을 짓밟아 버리려고 한 게 분명해. 우리 S신문에 도전을 해온 거야. 우린 그럴 마음이 없었지만 저쪽에서 이렇게 나온 이상 당하고만 있을 수 없지. 사실을 사실대로 밝히기만 하면 되는 거야. 이 기사를 보고 주필이 노발대발했어. 빨리 우리도 기사화시키라는 거야. 모두 긴장해 있어.」

엄기자는 흥분해서 말했다. 병호는 자기도 모르게 머리칼을 쥐어뜯었다.

「S신문과 Y신문이 서로 싸워야 할 이유라도 있나?」

「어, 이 사람 무슨 말을 하는 거야. 아직 그거 모르나? 내가 말 안했던가?」

「무슨 말? 모르겠는데.」

「Y신문사는 죽은 김중엽 변호사의 동생이 경영하는 거야, 이제 알겠어? 그 사람 이름은 김명엽인데 신흥재벌이지. 본래가 언론계에 있던 사람은 아니고 돈이 있으니까 장사속에서 신문사를 하나 차린 건데 이게 제법 잘돼 나가는데 문제가 있어. 자기 사업을 보호하고 선전하는 것을 제일 주목적으로 하고 있기 때문에 사회 정의니 양심이니 하는 것하고는 거리가 멀지. 자기 사업에 조금이라도 위협적인 상대가 나타나면 신문으로 내려갈기지. 재기불능할 정도로 무자비하게 말이야. 오늘 이 기사도 바로 그런 거야. 자네가 수사하는 사건이 모두 적나라하게 공개되면, 죽은 김변호사는 말할 것도 없거니와 자기네 집안 명예에도 큰 타격이 오니까 우선 자네 입을 틀어막으려는 거야. 자네 뒤에 S신문이 있다는 걸 알고 있을 테니까 단단히 준비하고 있을 거야. 더구나 S신문과는 그 전부터 라이벌 관계니까 이를 갈고 있겠지. 이렇게 되면 자네가 문제야. 자칫 잘못하다가는 의외로 자네 희생이 클지도 몰라.

그들은 자네가 체포되어 몇 십 년쯤 옥살이하기를 바라고 있
겠지.」

「난 아무래도 괜찮아. 각오하고 있으니까.」

하고 병호가 말했다. 그의 목소리는 공허한 감정을 담고 있
었다.

「각오하고 있다니, 그거 무슨 정신나간 소리야?」

「사람을 죽인 건 사실이니까…… 변명할 여지가 없어.」

「정당방위라고 했잖아?」

「얼결에 위험해서 쐈지만…… 한 방이 아니고 여러 방을 쐈
어. 첫방 외에 나머지 여러 방을 쏠 때는 상당히 기분이 좋았
어. 일종의 환각같이 말이야.」

엄기자는 어이가 없다는 듯 병호를 바라보았다. 그는 마치 병
호의 새로운 면을 보고 있는 것 같은 눈치였다. 박기자도 어리
둥절한 얼굴을 하고 있었다. 조금 후에 엄기자가 성을 내듯이
하고 말했다.

「지금 그런 말 할 때가 아니야. 대책을 강구할 때야. 잘못
하다가는 모든 게 수포로 돌아간단 말이야. 그 새끼들이 다음
에 어떻게 나올지 누가 아느냐 말이야. 괜히 그렇게 자학적으
로 나오지 마. 김빠지게.」

엄기자의 말에 병호는 잠자코 있었다. 마음속으로는 자기가
자학에 빠져 있다고 생각지는 않았다.

「그래서…… 우리도 내일 신문에 터뜨리기로 했어. 볼 만할거
야.」

엄기자는 머리를 쓸어올리면서 병호를 응시했다. 병호는 마
지막 대결이 임박해 왔음을 느꼈다.

「기사를 잘 써야 할 텐데…… 누가 쓰는 거야?」

「내가 직접 쓸 거야. 딴 사람한테 맡기고 싶지 않아.」

「음, 그런데 이렇게 되면 시일이 너무 촉박한데……」

「촉박하다니?」

「한동주의 행방을 아직 모르지 않나. 그 사람을 못 찾으면 우리가 불리할지도 몰라.」

「그렇군. 그게 문제군. 하지만 신문에 떠들면 의외로 빨리 그 놈이 나타날지도 모르지 않나. 제 놈이 숨어봐야 어디에 숨어 있겠어.」

「빨리 서둘러야겠는데…… 그런데 어떻게 비밀이 새어나갔지?」

「글쎄, 그걸 모르겠어. 하지만 염려할 것 없어. 곧 알 수가 있을 거야.」

계단을 내려올 때 엄기자는 병호의 어깨에 손을 얹어놓으며 은근히 물었다.

「두렵나? 얼굴이 좋지 않은데……」

「천만에. 난 괜찮아. 다만 황바우 가족이 염려되는데.」

「왜?」

「그 사람들이 이걸 어떻게 받아들일지 모르겠어. 그 사람들한테 무슨 일이 일어나면 안되는데……」

「그 사람들 걱정하지 말고 자네 걱정이나 해. 자네가 지금 잡히면 만사가 다 틀어지는 거야. 저쪽에서 노리고 있는 것도 바로 그거니까 조심하도록 해. 그리고 참, 김변호사의 아들이 검사라는 것도 알아둬. 자, 내일 신문을 기대하게.」

엄기자는 타고 온 신문사 지프에 오르며 손을 높이 올려 보였다.

박기자는 병호와 행동을 같이 할 셈인지, 그와 함께 남았다. 처음에는 좀 거북했지만 몇 마디 주고 받아 보니 조금도 부담이 가지 않는 청년이었다. 미남형의 얼굴이 특히 보기에 좋았다.

「춥고, 지리하고 배고플 거요. 내키지 않으면 언제라도 좋으니 돌아가시오.」

「원, 무슨 말씀을 그렇게……. 전 괜찮습니다. 필요하시다면 무슨 일이라도 말씀하십시오.」

「이거 너무 미안한데……」

그들은 정답게 담배를 나누어 피웠다. 그리고 함께 대합실 안을 어슬렁거렸다. 그러다가 열차 시간이 되면 출입구 쪽으로 나가 승객을 지켜 보았다. 배정자의 얼굴을 모르는 박기자는 병호의 표정을 읽으려고 애를 썼다.

그들이 이렇게 서울역에서 진을 치고 있을 때 엄기자는 내일의 기사 작성을 위해 치밀하고 재빠르게 움직이고 있었다. 그는 우선 사진 기자를 데리고 손지혜와 황바우의 사진을 찍은 다음 정신병원으로 갔다. 그리고 태영의 사진까지도 찍었다. 그밖의 자료는 이미 준비되어 있었다.

그는 신문사에서 가까운 곳에 있는 조용한 호텔 방 하나를 빌어 들었다. 집에는 전화를 걸어 며칠 동안 못 들어간다고 알리고, 병호에게도 연락을 취하기 위해 다시 서울역으로 나갔다.

「앞으로 일이 끝날 때까지 호텔에 있어야겠어. 이따가 그리 와 줘. 그리고 추운데 바바리는 벗고 이걸 대신 입어. 난 또 하나 있으니까.」

사양하는 병호에게 그는 코트를 벗어던졌다.

저녁식사에다 술까지 곁들이고 호텔로 돌아왔을 때는 밤이 꽤 늦어서였다. 그는 목욕을 하고 나서 탁자 앞에 앉아 계속 담배를 피웠다. 써야 할 기사가 너무 충격적인 것이었기 때문에 아무래도 선뜻 손이 가지 않았다. 마치 출발을 앞둔 마라톤 선수처럼 그는 가슴이 울렁거리는 것을 느꼈다. 무엇보다도 어떤 식으로 써야 할지 얼른 결정이 내려지지 않았다. 기사를 쓰는데 이렇게 망설여보기는 처음이었다. 이번 사건은 지금까지 써온 기사 식으로 써서는 안된다는 것이 그의 생각이었다. 좀 다르게, 감정을 많이 넣음으로써 독자들의 감동을 불러일으켜야 한다. 그렇게 하려면 고전적인 기사체가 좋겠지. 그는 다섯 대째의 담배를 피워 물고, 그가 수년 동안 애용해 온 끝이 뭉툭한 몽블랑 만년필을 집어들었다. 그리고 처음으로 연애편지를 쓰는 소년처럼 매우 조심스럽게 원고지의 칸을 메워나갔다.

〈시간은 인간의 감정을 퇴색시키고, 끝내는 기억력까지 말살한다. 지금부터 꼭 1년 전에 서울의 밤거리에서 일어났던 金重燁 변호사 살인사건 역시, 그것이 발생했을 당시의 충격이나 사회적인 물의를 아직까지 기억하고 있는 사람은 별로 없다. 인구 6백만이 들끓는 밀집 사회에서 연속적으로 일어나는 쇼킹한 사건들은 사람들의 감정을 이렇게 마비시켜 놓고 있다. 자신들이 서 있는 이 대지에서 뿌리까지 뽑힌 채 건망증과 무감각 속에서 살아가고 있는 이 현대의 유랑인들—.

그러나 잊어서는 안될 사건이 있다. 지금부터 말하고자 하는 金重燁 변호사 살인사건이 바로 그것이다. 거기에는 우리가 지난 20여년 동안 망각해 온 장대한 비극적 드라마가 있고, 그것이야말로 우리의 녹슨 양심이 마지막으로 판단해야 하는 전 사회적 문제이기에 우리는 눈을 부릅뜨고 그것을 직시해야 하는 것이다. 이것을 한 조각 민족적 비극이라고 부를 수 있는가 하는 것은 모든 독자들의 판단에 맡긴다. 다만 여기서는 비극을 강조하기 위함이 아니고 그것을 극복하기 위해서 이 사건을 만천하에 공개한다는 것을 말해두고 싶다.

金重燁 변호사 살인사건을 말하는데 있어서는 필연적으로 또 다른 살인사건 하나를 말하지 않을 수 없다. 그것은 역시 지난 해에 전남 문창에서 발생한 용왕리 저수지 살인사건을 말하는 것이다. 이것은 지방에서 일어났던 만큼 전남 일대에만 알려졌을 뿐 중앙에는 별로 알려지지 않았던 사건이다.

金변호사 살인사건이 발생한 것은 정확히 말해 지난 73년 1

월 24일의 일이다. 그리고 전남 문창에서 사는 梁達秀 씨가 용
왕리 저수지에서 살해된 것은 같은 해 6월 5일의 일이다. 시
기적으로나 지역적으로 볼 때 이 두 개의 살인사건은 상당한
거리감을 가지고 있다. 두 사건에서 어떤 연관성을 발견한다
는 것은 거의 불가능한 일이거니와, 그것을 발견했다 해도 그
내면을 철저히 파헤친다는 것은 도저히 기대할 수 없는 일
이다. 왜냐하면 이 두 개의 사건 사이에는 20년이라고 하는
기나긴 세월의 단층이 가로놓여 있기 때문이다. 그러나 이 두
개의 사건을 파헤치고 그 뿌리를 캐낸 사람이 있다. 다름 아
닌 문창 경찰서의 吳炳鎬 형사가 바로 그 사람이다.〉

엄기자는 만년필을 놓고 다시 담배를 피워 물었다. 이마에는
어느새 땀이 번지고 있었다. 그는 손톱으로 이마를 문지른 다음
심호흡을 했다. 그리고 계속 쓰기 시작했다.

〈吳炳鎬 형사는 누가 도와주는 사람도 없이 완전히 혼자서 이
두 개의 사건을 한 줄로 연결시켜 놓았다. 비상한 관찰력과
아무도 따를 수 없는 끈질긴 집념으로 갖은 수모와 곤란을 겪
고 이 일을 수행해 온 것이다.

모 일간지에서는 이러한 吳형사를 가리켜 살인 형사라고 지
탄한 바가 있지만, 그와 같은 보도는 사건의 핵심을 전혀 모
르거나 혹은 도외시한데서 기인된 것으로, 吳형사 개인의 입
장에서 볼 때는 치명적인 명예훼손일 뿐만 아니라 지금까지
그가 전국을 누비면서 외롭게 쌓아온 수사 결과에 찬물을 끼
얹는 처사가 아닐 수 없다. 우리는 이런 것을 가리켜 이른바
언론의 횡포라고 단정지을 수 있을 것 같다. 그렇다고 여기서
오형사의 과오를 비호하려는 생각은 추호도 없다. 다만 사실
을 사실대로 밝힘으로써 정당한 판단을 세워보자는 것뿐
이다. 다 아는 바와 같이 오늘날 우리는 사회의 각 방면으로
부터 무수한 횡포를 당하며 시달리고 있지 않은가. 그런 나머

지 모두가 왜소해질 대로 왜소해져서 숨소리 하나 제대로 내기를 꺼려하며 웅크리고 있지 않은가.

이것을 인내심이라고 하는 하나의 미덕으로 생각해서는 안된다. 그것은 인내심과는 거리가 먼 것이다. 그것은 비굴이고 아첨이다. 이러한 생존 방식 속에서는 발전이란 있을 수 없다. 너무 비약된 말일지도 모르지만, 이와 같은 타성에서 벗어나기 위해서도 우리는 이번 사건을 철저히 파헤치고, 중지(衆智)를 모아 여기에 정당한 판단을 내려야 하리라 본다.

吳炳鎬 형사가 과실치사를 한 것은 사실이다. 그러나 상대방이 먼저 그를 살해하려 했기 때문에 그는 자기 방어를 위해 권총을 발사한 것이다. 따라서 그의 행동은 정당방위였다고 볼 수 있다. 그런데 문제는 그가 왜 피신하고 있는가 하는 점이다. 이야기는 간단하다. 과실치사로 입건이 되면 수사를 끝맺을 수 없기 때문이다.

그는 지금 수사의 최종 단계에서 그것을 끝내려고 몸부림치고 있다. 책임감이 유난히 강한 탓일까. 그것만은 아닐 것이다. 기자가 만나 본 바에 의하면 그는 이번 사건에서 손을 뗄래야 뗄 수 없는 어떤 인간적인 감동을 받고 있는 것 같다. 그래서 수사가 일단 끝난 뒤면 자신의 범법(犯法)행위에 대한 처벌을 달게 받겠다는 것이 그가 지금 바라고 있는 간절한 소망이다. 국립경찰이 생긴 이래 처음으로 발생한 오형사의 이 미묘한 입장을 우리는 과연 어떻게 해석해야 옳을까. 형사이면서 경찰에게 쫓기고, 그러면서도 사건 수사를 계속하고 있는 이 외로운 사나이는 오늘도 어느 추운 거리를 서성거리고 있을 것이다.

그러면 吳형사가 쫓고 있는 사건의 흑막이란 도대체 무엇인가. 무엇이 그를 그렇게 사로잡았을까. 이제부터 吳형사를 따라 우리도 그것을 추적해 보기로 하자.

金변호사 살인사건은 처음부터 완전히 미궁에 빠져 있었다. 경찰은 처음 얼마 동안은 매우 적극적으로 수사를 벌였지만 시간이 지나도 단서 하나 잡히지 않자 이 사건에서 거의 손을 떼고 있었다. 문창에서 일어난 살인사건도 마찬가지였다.〉

엄기자는 쓴 것을 읽어보고 몇 군데를 손질했다. 일단 방향이 잡혀지자 쓰는 속도가 좀 빨라졌다. 그는 그 속으로 점점 빠져 들어갔다.

〈……양조장 주인 梁達秀 씨는 그곳 龍王里 저수지에서 낚시질을 하다가 전신을 난자당한 채 물 속에 내던져진 것으로 밝혀졌는데, 경찰은 엉뚱한 사람에게 혐의를 씌워 수사를 했기 때문에 3개월 동안 허송세월만 보냈을 뿐이었다. 吳炳鎬 형사가 이 사건에 뛰어든 것은 이때였다. 그는 처음에 사건이 일어난 지역의 지서주임이었으나 사건이 해결되지 않자 책임을 지고 본서로 좌천되어 대기 발령을 받고 있었다. 그런데 신임 서장이 부임하면서 吳형사의 실력을 높이 사, 그에게 저수지 살인사건을 재수사하도록 특별지시를 내렸던 것이다. 그리하여 이 사건은 본서의 수사계 형사들도 모르게 吳형사에 의해 극비리에 수사가 진행되었던 것이다 ……〉

병호와 박기자가 호텔에 돌아올 때까지 엄기자는 꼼짝 않고 앉아 기사를 썼다.

「괴상망측한 기사도 다 있군.」

이것은 엄기자가 내준 원고를 보고 나서 병호가 내뱉은 말이었다. 그는 또 이렇게 덧붙였다.

「부끄러워서 어디 얼굴을 들고 다닐 수 있겠나.」

「이 사람, 수고했다는 말은 안하고 그게 무슨 소리야. 이런 건 이렇게 써야 효과를 볼 수 있다고. 이제 두고 봐. 점입가경 (漸入佳景)일 거야.」

「연재형식으로 나가나?」

「그럼, 그렇게 나가야지. 내일 볼 만할 거야. 짜아식들, 기절 초풍할 걸.」

엄기자는 야심만만하게 웃어보였다. 그러나 병호는 그렇게 기분이 들뜨거나 유쾌하지 않았다. 막상 자기 이름이 연일 신문에 대서특필되고, 사건을 둘러싸고 많은 사람들이 설왕설래(說王說來)할 것을 생각하니 어쩐지 싫었다. 조용히 해결할 수 있다면 그렇게 되기를 그는 바랐었다. 그렇지만 이미 엎질러진 물이었다.

「배정자는 여전히 그림자도 안 보이나?」

「안 보여.」

「언제까지고 그렇게 막연히 기다릴 수도 없지 않나.」

「그렇긴 해. 하지만 어쩔 수 없지 않아?」

「수사가 너무 뜨는 것 같지 않아? 여기서 바짝 죄야 하는데 말이야.」

「사실 그래.」

병호는 고개를 끄덕거렸다. 사실 그는 하루하루가 급했다. 갑자기 어떤 변화가 닥칠지 몰랐다. 그는 졸음에 눌린 눈을 반쯤 감은 채 말했다.

「한 가지 방법이 있긴 한데, 그게 쉽지 않아.」

「뭔데?」

엄기자의 눈이 빛났다.

「풍산에 내려가서 배정자가 아직도 거기에 있는지 알아본 다음…… 거기 있으면 떠나게 만드는 거야.」

「도망치게 한단 말이지?」

「그렇지. 그리고…… 그 여자를 미행하는 거야. 틀림없이 한동주를 만날거란 말이야.」

「거, 좋은 방법이군. 그렇지만 배정자를 무슨 수로 도망치게 하지?」

병호는 더 말할 기력도 없다는 듯이 눈을 감아버렸다. 그는 한 손으로 턱을 괸 채 한동안 침묵을 지켰다. 박기자는 몹시 피곤했는지 어느새 코를 골며 자고 있었다. 어디선가 불이 났는지 소방차의 사이렌 소리가 요란스럽게 밀려들었다가 길게 여운을 남기면서 사라져갔다.

엄기자는 병호의 입술에 담배를 꽂고 거기에 불을 붙여주었다.

「피곤한가보군.」

「죽겠는데……」

병호는 눈을 떴다. 불빛에 부딪히자 피곤한 눈에서는 눈물이 흘러내렸다. 그는 입을 크게 벌리고 하품을 했다. 그리고 그의 의견을 말했다.

「배정자가 도망칠 수밖에 없게끔 만들어야 해.」

「어떻게?」

「한동주의 무덤이 가짜라는 걸 밝히는 거야. 그리고 또… 한동주가 유일한 목격자인 박용재(朴容載)를 살해했다는 것도 밝히는 거야. 배정자는 겁이 나서 피하겠지.」

「그거 좋은 방법이군. 아주 결정적인데.」

엄기자는 큰 소리로 손뼉을 쳤다. 그리고 생각난 듯 물었다.

「그런데 참 증거가 있어야 하지 않나?」

「물론이지. 한동주가 박용재의 시체를 파묻은 그 무덤은 본래 여자 무덤이었어. 한동주가 박용재의 옷을 벗겨 가지고는 그 것을 여자의 유골과 함께 거기서 오리쯤 떨어져 있는 자기의 가짜 무덤 속에 집어넣었지. 만일 자기의 무덤을 경찰이 확인할 경우를 대비해서 그런 거지. 어리석은 짓이지. 한동주는 여기서 잘못을 저질렀어. 우리 같은 사람은 잘 모르지만, 검시의(檢屍醫)라면 누구나 그 유골이 여자인지 남자인지를 쉽

게 가려낼 수 있을 거란 말이야. 아무리 남자 옷과 함께 유골
을 묻었다 해도 말이야.」
「정말 그렇군. 자네 눈은 못 속여.」
엄기자는 감탄한 눈으로 병호를 바라보았다.
「그리고 그 옷이 박용재의 것이란 게 확인되면 증거는 그것으
로 충분해. 한동주는 살인범으로 등장하는 거고, 배정자는 도
망칠 거란 말이야.」
「이제 알겠어. 그런데 누가 풍산에 내려가서 그 일을 하지?
자넨 내려갈 수 없을 거고…… 박기자를 보낼까?」
엄기자는 잠들어 있는 박기자를 턱으로 가리켰다. 병호는 머
리를 흔들었다.
「안돼. 박기자한테는 너무 벅차. 현지에서 상당히 반발이 커
질 텐데, 그걸 묵살해버릴 수 있는 사람이 내려가야 해. 자네
밖에 내려갈 사람이 없어.」
「기사는 누가 쓰고?」
「지금 당장 내려가는 건 아니니까 그동안에 미리 써 두면 되
지 않아?」
「그래도 되겠군. 그럼 내가 가지. 언제 갈까?」
「기회가 올 때까지 기다려.」
「기다릴 필요가 뭐 있어. 경찰관 입회하에 당장이라도 무덤을
파버리면 될 거 아냐.」
「아니야. 이왕 두 신문이 이 사건을 놓고 싸움을 벌인 이상에
는 초점을 모을 필요가 있어. 풍산의 무덤 파는 현장으로 초점
을 끌어모으란 말이야. 그런 다음 무덤을 파는 거야. 그래야
효과가 클 게 아닌가.」
「그렇게 될까?」
「될 수 있을 거야. 이쪽에서 황바우의 무죄를 주장하고 나서
면 Y신문은 증거를 대라고 할 거란 말이야. 그러면 한동주의

234

무덤이 가짜라고 밝히는 거야. 궁지에 몰리다 못하면 결국 무
덤을 파보자고 하겠지.」
「음, 자넨 보통이 아니군. 신문을 이용할 줄도 알고 말이야.」
「이왕 싸우려면 이겨야지.」
병호는 옷을 벗고 이불 속으로 들어갔다.
이튿날 오후에 나온 S신문은 흡사 폭탄 같은 위력이 있었다.
거기에 실린 엄기자의 첫번째 기사는 먼저 각 일간지에 큰 충격
을 주었다. S신문이 기사를 독점한데 대해 그들은 찬탄과 원망
이 엇갈린 미묘한 반응을 보였다. 경찰 역시 마찬가지였다. 손
도 못 대고 있는 미궁에 빠진 사건을 신문에서 터뜨렸으니 경찰
이 놀란 것도 무리는 아니었다. 그러나 가장 큰 충격을 받은 쪽
은 역시 Y신문이었다. 이미 대처할 각오는 하고 있었지만 S신
문에 기사가 터지자 Y신문 쪽은 아연실색하고 말았다. 사내(社
內)는 흡사 장터처럼 들끓었다.
「이 새끼들을 가만 보고만 있을 거야? 당장 대책을 검토
해!」
Y신문 사장은 간부들을 집합시켜 놓고 고래고래 고함을 질러
댔다.
이날 거리의 화제는 단연 S신문의 기사 내용에 관한 것이
었다. S신문은 날개 돋친 듯 거리를 휩쓸었다. 신문팔이 소년들
은「기사 특보! 살인사건 기사 특보!」하고 외치면서 거리를
바쁘게 뛰어다녔다. 기사를 읽은 사람들은 이런 일이 있을 수
있느냐고 하면서 사건의 추이에 대단한 관심을 보였다. 독자들
의 격려 전화가 빗발치듯 S신문사로 걸려왔다. 모두들 오형사
를 격려하는 전화였고, 개중에는 도와줄 일이 없느냐고 묻는 사
람도 있었다.
「20년 동안 죄없이 감옥에 갇혔다 나온 사람은 기분이 어떨
까.」

「말하면 바보지. 나 같으면 자살해버리든가 미치지. 하루만 집에 틀어박혀 있어도 미치겠는데……」

「나는 원수를 갚겠어. 억울해서 어떻게 자살해.」

「황바우가 출옥한 뒤에 김중엽과 양달수가 차례로 죽어갔는데…… 그렇다면 범인은 누굴까.」

「물어보나마나지. 황바우란 사람이 원수를 갚은 거겠지.」

「육십이 넘은 노인이 무슨 힘으로 그런 짓을…….」

「천만에. 죽이려고 들면 그거 못 죽이겠어.」

「내일 신문을 보면 알게 되겠지. 아무튼 가슴 아픈 일이야.」

사람들은 여기저기서 신문을 들여다보며 이렇게 이야기했다.

Y신문 간부들은 사장의 지시에 따라 대책을 세우려고 부심했다. 그러나 S신문이 워낙 정당한 것을 주장하고 나왔기 때문에 사리에 맞게 거기에 대처할 방법이 없었다. 그래서 자연 옳지 못한 방법을 생각할 수밖에 없었다. 그것은 무조건 부정적인 면을 띠고 있었다. 의당 처벌해야 할 살인형사를 신문이 두둔하고 나선다는 것은 언어도단이다. 구체적인 증거도 없이 황바우가 억울한 옥살이를 했다고 주장하는 것은 존엄해야 할 사직당국(司直當局)의 위신을 추락시키는 것이 아닐 수 없다. 죽었다는 사람이 살아 있다면 그는 왜 나타나지 않는가―대개 이런 식이었다.

경찰은 경찰대로 확실한 입장을 취하기가 어려웠다. 오형사의 활약은 경찰 전체의 입장을 유리하게 세워 주었지만 한편으로는 곤란한 점이 없지 않아 있었다. 그것은 무엇보다도 오형사를 파면시켜야 하는가 하는 문제, 그리고 그를 체포해야하는가 하는 문제였다. S신문 기사에 따르면 오형사를 파면시키든가 체포하는 것은 매우 지나친 처사일 것 같았다. 경찰도 사실 성급하게 그런 처사를 내리고 싶지는 않았다. 그러나 Y신문의 주장대로 한다면 당장 오형사를 파면시킨 다음 체포해야 마땅했다. 더구나 Y신문의 압력은 대단한 것이었다.

아무튼 이런 곤란한 점들을 해소하기 위해서는 먼저 오형사를 소환하는 것이 급했다. 그렇게 해야만이 보다 정확한 것을 알게 되고, 늦게나마 경찰 수사진이 체통을 살려 수사를 재개할 수가 있다. 결국 오형사를 찾아야 한다는 결론을 내린 경찰은 그 소재 파악에 전 수사력을 동원했다. 서울 시내의 모든 숙박업소에 대한 일제 검색이 시작되고, 버스터미널과 역에는 형사가 배치되었다.

〈吳炳鎬 刑事를 발견하는 즉시 정중히 소환할 것！〉

이것은 모든 수사관들에게 내려진 상부의 지시였다.

S신문이 첫번째로 사건을 터뜨리던 날 저녁 Y신문사 편집국장 앞으로 직통 전화가 걸려왔다. 상대는 몹시 쉰 목소리였는데, 이번 사건에 매우 중대한 조언을 해줄 것이 있다는 것이었다. 거기에 덧붙여 S신문이 그럴 수 있느냐고 몹시 화까지 내고 있었다.

「누구십니까？ 존함이 어떻게 되십니까？」

흥분한 편집국장은 큰 소리로 물었다. 그러나 상대는 신분을 밝히지 않고 직접 만날 것을 요구했다. 반 시간 뒤 그들은 어느 중국음식점 구석진 방에서 대좌했다. Y신문 편집국장은 상대를 자세히 관찰했다.

광대뼈가 유난히 튀어나온 것이 전체적으로 깡마른 인상을 보여주고 있었다. 얼굴에 주름이 많은 것으로 보아서는 꽤 늙은 것 같았다. 그러나 숱이 많은 검은 머리칼과 짙은 브라운 색깔의 안경이 그것을 커버하고 있었다. 산뜻한 검은 양복에 붉은 색이 반쯤 섞인 넥타이를 매고 있는 것이 매우 멋을 부리고 있다는 느낌이었다.

음침한 인상인데, 마흔 살쯤 되었겠군, 하고 편집국장은 생각했다.

「황바우란 사람은 억울하게 옥살이를 한 게 아닙니다. 그놈은 분명히 사람을 죽였습니다.」

사내의 목소리는 전화에서 듣던 것과 마찬가지로 몹시 쉬어 있었다. 편집국장은 답답한 기분이 들었다.

「실례지만 이번 사건과 어떤 관계가 있습니까? 어떻게 그걸 알고 계십니까?」

「그건 아실 필요 없습니다. 다만 피해자측과 인척 관계에 있다는 것만 알아주십시오.」

「존함만이라도.」

「곤란합니다.」

「곤란할 게 뭐가 있습니까? 상대는 사람을 죽여놓고도 안 죽였다고 우기고 있지 않습니까? 그게 엉터리라면 이쪽에서 명확히 밝혀야 하지 않습니까? 그런데 선생님께서는 존함도 안 밝히시니 어떻게 선생 말씀을 믿을 수가 있겠습니까. 신문은 언제나 정확한 사실에 근거를 두고 있습니다. 신원도 모르는 분 말을 듣고 기사화시킬 수는 없습니다.」

지푸라기라도 붙잡고 싶은 것이 현재 Y신문의 입장인 만큼 그의 말은 어느 정도 거짓말이었다. 그러나 그는 어떻게 해서든지 상대의 이름만이라도 알고 싶었다.

사내는 좀 실망한 눈치였다. 술잔에 손도 대지 않은 채 초조하게 편집국장을 바라보다가 슬며시 입을 열었다.

「그럼 그만둡시다. 내 말을 못 믿겠다면 그만두겠소.」

그는 코트를 집어들고 일어섰다. 편집국장은 그제서야 황망히 사내를 붙들었다.

「미안합니다. 그러시지 말고 앉으십시오. 제가 괜히 의심했나 봅니다. 미안합니다.」

사내는 못 이기는 체하고 도로 주저앉았다. 그의 얼굴은 더욱 음침한 빛을 띠고 있었다.

이윽고 사내가 입을 열었다.

「한동주가 분명히 죽었다는 것을 증명할 수 있습니다.」

「어떻게?」

편집국장은 앞으로 상체를 기울였다.

「묘가 있으니까요. 묘가 있는데 더 할 말이 있습니까?」

「그 묘가 어디 있지요?」

「풍산군 옥천면에 있습니다. 그곳에 가면 냉골이라는 마을에 그 유족들이 살고 있습니다. 거기에 가서 물어보면 안내해 줄 겁니다.」

「한씨 부인이 살아 있습니까?」

「네, 살아 있습니다.」

「이름은 뭐죠?」

「배정자라고 합니다.」

편집국장은 손수건을 꺼내어 얼굴을 닦았다. 얼굴에는 땀방울 하나 흐르지 않고 있었다. 그는 한참 생각해 보다가 다시 다짐하듯 물었다.

「그 무덤이 정말…… 한동주의 무덤입니까?」

「정말입니다. 가서 직접 확인해 보십시오.」

사내는 확고한 어조로 말했다.

「고맙습니다. 연락처라도 좀 알려 주십시오.」

「내가 연락을 드리겠습니다.」

「그러시겠습니까. 자주 연락을 부탁합니다.」

편집국장은 이렇게밖에 말할 수 없는 자신의 입장에 화가 났다. 그렇다고 내색은 할 수 없었다. 그는 사내와 정중히 악수하고 헤어졌다. 골목길 저쪽으로 급히 사라지는 사내의 뒷모습을 바라보면서 그는 한동안 무엇에 홀린 기분으로 멍청하게 서 있었다.

이 시간에 오병호는 여전히 서울역에 있었다. 병호의 매력에

끌린 박기자 역시 잠시도 자리를 뜨지 않고 병호 곁에 붙어 있었다. 오후에 신문을 보았을 때 병호는 자신이 갑자기 다른 사람으로 변해버린 느낌이었다. 그는 한 곳에 가만히 앉아 있을 수가 없어서 자꾸만 서성거렸다. 유쾌한 기분은 조금도 들지 않았고 오히려 울적하고 초조하기만 했다. 아무도 모르게 혼자서 수사할 때는 외롭기는 하지만 홀가분하고 자유스러웠다. 그러나 지금은 거대한 물결에 휩쓸리는 기분이었다.

경찰이 자기를 찾으려고 혈안이 되어 있을 것이라고 생각한 그는 이발소로 가서 즉시 전처럼 머리에 기름을 발라 붙이고 안경을 썼다. 그렇게 변장하자 박기자도 얼른 알아보지 못했다.

그날도 배정자를 만나지 못한 채 두 사람은 호텔로 돌아갔다. 엄기자는 맥주를 잔뜩 사놓고 그들을 기다리고 있었다.

「우리 국장이 다녀갔어. 이렇게 술까지 사왔지.」

엄기자는 병호와 박기자에게 술을 권했다. 움직임이 활기차 보였고, 두 눈은 투지로 불타고 있었다. 병호는 의자에 비스듬히 앉아 엄기자가 따라주는 대로 맥주를 꿀꺽꿀꺽 마셨다. 막혔던 가슴이 시원하게 터지는 것 같았다.

「배신자를 알아냈어.」

엄기자는 의자를 툭 치면서 말했다.

「누굽니까?」

박기자가 물었다. 엄기자는 웃었다.

「정부장이야. 그치가 Y신문사에 정보를 팔아먹은 거야. Y신문에 있는 양심적인 친구가 나한테 귀뜸을 해 주더군. 나도 그치가 어쩐지 마음에 걸려 조심했었지. 아니나 다를까……」

「그래 어떻게 됐습니까?」

「어떻게 되긴……. 당장 파면이지. 내일 해사(害社)행위자로, 파면 결정이 내릴 거야.」

병호는 아무 말도 하지 않았다. 그는 눈을 스르르 감더니 의

자에 앉은 채로 잠이 들었다. 그때 노크 소리가 들렸다. 반응이
들리지 않자 밖에서 다시 문을 두드리면서 「임검 나왔습니다.」
하고 말했다.

「신분증 좀 보실까요?」

「S신문에 있습니다.」

「기잡니까?」

「네, 기잡니다.」

정모를 쓴 경찰관의 머리가 방 안으로 디밀어졌다. 방 구경을
하듯이 실내를 한번 훑어보고 나서 경찰관은 턱으로 두 사람을
가리켰다.

「저분들도 기잡니까?」

「네, 같은 기잡니다.」

엄기자의 대답에 경찰관은 깎듯이 실례했다고 말하고는 돌아
갔다. 엄기자는 웃었지만 병호는 잠이 달아나버렸다. 그는 아픈
어깨를 손으로 누르면서 말했다.

「내일이나 모레쯤 풍산에 내려갈 준비를 해야겠어.」

「알았어. 준비를 하지.」

「검시의를 한 사람 데려가야 할 거야. 아무도 모르게 기자처
럼 가장해서 말이야.」

「그건 염려없어. 해부학을 전공한 내 친한 친구가 대학병원에
있으니까 그놈을 데려가야겠어. 참, 깜박 잊었군. 자네 요새
연애하고 있나? 이 바쁜 중에 말이야.」

병호가 주춤하자 엄기자는 호주머니에서 수첩을 꺼내어 뒤적
거렸다.

「이거 봐, 오늘 오후에 조해옥이라는 아가씨가 찾아왔어. 자
네를 잘 안다고 하면서 좀 만나게 해줄 수 없느냐고 하더군.
어떻게 된 사이야? 굉장한 미인이던데?」

엄기자는 소년처럼 호기심 어린 눈으로 병호를 바라보았다.

병호는 손등으로 코 끝을 문질렀다.

「그저 오다가다 만난 여자야. 일요일에 점심초대한 걸 깜박
잊었는데.」

「굉장히 보고 싶어 하던데. 모르겠다고 잡아뗄 수가 없어서
내일 다시 연락을 달라고 그랬지. 자네 혹시 그 여자 건드린
건 아니야?」

「쓸데없는 소리……」

병호는 따뜻한 물줄기가 가슴속으로 흘러 들어오는 것 같은
기분을 느꼈다.

「거, 이상하단 말이야. 사람도 어수룩한데 이상할 정도로 여
자가 따른단 말이야. 어때? 이번에 국수 먹게 되나?」

「잠이나 자세. 졸려 죽겠어.」

병호는 옷을 훌훌 벗었다. 엄기자는 짓궂게 캐어 물었다.

「내일 아가씨한테서 전화오면 뭐라고 할까?」

「바쁘다고 그래.」

그는 이불 속으로 들어갔다. 해옥의 얼굴이 떠올랐다. 당장이
라도 그녀가 살고 있다는 아파트로 달려가고 싶었다. 그러나 여
자와 감정을 나누기에는 자신이 너무 빈약하고 여유가 없다는
것을 느꼈다. 아직 그는 이러한 것에 준비가 되어 있지 않다. 결
혼에 실패했다고는 하지만 해옥은 아직 싱싱하고 아름다운 여
자다. 얼마든지 무지개 같은 꿈을 키울 수 있는 아까운 여자다.
오래오래 청춘을 간직할 수 있겠지. 싫으면 도망쳐서라도 아름
답게 살려고 하겠지. 좋은 여자야 암, 좋고 말고, 나 같은 건 뭐
……. 그는 끙 하고 돌아누우며 숨을 으윽 하고 들이마셨다.

이튿날 Y신문에는 S신문을 질타하는 기사가 처음보다 더 크
게 보도되었다.

〈경찰은 왜 아직도 오병호 형사를 체포하지 않는가. S신문은
왜 피살자 김중엽 변호사의 명예를 훼손시키는가. S신문은

왜 김중엽 변호사 살인범을 체포하는데 협조하지 않는가. 20여 년 전의 사건과 이번 사건은 전혀 별개의 것이다. 그런데 왜 두 사건을 결부시키려 하는가. 이것이야말로 악질적인 언론기관이 조작한 횡포가 아닐 수 없다. 이러한 언론 기관은 폐쇄되어야 마땅하다. 우리 Y신문은 범인을 신속히 체포하고 이번 사건을 엄정히 규명하기 위하여 끝까지 투쟁할 것이다. 그 첫번째로 우리는 S신문이 보도한 기사의 사실 여부를 경찰이 확인해 줄 것을 부탁한다. S신문은 오병호 형사의 말을 인용하여 황바우라는 살인범의 옥살이가 무고(誣告)에 의한 억울한 옥살이였으며, 여기에는 당시 검사였던 김중엽 씨의 편협하고 독선적인 판단이 가장 크게 작용했다고 발표했다. 그 증거로 황바우가 살해한 한동주라는 사람이 지금도 살아 있다고 주장했다. 그러나 이러한 주장이 증거가 될 수 없다는 것은 재론할 필요조차 없는 것이다. 구체적인 증거의 제시도 없이 이미 20여 년 전에 살해당한 사람을 살아 있다고 주장하는 것은 도대체 무슨 망발인가. 망령이라도 보았다는 것인가. 김중엽 씨의 명예를 회복하기 위해서도 경찰은 S신문 기사의 사실 여부를 철저히 확인해 주기 바란다. 우리는 이미 한동주 씨 묘(墓)의 소재를 확보해 놓고 있다. 한씨의 묘지는 풍산군 옥천면 잣골에 있다. 그곳에는 그의 유족들도 있다. 이보다 더 구체적이고도 명확한 증거가 어디 있는가. 이것마저 믿지 못하겠다면, 한동주 씨와 그 유족들에게 욕되는 일이겠지만 묘지를 파 보는 수밖에 없을 것 같다. 경찰은 하루 빨리 조사를 해주기 바란다.〉

Y신문의 기사는 대충 이런 내용이었다. 여기에 대해 다음날 S신문의 즉각적인 반응이 나왔다.

〈거듭 밝히거니와 우리는 어느 한쪽을 두둔하려는 편파적인 의도는 추호도 없다. 다만 이번 사건이 백일하에 밝혀져 공정한 판결이 내리기를 바랄 뿐이다. Y신문이 한동주 씨의 사망 여부를 밝히기 위해 한씨의 묘를 확인해야 한다고 주장한 것은 매우 적절한 처사라고 할 수 있다. 우리도 그 주장에 전적으로 동감이다. 경찰의 입회하에 즉시 묘를 발굴해야 한다고 생각한다.〉

양쪽 신문이 이렇게 나오자 사람들의 호기심은 풍산의 한동주 무덤으로 쏠렸다. 별의별 말이 다 나도는 가운데 마침내 경찰은 여론에 밀리다시피 묘를 파보겠다고 다짐하기에 이르렀다. 물론 풍산 경찰서에서 이 일을 담당하게 되었지만 전국적으로 떠들어진 사건인 만큼 전 경찰이 이를 주시하게 되었다.

엄창규 기자는 풍산으로 떠나기 전, 경찰에 두 번이나 연행되었다. 경찰이 그를 연행한 이유는 오병호 형사의 소재를 알기 위해서였다. 그러나 엄기자는 일체 대답하지 않았다. 기자는 취재 소스에 대해 그 누구에게도 대답해야 할 의무가 없다는 것이 그의 주장이었다. 여기에는 경찰도 어쩌는 수가 없었다.

풍산으로 내려가던 날 엄기자는 여행 준비를 마치고 일찍 집을 나섰다. 차 시간은 밤 9시였다. 그때까지 한 시간 남짓 남은 시간을 병호와 함께 보낼 생각이었다.

밖에는 눈이 조금씩 흩날리고 있었다. 관상대 발표에 따르면 전국적으로 눈이 내리고 있는 모양이었다. 아파트를 나서서 차도 쪽으로 나 있는 빈터를 급히 가로질러 가는데 뒤에서 「여보!」하는 소리가 났다. 뒤돌아보자 사내 셋이 그를 향해 뛰어왔다. 가로등이 멀리 떨어져 있어서 모습을 잘 분간할 수 없었지만 모두가 건장해 보였다.

「너 엄창규지?」

먼저 뛰어온 사내가 헐떡거리며 물었다. 엄기자는 불안을 느꼈다. 그는 물러서지 않고 되물었다.

「넌 누구야?」

「이 새끼가 맛을 못 봤나? 너 요새 꽤 까부는데 좀 잠잠할 수 없어?」

사내 셋이 그를 에워쌌다. 엄기자는 두 다리에 힘을 주고 가슴을 쭉 폈다. 누구한테 패배감을 보이는 것을 가장 싫어하는 그는 겉으로나마 당당하게 나갔다.

「이 새끼 죽여버려!」

욕설과 함께 사내 셋이 손과 발을 한꺼번에 놀렸다.

「이 깡패새끼들!」

엄기자도 맞붙어 싸웠다. 소리를 질러 사람을 부를 수도 있었으나 남에게 도움을 청한다는 것이 어쩐지 싫었다. 몇번 힘차게 몸부림치면서 빠져나가려다가 그는 발길에 차여 쓰러지고 말았다. 쓰러진 그를 사내들은 한참 동안 발로 짓이겼다. 그가 사지를 뻗으면서 움직이지 않자 그제서야 그들은 발길질을 멈추었다.

「경고해 두는데 더 이상 까불지 마! 꼬치꼬치 캐지 말란 말이야. 오늘 밤은 경고에 그친다. 말을 듣지 않으면 다음엔 숨통을 끊어놓을 테다.」

그들 중의 하나가 말했다. 그리고 그들은 서두르는 빛도 없이 천천히 어둠 속으로 사라졌다.

엄기자는 몸을 일으키다가 도로 주저앉았다. 허리가 쑤시고 다리가 마구 떨려왔다. 개새끼들, 어디 두고 보자. 깡패 새끼들을 다 동원하다니. 이 엄창규가 그렇게 만만한 줄 알았더냐. 이런 거 몇 대 맞았다고 물러설 위인이라면 차라리 불알을 떼버리겠다. 그는 기다시피하면서 차도 쪽으로 나갔다. 집에 들러 옷을 갈아입고 싶었으나 그럴 시간도 없을 뿐 아니라, 어머니가 이 꼴을 보시면 몹시 놀라실 것 같았다. 가로수를 붙잡고 일어선 그는 손을 들어 지나가는 택시를 세웠다.

「서울역으로 갑시다.」

간신히 택시에 오른 그는 먼저 시계부터 보았다. 아직 30분이 남아 있었다.

「많이 다치신 것 같습니다.」

운전사가 백미러 속으로 그를 바라보며 말했다.

「빨리 좀 갑시다. 차를 타야 하니까.」

빨리 가면 20분 내로 갈 수 있을 것이다.

그는 머리를 뒤로 기대면서 몸의 긴장을 풀었다. 얼굴을 만져 보니 눈두덩이가 부어 있었고 입술도 터져 있었다.

서울역에서는 모두가 초조히 그를 기다리고 있었다.

「아니, 왜 이래?」

그를 본 병호가 놀라서 물었다.

「당했어. 자식들이 깡패까지 동원했어.」

「죽일 놈들이군. 병원부터 가야겠는데.」

「시간 없어.」

그는 머리를 세차게 흔들었다. 그리고 그의 친구인 닥터 차와 악수를 나누었다.

「나와 줘서 고맙네.」

엄기자는 병호에게 닥터 차를 소개했다.

「내가 말한 대학병원의 닥터 차야. 그리고 이쪽은 오병호 형사.」

직업과는 달리 털털해 보이는 닥터 차는 반갑게 손을 내밀었다. 병호도 기분좋게 그 손을 잡아 흔들었다.

「반갑습니다. 잘 좀 부탁합니다.」

「아주 큰 일을 하고 계시더군요. 도움이 될지 모르겠습니다.」

그들은 인사를 나눈 다음 약속이나 한 듯 엄기자에게 출발을 연기하라고 말했다. 그러나 그는 막무가내였다.

「그럴 수 없어. 하룻밤 자고 나면 이런 건 괜찮아. 그보다도 박기자, 자넨 오늘 내가 당한 걸 기사화시켜. 좀 창피하지만 이런 건 모른 체할 수 없어. 그리고 내가 상경할 때까지 자넨 여기 있지 말고 신문사에 죽치고 앉아 있어. 내가 전화연락할 일이 있을 테니까 말이야.」

말을 마친 그는 개찰구로 급히 걸어갔다. 그 뒤를 닥터 차와 사진기자가 급히 따라가 부축했다. 병호는 많이 다쳤으면서도 조금도 꺾이지 않고 더욱 기세 좋게 밀고 나가는 엄기자의 패기에 적잖게 마음이 흔들렸다.

「시원시원한 친구야.」

「네, 걸리는 게 없이 탁 트인 분이죠.」

병호와 박기자가 낮은 소리로 이야기했다.

엄기자는 차에 오르자 끙끙 앓았다.

닥터 차는 열차 내에 비치된 응급처치실로 그를 데려가서 급한 대로 진통제를 주사하고 몇 가지 약을 발랐다. 제 자리로 돌아온 엄기자는 곧 잠이 들었다. 사진기자도 이내 잠이 들었다. 그러나 닥터 차는 잠이 오지 않았다. 그는 생전 처음으로 묘한 드릴을 맛보고 있었다. 이 떠들썩한 사건에 자신이 개입하리라고는 꿈에도 생각지 못한 일이었다.

엄기자와 고등학교 동기동창인 그는 매우 충격적인 박사학위 논문으로 하여 해부학계에 혜성처럼 등장한 신진 학자였다. 언제나 털털한 차림으로 담배와 술, 그리고 여자를 좋아하는 그는 의사이면서도 위생 관념이라고는 조금도 없어보였다. 사람의 시체를 조각조각 도려내는 일에 심취하다 보니 인간에 대한 신비감 따위는 사라지고 일종의 허무감 같은 것이 그의 가슴 밑바닥에 고이기 시작했고, 그것이 그의 생활을 서서히 좀먹어 들어갔다. 어느새 그는 냉소적으로 사물을 바라보는 버릇이 생겨버렸다. 그것이 행동으로 나타날 때 저항적인 성격을 띠는 것은 당연했다. 어떠한 형태이든 권위하는 것에 대해 그는 저항을 느꼈다. 그러한 그에게 엄기자가 이번 일을 부탁해 온 것이다. 이야기를 듣고 난 그는 기꺼이 일을 맡겠다고 말했다.

이것이야말로 눈에 보이지 않는 어떤 권위에 대한 냉소감이라고 생각한 것이다.

열차가 풍산에 닿은 것은 새벽녘이었다. 차 속에서 내내 잠을 잔 엄기자는 눈을 뜨자 언제 아팠더냐는 듯이 몸을 똑바로 세우고 걸어갔다. 눈두덩이 시퍼렇게 부어올라 한쪽 눈이 감겨 있었지만 그의 얼굴은 웃고 있었다. 그것은 보는 사람으로 하여금 몹시 희극적인 느낌을 갖게 했다.

역 앞에 섬진강(蟾津江)이 흐르고 있었다.

강은 얼어 있었고 그 위로 함박눈이 내리고 있었다. 강줄기는 산굽이를 돌아 곧장 내려오다가 다시 산굽이를 돌아 사라지고 있었다.

멀리 지리산의 웅장한 모습이 눈발 사이로 흐릿하게 떠 보였다.

「저어기 저게 지리산인가?」

「그런가 보지.」

일행은 눈을 맞으며 한동안 지리산을 바라보다가 택시를 타고 읍으로 들어갔다.

여관에 짐을 풀고 해장국을 한 그릇씩 먹고 나자 피로가 몰려왔다. 아랫목에 누워 한 시간쯤 몸을 녹이고 있다가 엄기자는 혼자서 경찰서를 찾아갔다.

서원들은 이른 아침인데도 모두 질서정연하게 근무에 열중하고 있었다. 풍산 경찰서가 갑자기 신문지상에 오르내리자 바짝 긴장한 모양이었다. 엄기자를 맞은 사람은 수사계장이었다. 명함을 내밀자 계장은

「어이구, 그렇지 않아도 기다리고 있었습니다.」

하고 말했다.

「Y신문사에서도 왔습니까?」

「Y신문뿐만 아니라 대한민국 신문기자들이 전부 모인 것 같아요. 벌써 어제 다들 와서 여관을 잡아뒀습니다.」

계장은 과장스런 몸짓을 해보였다.

「작업은 언제 합니까?」

「예정대로라면 오늘 오후에 해야 하는데, 눈이 이렇게 와서야 어디……」

「좀 고생스럽더라도 오늘 해치우죠. 우리도 곧 돌아가야 하니까.」

「글쎄, 그렇게 하도록 노력해 보죠. 그런데 참, S신문은 왜 오형사를 두둔하죠?」

「두둔한 거 없습니다.」

「그놈은 질이 나쁜 놈입니다. 빨리 체포해야 합니다.」

「글쎄, 그건 경찰에서 알아서 할 일이겠죠.」

계장은 기분이 나쁜지 입맛을 쩍 다셨다.

「10시에 서장님께서 기자회견이 있을 테니까 그때 다시 오십시오.」

엄기자는 목례를 하고 돌아서다가 물었다.

「한동주 씨의 유족이 지금 집에 있을까요?」

「있을 겁니다.」

「그 부인도 말입니까?」

「있어요. 내가 어제 만나봤으니까. 냉골에 집이 있는데 여기서 꽤 멀어요.」

경찰서를 나온 엄기자는 택시를 타고 냉글로 향했다.

눈쌓인 시골길을 낡은 택시가 터덜거리며 느릿느릿 굴러갔다.

병호가 그렇게 찾던 배정자는 집에 있었다. 기자라고 밝히자 그녀는 눈물까지 흘리면서 억울하다고 푸념을 늘어놓았다. 엄기자는 몇 가지 형식적인 질문을 마친 다음 급히 읍으로 돌아왔다. 그리고 우체국으로 가서 본사에 대기하고 있는 박기자에게 전화를 걸었다.

10시에 열린 서장의 기자회견에는 지방기자들까지 합쳐 20여명이나 몰려와 있었다. 닥터 차, 그리고 사진기자와 함께 그곳에 나간 엄기자는 Y신문 기자들과 마주쳤다. 그들은 외면하지 않고 겉으로나마 반갑게 악수를 나누었다.

서장이 인사말 끝에, 눈 때문에 작업을 연기해야겠다고 하자 기자들이 모두 반대하고 나왔다. 서장은 하는 수 없이 곧 감행하기로 했다.

「이번 사건을 어떻게 보십니까?」

Y신문 기자가 막연하고 좀 바보스러운 질문을 했다.

「글쎄, 모든 건 사실에 입각해서 결정해야 하니까…… 오늘 결과를 보면 어느 정도 판명이 되겠지요.」

나이 많은 서장은 요령있게 대답했다. 엄기자는 이때라고 생각했다.

「한 가지 중요한 문제가 있다고 생각합니다.」

S신문사 기자의 말이었으므로 모든 사람들의 시선이 일제히 엄기자에게 쏠렸다.

「무덤을 파 본다고 해서 문제가 해결된다고 보지는 않습니다. 무덤 속에 사람 뼈가 들었는지 개 뼉다귀가 들었는지 어떻게 압니까. 그러니까 유골(遺骨)을 검사할 필요가 있다고 생각합니다.」

여기저기서 킥킥거리는 웃음소리가 들려왔다. 서장은 못마땅한지 컥하고 헛기침을 했다. 그리고 이죽거리는 투로

「개 뼉다귀하고 사람 뼉다귀하고 구별 못할 사람이 어디 있습니까. 그런 걱정은 안하셔도 될 겁니다.」

하고 말했다. 와아 하고 웃음소리가 터져 나왔다. 엄기자도 씨익 하고 웃었다.

「그렇지만 서장님이 말씀하신 대로 그렇게 간단한 문제가 아니라고 봅니다. 개 뼉다귀하고 사람 뼉다귀하고는 쉽게 구별이 가지만, 여자 뼈와 남자 뼈는 구별하기가 어려울 겁니다. 서장님께서는 이런 문제를 어떻게 처리하시겠습니까? 물론 검시의(檢屍醫)라도 있으면 별 문제입니다만.」

엄기자의 말은 사리가 분명했으므로 서장은 미처 대답을 하지 못한 채 머뭇거렸다.

「여러 분들은 어떻게 생각하십니까?」

마지못해 서장은 다른 기자들을 바라보았다. Y신문 기자들을 제외한 대부분의 기자들은 이구동성으로 엄기자의 말에 동의를 표했다. 화가 난 서장은 수사계장을 불러 세워놓고 윽박질렀다.

「검시의는 대기시켰나?」

「지금 연락하겠습니다.」

「이제 어디로 연락하겠다는 거야?」

「요 옆에 산부인과 병원에 가서 데려오겠습니다.」

계장은 허둥지둥 문 쪽으로 걸어갔다. 서장이 고함을 질렀다.

「이봐! 정신이 있어 없어? 아무나 검시를 하는 줄 알아? 산부인과 의사가 뼉다귀를 볼 줄 아느냐 말이야. 머리가 그렇게 썩어가지고 무슨 일을 하겠다는 거야?」

계장은 두 손을 마주잡고 어쩔 줄을 몰라 했다. 쥐구멍이라도 있으면 쑤시고 들어갈 것 같았다. 이때 엄기자가 일어섰다. 그 옆에 앉아 있던 닥터 차도 일어섰다.

「일부러 나가실 필요는 없습니다. 저는 좀 더 확실한 취재를 하기 위해 대학병원에 근무하고 있는 해부학 교수 한 분을 모시고 왔습니다. 더러 아시는 분도 계실지 모르겠습니다만 여기 계신 이 분이 바로 해부학의 권위자이신 차철민(車哲敏) 박사이십니다. 실례가 되지 않는다면 차박사에게 검시를 맡겼으면 합니다만……. 이 이상 더 권위있는 분을 모시기는 힘들

겁니다.」

실내에는 한동안 무거운 침묵이 흘렀다. 엄기자의 당돌하면서도 치밀한 조치에 모두들 놀라는 눈치였다. 얼마 후에 누군가가 엄기자의 제의에 찬성한다는 듯 박수를 쳤다. 그러자 다른 기자들도 따라서 박수를 쳤다. 수사계장은 안도의 한숨을 쉬면서 서장을 바라보았다. 서장은 붉어진 얼굴로 주위를 둘러보다가

「그럼 그렇게 합시다. 차박사님, 좀 부탁합니다.」

하고 퉁명스럽게 말했다.

기자 회견을 끝내고 나오면서 엄기자는 닥터 차의 어깨를 툭 쳤다. 닥터 차는 입술을 비틀면서 웃었다.

「솜씨가 보통이 아닌데.」

「공식적으로 이렇게 다짐을 받아 두는 게 좋아. 나중에 후유증이 없게 말이야.」

반 시간쯤 후에 일행은 잣골로 향했다.

서장 이하 수사계 형사들, 그리고 기자들, 거기다 인부들까지 따랐으므로 일행은 상당히 많았다. 눈은 북풍을 타고 휘몰아치고 있었다.

같은 날 오병호 형사는 김중엽 변호사가 사무실을 차렸던 빌딩 앞을 서성거리고 있었다. 배정자가 아직 풍산에 있는 한 서울역에 잠복해 있을 필요는 없어졌다. 배정자의 동정을 엄기자가 스스로 보고하기로 되어 있었기 때문에 병호는 박기자에게 전화를 잘 받도록 단단히 부탁해 두었다.

김변호사가 사무실을 차렸던 빌딩은 중심가에 자리잡은 15층 건물이었다. 입구에 앉아 있는 늙은 수위에게 물어보니 김변호사는 5층에 사무실을 차리고 있었다는 것이다. 병호는 호주머니에서 황태영의 사진을 꺼내어 수위에게 슬그머니 내밀었다.

「난 경찰인데…… 이런 사람 본 적이 있습니까?」

경찰이라는 바람에 수위는 안경을 고쳐끼면서 찬찬히 사진을 들여다보았다.

「어디서 본 것 같기도 한데……통 기억이 안 나는데요.」

「분명히 보기는 보셨습니까?」

「네, 그런 것 같아요. 아, 가만 있자. 그렇지. 바로 그놈이군. 이런 세상에, 이렇게 생각이 안 나다니……」

수위는 멋쩍게 웃었다.

「생각이 나십니까?」

「네, 이제 생각이 납니다. 이놈은 이 근방에서 구두닦이하던 놈이죠. 구두닦이치고는 꽤 똑똑하고 잘생긴 녀석이었죠. 이런 놈이 제대로 공부만 했다면……. 그런데 이놈이 무슨 일을 저질렀습니까?」

「아닙니다. 뭐 좀 알아볼 게 있어서 그럽니다. 이 근방에 구두닦는 애들은 어딨습니까?」

「이리 따라 오십시오.」

수위는 밖으로 나가더니 빌딩 옆에 나 있는 골목길을 가리켰다. 병호는 그 골목으로 들어섰다.

골목 끝에 구두닦이 소년 두 명과 왕초처럼 보이는 청년 하나가 연탄불을 둘러싸고 웅크리고 있었다. 왕초는 판자막이 안에서 눈이라도 피하고 있었지만 소년들은 눈을 고스란히 맞고 있었다.

「어서 옵쇼.」

소년 하나가 일어서며 말했다. 병호는 소년의 뒤통수를 쓰다듬으면서 의자에 앉았다.

「손님이 없나 보구나.」

「네, 눈이 와서 없어요.」

왕초가 이쪽을 흘깃 바라보았다. 병호는 그에게 사진을 내밀었다.

「자네, 이 친구 알지?」
「왜 그러시죠?」
「임마, 묻는 대로 대답해. 콩밥 먹고 싶지 않으면……」
왕초는 입술을 내밀었다. 그리고 손등으로 코를 닦았다.
「알아요.」
그는 시큰둥하게 대답했다.
「여기서 함께 일했나?」
「네, 그 똥개새끼 말도 없이 사라졌어요.」
「왜 똥개야?」
「똥개처럼 잘 돌아다녔으니까요. 아씨, 담배 한 대……」
병호는 왕초에게 담배 한 대를 꺼내주고 자신도 하나 피워 물
었다.
「똥개는 언제 함께 일했지?」
「작년 1월까지 일했어요.」
「1월 언제까지? 정확한 날짜 모르나?」
「모르겠는데요.」
「이 빌딩에 있던 김변호사가 살해된 거 알지?」
「네, 알아요.」
「그 사람이 죽은 뒤에도 똥개는 여기 있었나?」
「그런 것 같아요.」
「그러지 말고 정확히 말해 봐.」
「똥개하고 신문을 본 기억이 나요. 그걸 보고 김변호사가 죽
은 걸 알았죠. 그리고 나서 며칠 후에 그 새끼가 꺼져버렸
죠.」
「잠은 함께 잤나?」
「네……」
「어디서?」
「저어기…… 하숙집에서요.」

「똥개한테 평소에 이상한 점은 없었나?」

「글쎄요. 하여간 똥개처럼 잘 돌아다녔어요. 밤에도 늦게 들어오고요.」

황태영의 치밀한 살인 계획에 병호는 놀라움을 금할 수 없었다. 구두닦이까지 하면서 그는 김변호사의 동태를 살핀 것이 아닌가. 무엇이 그를 이렇게 편집광적인 살인 계획에까지 몰고 갔을까. 아버지의 복수를 대신해 준다는 단순한 충동에서 비롯되었다고 보기에는 문제가 너무 크고 대담했다.

병호는 버스를 타고 손지혜의 집으로 향했다. 며칠 동안 한번도 찾아가지 못해 몹시 궁금했다.

같은 시간에 풍산의 잣골에서는 무덤 파는 작업이 한창 진행되고 있었다.

작업이 진행되는 동안 엄기자는 끊임없이 배정자를 주시하고 있었다. 그녀가 앞으로 어떻게 행동할 것인지 볼만할 것 같았다. 배정자는 아들처럼 보이는 청년들 사이에 서서 주위 사람들을 힐끔힐끔 바라보고 있었다. 영락없는 시골 아낙이었다.

엄기자 앞에는 남루한 차림의 부인이 한 사람 추위에 떨며 서 있었다. 죽은 박용재의 부인이었다. 병호의 지시대로 그는 아무도 눈치 채지 못하게 박씨 부인을 현장에 데리고 나온 것이다. 남편을 죽인 범인을 찾아주겠다고 말하자 그녀는 선뜻 따라나섰다.

인부가 많았기 때문에 작업은 오래 걸리지 않았다. 이윽고 관 뚜껑이 열리자 웅성거리던 사람들은 일시에 입을 다물었다. 경찰은 기자들이 잘 볼 수 있도록 일반 사람들의 접근을 막았다. 썩은 관 속에는 유골과 남자의 옷가지가 들어 있었다. 사진기자들은 다투어 사진을 찍었다.

서장이 손짓하자 배정자는 주춤주춤 다가왔다. 그녀는 허리를 굽히고 관 속을 들여다보고 나더니 소매로 눈시울을 닦았다.

모든 사람들의 시선이 일제히 그녀에게 쏠렸다.

「이상 없습니까?」

서장의 질문에 그녀는 말없이 고개를 끄덕거렸다. 그러자 그때까지 잠자코 있던 닥터 차가 사람들을 뚫고 가운데로 들어섰다. 그는 긴 막대기로 관 속을 몇 번 뒤적거리더니 입을 묘하게 비틀면서 상체를 일으켰다. 엄기자는 뚫어지게 그를 응시했다.

「어떻습니까?」

서장이 물었다. 닥터 차는 고개를 설설 흔들었다.

「이건 남자가 아니고 여자 유골입니다!」

그의 목소리는 크고 분명해서 주위에 똑똑히 들렸다. 사람들은 숨을 죽이고 닥터 차와 서장을 바라보았다.

「틀림없습니까?」

서장은 확인하듯 물었다. 닥터 차는 막대기를 흔들었다.

「틀림없이 여자 뼈입니다. 그런데 이상하군요. 이건 남자 옷이 아닙니까?」

그는 막대기로 옷을 끄집어내어서는 전시하듯 그것을 머리 위로 휘둘렀다.

구경꾼들이 먼저 웅성거리기 시작했다. 기자들은 날카로운 시선으로 사태를 관찰했다. 닥터 차는 움직임을 멈추고 다시 말했다.

「이상한 건 이것뿐이 아닙니다. 보시다시피 여기 있는 유골은 아주 오래 된 것입니다. 그런데 이 옷은 새 것입니다. 다른 건 모두 썩었는데 이 옷은 조금도 썩은 데가 없습니다. 여기 이렇게 피까지 묻었군요. 빛깔을 보니까 오래 된 피가 아닙니다.」

모든 사람들의 시선이 이번에는 닥터 차가 꺼내놓은 남자옷에 쏠렸다. 그것은 때에 전 흰 솜바지저고리였다. 피에 얼룩진 그것은 정말 성한 데라곤 없어 보였다. 엄기자는 아무도 눈치채지 못하게 박용재의 부인을 팔꿈치로 밀었다. 그리고 작은 소리로 재빨리 속삭였다.

「저 옷…… 혹시 돌아가신 박선생님 것이 아닙니까? 한번 가
 서 확인해 보세요.」

눈이 나쁜 박씨 부인은 이 말을 듣자 허둥지둥 앞으로 나와 옷을 들여다보았다. 그녀의 입에서는 이내 「아이구머니!」하는 외침이 터져 나왔다. 그녀의 이 갑작스런 출현에 모든 사람들의 눈이 휘둥그렇게 떠졌다.

「당신은 누구요?」

서장이 큰 소리로 물었다. 거기에 아랑곳하지 않고 여인은 울음을 터뜨렸다.

「아이고, 아이고, 이게 누구 옷이당가! 어찌 당신 옷이 여기
 있소. 아이고, 아이고, 이것이 웬일이당가. 예, 서장님, 이
 웬수 좀 풀어주시오.」

서장이 어리둥절해 하자 수사계장이 앞으로 다가와 설명해 주었다.

「얼마 전에 살해된 박용재 씨의 부인입니다. 그때 공동묘지에
 서 시체만 찾았지 옷은 찾지 못했습니다.」

「그럼 이 옷이 박씨의 옷이란 말인가?」

「아마 그런 것 같습니다.」

수사계장은 울부짖는 여인을 잡고 흔들었다.

「이봐요, 부인. 당신…… 운다고 문제가 해결되는 게 아니야.
 내 말 좀 들어보라구요.」

박씨 부인은 한참만에야 울음을 겨우 진정했다.

「똑똑히 봐요. 이게 정말 당신 남편 옷이오?」

「네, 틀림없어라. 밤에 와서 갑자기 끌고가는 바람에 이 옷을
 입고 갔지라.」

주위에 서 있던 사람들이 소란을 피우기 시작했다. 아까보다
는 더욱 시끄럽고, 공기가 험악했다.

「이 짓을 한 놈이 누구야!」

「때려 죽여!」

「이건 가짜 무덤이여. 가짜랑께.」

「경찰은 뭣하는 거여. 이래도 범인을 못 잡나.」

「한동주는 어디 있어. 그놈이 수상해.」

「원, 우리 마을에 이런 해괴한 일이 있다니.」

사람들은 각자 한마디씩 쏘아붙였다. 누군가가 돌을 집어 던
지자 그들은 약속이나 한 듯 모두 그렇게 했다. 돌멩이가 부딪
칠 때마다 관은 텅텅거리며 소리를 냈고 뼈가 밖으로 튀어나오
기도 했다. 썩은 관은 금방 부서져버렸고, 무덤은 이내 돌멩이
로 가득차 버렸다. 경찰이 제지하려고 했지만 소용없는 일이
었다. 서장의 약속을 받은 뒤에야 사람들은 흥분을 가라앉혔다.

「이 무덤이 가짜라는 것을 여러분들에게 밝혀 둡니다. 조속
한 시일내에 한동주의 행방을 알아내고, 살해된 박용재 씨와
의 관계도 조사하겠습니다.」

서장의 말이 떨어지자 배정자는 「아이고!」하고 신음을 토하
면서 그 자리에 풀썩 쓰러졌다.

가족들이 배정자를 데리고 급히 산을 내려갔다. 경찰은 배정
자 대신 그 가족 중의 한 사람을 연행해 갔다. 그것을 보고 엄기
자는 배정자라는 여인이 보통이 아니라는 것을 알았다. 여느 시
골 아낙으로 생각했다가는 큰 오산일 것 같았다. 그는 배정자를
계속 관찰하고 있었기 때문에 그녀가 기절할 정도로 그렇게 충
격을 느꼈다고는 생각지 않았다.

충격을 느끼기보다는 위기가 닥쳐온 것을 알고 피하려는 마음
이 먼저 들었을 것이고, 그래서 기절한 것처럼 가장했을 가능성
이 많았다.

읍으로 돌아온 그는 서울의 박기자에게 전화를 걸어 오형사에게 급히 연락을 취하게 했다.

「딴 데 가지 말고 호텔에 대기하고 있으라고 해. 그리고 박기자도 오늘은 내가 다시 연락할 때까지 퇴근하지 말고. 늦더라도 자리를 뜨지 마.」

「호텔로 직접 전화하시면 안됩니까?」

「이 봐, 호텔 전화는 감도가 나빠. 그러다가 고장이라도 나면 어떡할려고 그래. 만일을 생각해서 양 쪽에 대기하고 있으란 말이야.」

「잘 알겠습니다.」

엄기자는 경찰의 지원을 받을까도 생각했지만 이내 그 생각을 지워버렸다. 경찰의 지원을 받다가는 사태가 의외의 방향으로 흐를 염려가 있었다.

풍산을 통과하는 버스 정류소에 알아보니, 눈사태 때문에 버스 길이 모두 끊겨 있었다. 탈출할 수 있는 길은 열차편뿐이었다. 역에 연락해 보니 열차는 예정대로 운행되고 있었다. 엄기자는 급히 출발 준비를 한 다음 닥터 차와 사진기자를 데리고 역으로 갔다.

역장에게 신분을 밝히고 간단히 용건을 이야기하자 역장은 두 말없이 허락해 주었다.

이미 날은 어두워져 있었다. 눈사태 때문인지 역에 나오는 사람은 별로 없었다. 엄기자는 사무실 안쪽 창가에 붙어서서 대합실을 계속 주시했다. 그렇게 두 시간쯤 지나자 눈이 피로하고 머리가 어지러워왔다.

9시 10분 전, 대합실 문이 열리면서 양장 차림의 여인 하나가 안으로 들어섰다. 대합실 안에는 밤 9시 10분 발 서울행 열차를 기다리는 사람들이 몇 명 서성거리고 있었다. 얼룩덜룩한 머플러로 얼굴을 푹 감싼 여인은 밤색 코트 깃을 한 손으로 맞잡으면서 불안한 눈초리로 실내를 둘러보았다. 짙은 화장으로 얼굴은 백지장처럼 하얗고, 두 눈은 긴 인조눈썹 때문에 몹시 그늘져보였다.

이상은 없다고 생각했던지 그녀는 좀 안정된 걸음으로 매표구로 다가왔다. 엄기자는 그녀가 눈치 채지 못하게 창가에서 물러섰다. 매표구 안으로 돈을 내미는 여인의 손은 젊은 여인의 손이 아니었다.

「서울까지 한 장 주세요.」

엄기자는 여인이 고개를 숙이면서 거스름돈을 세고 있을 때 창가로 바싹 붙어섰다. 그녀의 얼굴을 응시했다. 머플러 밑으로 가발을 쓰고 입술에 루즈까지 두껍게 바르고 있었지만 틀림없는 배정자였다. 얼핏 보아서는 알아보기 어려울 정도로 그녀는 변장하고 있었다.

엄기자도 서울행 차표 세 장을 끊었다. 그리고 서울로 즉시 전화를 걸었다. 박기자는 그때까지 신문사에서 기다리고 있었다.

「배정자, 9시 10분 발 열차. 서울 도착은 새벽 5시 10분.」

「혼자 올라옵니까?」

「동행은 없고, 우리가 따라갈 거야. 우물쭈물하지 말고 오형사한테 빨리 연락해.」

열차가 도착하기까지는 아직 몇 분 남아 있었다. 배정자는 이미 플랫폼에 나가 있었다. 지금 밖으로 나가다가는 배정자의 눈에 띨 염려가 있었다.

「저 여잔가?」

닥터 차가 창밖을 내다보며 물었다.

「그래, 저 여자야.」

「놀랄 일이군. 저렇게 달라보이다니.」

「아주 노련한 여자야. 여우처럼 둔갑할 수 있는 여자야.」

엄기자는 배정자를 계속 쏘아보았다. 눈을 맞으면서 불빛 아래 서 있는 그녀의 모습은 흡사 처녀 같았다.

열차는 예정시간에 들어왔다. 수는 작았지만 내리는 사람과 타는 사람, 그리고 엔진소리 등으로 하여 플랫폼 주변은 얼마동안 소란스러웠다. 그 틈을 이용하여 엄기자 일행은 재빨리 역 사무실을 빠져나갔다. 그리고 열차를 향해 뛰어갔다.

배정자는 통로 쪽으로 자리를 잡아 앉아 있었다. 엄기자는 그녀의 뒷모습이 보이는 맨 끝 자리에 앉았다. 이제 됐다는 안도감이 가슴을 쓸어내렸다. 배정자는 다행히 맞은편 화장실을 이용했기 때문에 엄기자 일행이 앉아 있는 쪽으로는 오지 않았다.

오병호 형사가 박기자로부터 연락을 받은 것은 9시가 조금 지나서였다. 그는 즉시 호텔을 나왔다. 그리고 서울역으로 향했다. 마침 대전을 통과하는 하행열차가 있었으므로 그는 거기에 올랐다. 대전까지는 두 시간 거리였기 때문에 한숨 졸다보니 목적지에 닿았다.

대전에 내린 그는 호남선 상행열차의 도착 시간을 확인한 다음 역 밖으로 나갔다. 거리는 눈이 녹아 질퍽거리고 있었고, 통금 직전의 바쁜 모습들로 혼란을 이루고 있었다.

「주무시다 가세요. 예쁜 색시 있어요.」

역 앞 으슥한 곳에서 여자들이 그를 불렀다. 저 여자들을 밝은 태양 밑으로 끌어낼 수는 없을까, 하고 그는 생각해 보았다. 창녀들을 볼 때마다 언제나 그런 생각이 들었고, 사회구조의 모순에 분노가 치밀곤 했다.

여관방에 들었지만 잠이 올까봐 그는 매우 조심했다. 여자의 앙칼진 비명소리, 밤개 짖는 소리, 사이렌 소리, 주정꾼의 노래소리, 침묵……, 다시 일어나는 소리, 도시의 모든 불행한 소리들이 귓속을 후비고 들어왔다.

그는 새벽 2시 반에 일어나 찬물에 세수를 했다. 졸음은 확

깼다. 역으로 나가보니 새벽 열차를 기다리는 사람이 몇명 서성거리고 있었다. 눈이 그친 대신 날씨가 급강하하고 있어서 몹시 추웠다. 엄기자가 탄 호남선 열차가 도착하는 시간은 2시 50분이었다. 플랫폼으로 나가 10분쯤 기다리고 있자 열차가 들어왔다. 그는 열차의 맨 뒤에서부터 앞으로 조심스럽게 걸어나갔다. 승객들은 지친 끝에 거의 잠들어 있었다. 그가 엄기자 일행을 발견했을 때, 그들은 그때까지도 트럼프에 열중하고 있었다. 병호가 어깨를 툭 치자 엄기자는 눈을 휘둥그렇게 뜨고 벌떡 일어섰다가 도로 주저앉았다.

「어떻게 된 거야?」

「연락받고 기다릴 수가 있어야지. 마침 내려오는 차가 있어서 미리 와서 기다렸지.」

모두가 어쩔 줄 모르며 병호를 반겼다.

「배정자는 어딨어?」

「저어기, 머플러 쓰고 있는 여자야. 뒤통수만 보이는 여자말이야.」

「음, 그렇군.」

「무식한 시골 여자가 아니야. 차려입은 걸 보니까 영 딴판이야. 자네 혼자 서울역에 서 있었더라면 아마 못 알아보았을걸세.」

엄기자는 풍산에서 일어난 일을 병호에게 자세히 이야기해 주었다. 그것을 듣고 난 병호는 이미 예상하고 있었던 일이긴 했지만 적잖게 놀랐다.

「수고 많으셨습니다.」

그가 닥터 차에게 인사하자 차철민은 소리없이 웃었다.

「별 말씀을…… 아주 배운 게 많았습니다. 이런 일이 종종 있었으면 좋겠습니다.」

병호도 따라 웃었다. 웃으면서도 그의 눈은 배정자에게 향하

고 있었다. 저 여자는 지금 무슨 생각을 하고 있을까. 남편의 정
체가 밝혀졌기 때문에 수단 방법을 가리지 않고 무슨 짓이라도
하려 들 것이다.

「무서운 놈이군.」

그는 자기도 모르게 중얼거렸다.

「누구 말이야?」

엄기자가 물었다.

「한동주 말이야.」

「그래, 무서운 놈이야. 또 살인할지도 모르니까 빨리 손을 써
야 할 거야.」

5시 10분 — 열차는 덜커덕거리며 한강 철교를 건넜다. 병호는
긴장했다. 배정자는 일어나서 머플러를 고쳐 쓰고 옷매무시를
다듬고 있었다.

「어떻게 할 셈이야?」

엄기자가 물었다. 병호는 코트 단추를 끼면서 말했다.

「미행해야지.」

「바로 끌고가면 어때?」

「안돼. 한동주와 접선할 때까지는 절대 안돼.」

「나도 함께 가도 되나?」

「좋을대로.」

열차는 5분 늦게 도착했다. 배정자는 승강구에 나가 있다가
열차가 멎자 허둥지둥 내려서 바삐 걸어갔다. 병호는 적당한 간
격을 유지하면서 그 뒤를 따라갔다.

개찰구를 빠져나가는 배정자 앞에 젊은 청년이 하나 가까이
다가서는 것이 보였다. 서로 아는 사이인지 배정자는 청년 옆에
바싹 붙어서 걸어갔다. 병호가 정신없이 그들을 쫓아가고 있
을 때 누가 뛰어와서 길을 막았다.

「수고하십니다.」

「아, 박기자!」

「차를 가져왔습니다.」

병호는 벌써 앞으로 달리고 있었다.

「저쪽 주차장 쪽으로 갖다 대.」

뒤에서 엄기자가 소리치자 박기자는 인사할 겨를도 없이 신문사 차를 대기시켜 둔 곳으로 뛰어갔다.

배정자는 주차장에 세워 둔 자가용에 오르고 있었다. 검은색 크라운 승용차였다. 병호는 택시를 타기 위해 줄을 서 있는 사람들 틈에 끼어 그 자가용 안을 쏘아보았다. 잠깐 사이였지만 배정자 옆에 자리잡고 있는 중년 사내의 모습이 비쳐들어왔다. 색깔있는 안경을 끼고 있어서 얼굴을 잘 분간할 수 없었지만 광대뼈가 튀어나온 것이 매우 깡마르면서도 강인한 인상을 주고 있었다. 젊은이들처럼 머리숱이 많아 보였다. 자가용은 주차장을 빠져나갔다.

병호가 신문사 차에 올랐을 때는 자가용이 이미 퇴계로 쪽으로 멀리 달리고 있었다.

「돌아갈 것 없이 바로 질러가!」

엄기자가 운전사에게 소리쳤다. 운전사는 어깨를 으쓱하더니 차에 속력을 넣었다. 차는 차도를 끼익끼익 하고 급브레이크를 밟는 소리가 여기저기서 들려왔다. 교통순경이 호각을 불면서 쫓아오다가 차가 멎지 않고 달리자 그 자리에 멍청히 서 버리는 모습이 보였다.

차에는 병호 외에 엄기자와 박기자가 타고 있었다. 눈이 얼어붙어 미끄러운 길 위를 워낙 급히 달렸기 때문에 그들은 배정자가 탄 차를 따라잡을 수 있었다.

「너무 바싹 대지 마! 눈치채지 않게 적당히 간격을 유지해. 놓치지 않게만 말이야.」

엄기자가 운전사에게 주의를 주었다.

날은 아직 어두웠기 때문에 차들은 모두 불을 켜고 있었다. 뒷자리에 앉아 있는 배정자와 중년 신사의 모습이 불빛에 환히 드러나 보였다. 배정자는 중년 신사의 어깨에 머리를 기대고 있었다.

「저게 한동주야?」

엄기자가 턱을 앞으로 내밀며 물었다.

「한번도 본 적이 없어. 그렇지만 저 사람은 아닐 거야. 저렇게 젊을 리가 없어.」

「한동주는 몇 살이나 되었는데?」

「쉰 대여섯 됐을 거야.」

「그럼 저놈은 누구야? 막 안기고 그러는데……」

중년 신사는 한 팔로 배정자를 껴안고 있었다. 병호가 대답을 않자 엄기자는 생각나는 대로 말했다.

「연하의 남성과 사랑을 불태우는 건가? 저 나이에도 섹스생각이 나는 모양이지?」

차는 왼쪽으로 커브를 긋더니 고가도로 위로 미끄러져 갔다. 차가 많지 않아 자칫하다가는 눈치를 채일 것만 같았다. 병호는 속력을 늦추게 했다. 배정자가 탄 자가용은 미아리 고개를 넘어 한참 달리다가 우이동 쪽으로 꺾어 들어갔다. 병호와 엄기자는 신문사 차를 버리고 택시로 갈아탔다.

크라운 승용차는 속력을 늦추더니 좁은 골목 안으로 들어갔다. 지나치면서 보니 배정자는 골목 끝에 있는 2층 양옥 앞에 서 있었다. 병호는 그대로 10분쯤 달리다가 되돌아왔다. 배정자가 들어간 골목에는 아무것도 보이지 않았다. 골목 입구에는 가게가 하나 있었지만 아직 문을 열지 않고 있었다.

「어떻게 할까?」

엄기자가 물었다.

「우선 식사나 하지. 배가 고파 죽겠는데……」

차에서 기다리고 있는 박기자와 함께 그들은 해장국 집을 찾아갔다. 날이 뿌옇게 밝아오고 있었다. 무척 추운 아침이었다. 그들은 뜨거운 것을 후후 불어가며 정신없이 먹었다.

「정체가 이상해. 자가용을 타고 으리으리한 양옥으로 들어간 여자…… 이건 도무지 종잡을 수가 없는데. 그거, 한동주 집일까?」

엄기자가 궁금해서 못 참겠다는 듯 물었다.

「글쎄, 모르겠어.」

병호는 그릇을 두 손으로 받쳐들고 국물을 꿀꺽꿀꺽 마셨다. 병호 자신도 표현은 안했지만 상당히 놀라고 있었다. 평범한 시골 아낙네로 생각하고 있던 여자가 하룻밤 사이에 너무도 놀라운 변화를 보여주고 있었던 것이다. 병호는 흡사 무엇에 홀린 기분이었다. 동시에 생각보다는 더 어마어마한 일이 숨겨져 있음을 직감적으로 느꼈다.

聖者의 죽음

　기사 작성할 일이 바빠 엄기자는 먼저 돌아갔다. 병호는 박기자와 함께 골목 어귀의 가게로 들어가 우유병을 하나씩 집어들었다. 출근하는 사람들로 골목은 좀 활기를 띠고 있었다.

「저기 저 끝에 있는 이층 양옥집 주인은 뭘 하는 사람입니까?」

　병호는 양옥집을 손으로 가리키면서 가게집 부인에게 물었다.

「뭐, 무슨 회사 사장이라나 봐요.」

　부인은 문턱에 걸터앉아, 우는 아이에게 젖을 물렸다. 병호는 외면하고 다시 양옥집을 바라보았다.

「무슨 회사인가요?」

「글쎄…… 무역회사라고 그러던가…… 잘 모르겠어요.」

「주인 이름이 뭡니까?」

「모르겠어요. 문패를 보시면 아실 거 아니에요.」

「문패가 없더군요.」

「그런데…… 왜 그러세요?」

「경찰입니다. 누가 묻더라는 말하지 마십시오.」

　문을 열고 나가자 뒤에서 여자가 말했다.

「복덕방에 물어보세요.」

병호는 박기자에게 양옥집을 지키게 하고 혼자서 복덕방을 찾았다. 복덕방은 좀 떨어진 곳에 있었다. 한 시간쯤 기다려서야 복덕방 노인이 나왔다.

그러나 복덕방에서도 양옥집에 대해서는 별로 아는 것이 없었다. 다만 새로운 사실 하나를 더 알아냈을 뿐이다.

「낯선 사람들이 더러 드나들더군. 아마 회사 사람들이겠지요.」

주인 이름은 역시 모르고 있었고, 인상을 물었더니 배정자와 함께 크라운 승용차를 타고 온 사나이가 주인인 것 같았다.

「부인이 훨씬 나이가 많은 것 같더군요. 그런데 소문을 듣기로는 부부가 다 집 비울 때가 많은가 봐요.」

통·반장을 만나봐도 양옥집의 정체를 알 수가 없었다. 이사 온 지 몇 달이 지났는데도 아직 동회에 전입신고(轉入申告)도 되어 있지 않았다. 다만 모두가 배경이 든든한 회사 사장 정도로만 알고 있을 뿐이었다. 정체불명의 사나이로군. 그렇지만 내 손을 벗어나지는 못할 거다. 병호는 돌멩이를 힘껏 걷어찼다. 돌멩이는 딱 소리를 내면서 담벽에 가 부딪혔다. 마침 대문을 나서던 뚱뚱한 신사가 눈을 치뜨고 병호를 쏘아 보았다.

「여보, 여보!」

병호는 주춤하고 섰다. 그 나이 또래의 신사는 담배를 꼬나문 체 쏘아붙였다.

「낯살이나 먹은 양반이 애들처럼 그거 무슨 짓이오. 이집이 무슨 동네 북인 줄 아슈?」

「미안합니다. 얼결에 그만……」

「앞으로는 조심하고, 임자 잘 만난 줄이나 아슈.」

신사는 턱을 치켜들면서 병호 앞을 지나쳤다. 병호는 얼굴을 찌푸렸다. 원, 별 개떡 같은 자식, 아침부터 지랄이네. 돼지 같은 자식, 으쓱대긴…….

투덜거리면서 양옥집 앞에 이른 병호는 우뚝 멈춰섰다. 기다리고 있기로 한 박기자가 보이지 않았다. 한참 기다려도 박기자는 나타나지 않았다. 어디를 갔을까. 양옥집 주인이 나오자 미행한 것일까. 그는 가게로 들어가서 물어보았다.

「아까 저와 함께 있던 젊은 사람 못 봤습니까?」

「글쎄, 조금 전까지 있었는데…….」

「저 양옥집에서 누가 나왔습니까?」

「네. 주인이 자가용을 타고 나가던데요.」

박기자가 자가용을 따라간 것은 물어볼 필요조차 없는 일이었다.

「주인 혼자 타고 갔습니까?」

「어떤 아주머니하고 함께 타고 가던데요.」

병호는 호텔로 돌아와 피곤한 몸을 침대에 내던졌다. 지난 밤에 한잠도 못 이뤘으므로 금방 잠이 왔다. 한참 후에 난 전화벨 소리에 그는 잠이 깼다. 박기자의 전화였다.

「어떻게 된 거요?」

「미행했습니다. 아침에 본 남자의 이름과 회사를 알아냈습니다. 남자의 이름은 최대수(崔大秀)이고, 가죽제품을 수출하는 대진사(大進社)라는 수출회사 사장입니다.」

박기자는 매우 흥분한 목소리로 말했다.

「최대수라는 이름 분명해요?」

「분명합니다.」

「그럼, 박기자는 지금 어디 있는 거요?」

「여기, 명동입니다. 그 회사 앞에 있는 다방에 있습니다.」

「배정자는 어디 있어요?」

「최대수하고 함께 회사에 들어갔습니다.」

병호는 급히 명동으로 나갔다. 택시가 달리는 동안 그는 눈을 감고 깊이 생각해 보았다. 최대수가 한동주의 가명일 것이라는 것은 이미 확인된 사실이나 다름없다. 그렇다면 그의 나이는 60 가까이 되었어야 옳을 것이다. 왜냐하면 20여년 전에 그는 이미 서른이 훨씬 넘은, 마흔을 바라보는 나이였기 때문이다. 그런데 아침에 본 그 사나이는 40대의 중년 신사였다. 아무리 늙지 않았다 해도 그렇게 젊어보일 수가 있을까. 혹시 최대수는 한동주가 아닌 제3의 인물이 아닐까. 아니, 아침에 본 그 사나이는 혹시 다른 사람이 아닐까. 나는 아직 한동주를 못 본 것이 아닐까. 어쩌면 한동주는 양옥집 주인도, 무역회사 사장도 아닐지 모른다.

그러나 병호의 이러한 생각은 잘못된 것이었다. 박기자를 만나보니, 그 사나이가 최대수라는 것은 물어볼 필요도 없는 분명한 사실이었다.

「가게집 여자한테 물어보니까…… 그 사람 분명히 양옥집 주인이라고 그랬습니다. 그 사람이 회사 사장인 것도 분명합니다. 회사 수위한테 물어보니까 이름은 최대수라고 가르쳐 주더군요. 회사 차린 지는 한 5년 되었답니다.」

그들은 다방 입구에서 맞은편 10층 빌딩을 바라보았다. 최대수의 회사는 3층에 자리잡고 있었다.

30분쯤 지나자 최대수와 배정자가 나란히 밖으로 나왔다. 그들은 쫓기는 듯한 눈길로 주위를 휘둘러보다가 급히 자가용에 올라탔다.

병호는 가슴이 뛰었지만 겉으로 보기에는 평화로운 눈길로 그들을 바라보았다. 아무리 보아도 최대수는 40대 이상은 안돼 보였다. 한동주와 최대수는 동일인물이 아닐지도 모른다. ─이러한 생각이 그를 혼란에 빠뜨렸다.

「안 따라갈 겁니까?」

「그만 둡시다. 신분을 확인했으니까 좀 두고 봅시다.」

「저러다가 종적을 감추면 어떡합니까?」

「그럴 수는 없을 거요. 하루 아침에 저렇게 벌여놓은 사업을 내버릴 수는 없을 테니까. 그리고 우리가 미행한 줄을 아직 모르니까 그렇게 갑자기 도망치지는 않을 거요.」

병호는 멀리 사라지는 차를 멀거니 바라보았다. 햇빛이 잠깐 비쳤다가 이내 구름이 덮쳐왔다. 곧 다시 눈이 내릴 것 같았다.

그날의 S신문 기사는 가장 많은 물의를 일으켰다. 한동주의 무덤이 가짜라는 사실을 정확히 밝혀내는 바람에 신문을 본 사람마다 모두 놀라움과 함께 큰 충격을 느꼈다. 더욱 놀라운 것은 직접적이든 간접적이든 한동주가 박용재 살해의 주범이라는 사실이었다.

〈朴容載 씨는 韓東周의 생존을 알고 있는 유일한 목격자였다. 따라서 韓東周에게는 朴씨야말로 가장 위협적인 존재가 아닐 수 없었다. 그러던 차에 朴씨가 吳炳鎬 형사에게 모든 사실을 털어놓은 것이다. 여기서 韓은 유일한 목격자이자 증인인 朴씨를 살해하기로 결심했을 것이다.

朴씨 살해사건은 이미 전남 일대에는 엽기적인 사건으로 큰 충격을 던진 바 있다. 朴씨가 정체불명의 사나이들에게 납치된 것은 작년 12월 하순의 일이다. 며칠 후 그는 공동묘지에서 타살 시체로 발견되었다. 그의 주검은 차마 눈뜨고 볼 수 없을 정도로 처참한 것이었다. 그런데 더욱 놀라운 것은 범인들이 朴씨의 시체를 어느 주인없는 무덤에 파묻었다는 사실이다. 범인들은 朴씨의 옷을 거기서 5리나 떨어진 곳에 있는 韓東周의 가짜 무덤 속에 파묻은 것이다. 그때까지 韓의 무덤은 비어 있었으므로 만일의 경우에 대비해서 철저히 해둔 것이다. 도대체 이처럼 간악하고 엽기적인 살인사건이 어디 있겠는가. 범죄 사상 이러한 사건은 한번도 없었거니와 앞으로도 없을 것이다. 더 이상 무슨 변명이 필요하겠는가. 경찰은

하루 빨리 韓東周를 체포하여 黃노인의 무죄를 밝혀야 할 것이다.〉

격려 전화가 빗발치듯 신문사로 몰려들었다. 어떤 압력에도 굴하지 말고 끝까지 철저히 파헤치라는 내용이 대부분이었다. 워낙 결정적인 기사였기 때문에 여론은 완전히 경악을 넘어 분노로 치닫고 있었다. 더구나 전날에는 엄기자가 괴한들에게 구타당한 기사까지 실렸던 터라 여론은 완전히 S신문 쪽에 서서 성원을 보내고 있었다. Y신문을 제외한 다른 신문들도 S신문에 동조하고 있었다. 그리하여 경찰은 빠른 시일 내에 한동주를 체포하겠다고 공언하지 않을 수 없었다.

S신문이 이렇게 나온 데 반해 Y신문은 완전히 궁지에 몰려 있었다. 변명할 여지가 없이 강타를 당한 바람에 누가 보더라도 비참할 지경이었다. Y신문은 S신문의 기사 내용을 참고한 뒤에야 발행됐기 때문에 두 시간쯤 늦게 나왔다. 우선 처음과는 달리 사건이 확대되는 것을 막으려는 의도가 뚜렷했다. 기사를 조그맣게 취급해서 맨 하단 구석에 처박아 놓았을 뿐 아니라 일부러 사건을 따로 떼어서 왜곡시키고 있었다.

〈속보 = 金重燁 변호사 살해사건은 일부 몰지각한 언론의 오도(誤導)와 불순분자들의 책동으로 그 수사가 엉뚱한 방향으로 흐르고 있다.

재론할 여지도 없이 金변호사의 죽음은 흉악범이 저지른 단순한 강도 살인이라고 할 수 있다. 범인은 金변호사를 살해한 후 금품을 강탈해간 것이다. 이 이상 더 정확한 사실이 어디 있는가. 20년에 걸친 원한관계가 빚은 살인이라고 하지만, 인간 사회에서 오판(誤判)이란 얼마든지 있을 수 있는 일이다. 오판에 대한 책임을 어찌 金重燁 씨 혼자만 져야 하는가. 오판을 빙자하여 살인범을 두둔하지 말라. 경찰은 범인의 윤곽이 잡힌 이상 黃노인을 신속히 체포하여 살인강도 여부를 조사하

기 바란다.〉

이제 초점은 두 사람, 즉 한동주와 황노인에게 쏠리고 있
었다. S신문은 아직 범인을 누구라고 단정짓고 있지는 않았다.

그러나 Y신문은 황노인을 범인으로 몰고가면서 그의 체포를
강력히 주장하고 있었다. 그 기사를 읽은 병호는 몹시 고통스러
웠다. 이제 곧 S신문에 진범을 밝혀야 할 때가 다가온 것 같
았다. 그러나 어떻게 그것을 밝힌단 말인가. 그것은 도저히 못
할 짓이었다. 이 문제 때문에 그와 엄기자는 심하게 다투었다.

「이렇게 된 이상 머뭇거릴 게 뭐야. 이러다가는 죽도 밥도 안
된다구. 이젠 다 털어놔도 염려할 거 없어. 여론이 모두 황바
우한테 동정적이란 말이야.」

「아직 안돼. 동정은 동정이고, 그게 범법(犯法)을 무죄로 만
들 수는 없는 거야. 법이 판결을 내리면 그것으로 끝장이야.
태영이를 진범으로 발표하면 황노인이나 손지혜가 가만 있을
것 같아?」

「하지만 어쩔 수 없지 않아. 여러 가지 진상을 참작한다면 태
영이에게 극형을 내릴 수는 없을 거야.」

「그건 자네 추측이야. 더 큰 일이 벌어질지도 몰라. 황노인과
손지혜는 지금 파면 직전에 있어.」

「그럼 도대체 어떻게 하겠다는 거야?」

「며칠 더 두고 봐. 좋은 수가 생길지도 모르니까.」

「제기랄, 알아서 해.」

엄기자는 몹시 화가 나는지 병호를 흘겨보았다. 그러다가 껄
껄거리고 웃었다.

4시쯤에 그들은 대학병원으로 닥터 차를 찾아갔다. 차철민은
그들에게 정신신경과 과장을 소개시켜 주었다. 40이 넘어 보이
는 그 전문의는 독일에서 공부를 한 매우 저명한 학자였다. 그
는 일행을 소파로 정중히 안내했다.

「그 사건…… 저도 관심있게 보고 있습니다.」

과장은 호기심어린 눈으로 병호를 바라보았다. 병호는 고개를 숙이고 커피를 마셨다. 그리고 황태영이 정신병원에 입원하고 있는 사실과 그가 어떻게 이번 사건과 관계가 있는가를 대강 설명했다.

「실례되는 말씀이지만 제가 드린 말씀은 절대 비밀로 해주시기 바랍니다. 아직 신문에도 발표가 안되었으니까요.」

「말씀 안하셔도 잘 알겠습니다. 아무튼 놀랍고 비극적인 사건이군요.」

과장은 심각하게 고개를 끄덕였다.

「제가 여쭤보고 싶은 건 태영군이 정상적인 상태에서 범행을 저질렀는지, 아니면 정신이상으로 그런 짓을 했는지 그걸 알고 싶습니다. 만일 태영군이 이상상태에서 범행을 저질렀다면, 재판에서 무죄판결을 받을 수 있습니다.」

「어려운 문제군요.」

과장은 안경을 고쳐 끼면서 창문을 물끄러미 바라보았다. 한참 후 그는 무겁게 입을 열었다.

「사건이 일어난 후에야 그 청년은 입원하지 않았습니까?」

「그렇습니다.」

「사건 당시, 그러니까 김변호사와 양씨를 살해할 때 목격자도 없었지요?」

「없었습니다.」

「곤란하군요. 이런 입장으로는 사건 당시 그 청년이 정신이상이었다고 보기는 어렵겠군요.」

「증인은 없더라도…… 의사의 입장에서 어떻게 의학적으로 해명할 수는 없을까요?」

병호는 사정하듯 의사를 바라보았다.

정신신경과 과장은 턱을 몇번 쓰다듬고 나서 기침을 했다. 긴 턱을 덮고 있는 퍼런 면도자국이 인상적이었다.

「제가 보기에 그 청년은 정상적인 상태에서 그런 짓을 한 것 같지는 않습니다. 이 경우 정상과 이상(異狀)과의 차이는 극히 미미하고 애매합니다만, 정신의학적으로 보면 죄우간 비정상적인 상태에서 범행을 저질렀다고 볼 수 있겠습니다. 이 건 좀 전문적인 이야기입니다만…… 정신의학적인 용어로 해리(解離·dissociation)라는 게 있습니다. 일종의 의식분열 현상이라고 할 수 있죠. 성격의 어느 국면이 그 사람의 지배를 벗어나, 즉 의식으로부터 떨어져 나와서 하나의 독립된 기능을 하는 경우를 말하는 것이죠. 그 구체적인 예가 이중성격(二重性格·dual personalities)입니다. 이것은 억압된 요소가 나머지의 성격과 전혀 상극일 때 그 억압된 부분이 억압하는 힘을 벗어나서 따로 하나의 성격을 구성하면서 생깁니다. 따라서 원래의 성격과 해리된 성격이 다른 경우가 많은 것을 쉽사리 이해할 수 있습니다.」

과장은 영국 작가 스티븐슨의 유명한 소설 〈지킬박사와 하이드씨〉를 그 예로 들어 이야기했다.

「그렇다면 두 개의 성격은 어떤 식으로 존재합니까?」

「일정한 시간 간격을 두고 서로 교대로 존재하는 수도 있고 무질서하게 존재하는 수도 있습니다. 그리고…… 두 개의 성격이 서로 상대의 존재를 전혀 의식하지 못하는 수도 있고, 의식하는 수도 있습니다. 자기가 살인을 해놓고도 제정신이 돌아오면 전혀 의식하지 못하는 것…… 이런 것은 바로 전자에 속하죠. 저로서는 아직 환자를 보지 못해서 정확히 말씀드릴 수 없습니다만, 황군의 범행은 이러한 해리된 성격, 그중에서도 이중성격이 빚은 사고가 아닐까 생각합니다. 그러니까 아버지가 억울하게 옥살이한 걸 알고는 복수심에 불탄 나머지 그런 성격이 형성되지 않았나 싶군요. 그런데 이런 성격이 형성되는 데는 어떤 외부적인 충격이 크게 작용하게 마련입니다. 단순히 자체 내에서 자생적으로 생기기보다는 누군가가 곁에서 끊임없이 충동질을 한다든가 하면 정신분열상태가 강하게 그리고 오래 지속되게 됩니다.」

병호는 과장의 말에 공감이 갔다. 확실히 태영이는 그 누군가가 뒤에서 복수심을 부채질해 주었기 때문에 그런 극단적인 분열증상을 일으킨 것이다.

과장의 진단에 그는 적이 놀라움을 금할 수 없었다.

「그렇지 않아도 태영군에게 누가 그런 충동을 가했는지 조사하고 있던 참입니다.」

「충동을 가한 사람이 있다면…… 황군의 증상은 보다 확실한 것이라고 볼 수 있습니다. 정신이상이란 것은 딱 한가지 원인으로 해서 일어나는 건 아닙니다. 여러 가지 복합적인 요소에 의해서 일어나게 마련이죠. 황군의 증상도 단지 이중성격만으로 규정할 수는 없습니다. 그보다 먼저 외부적인 충동이 가해졌다고 봐야겠죠. 이 경우 이중정신병(二重精神病·forie a deux)이란 게 있습니다. 이것 역시 일종의 해리 현상이지만 이중 성격과는 좀 다릅니다.」

과장의 말은 매우 중요했으므로 다른 사람들은 기침하나 없이 심각하게 경청하고 있었다. 병호도 마찬가지였다.

「이중정신병은 한 사람으로부터 다른 사람에게 옮아가서 이중으로 이상증세를 보이게 되는 게 특징입니다. 대체로 적극적이고 강력한 쪽에서 소극적이고 수동적인 약한 사람에게 전파되어가죠. 우세한 편에서 자기의 오해·곡해·착각·망상을 꾸준히 열세한 편의 사람에게 설득하면, 그런 생각을 갖게 됩니다. 이런 사람은 소극적이고 생활의 범위가 좁고 피암시성이 강하죠. 셋이 관계하게 되면 삼중정신병, 집단이 개입하게 되면 집단정신병이 될 수도 있습니다. 강력한 무당이나 요

즘 흔히 볼 수 있는 과대망상적인 종교적 지도자에게 이끌리
는 집단 히스테리, 또 망상적인 영도자에게 동화되어 그 병에
감염되었던 히틀러 유젠트가 그 대표적인 본보기라고 할 수
있겠죠. 쓸데없는 이야기가 됐습니다만…… 하여튼 황군은 외
부적인 충동에 의한 이중정신병에 걸렸다가 그것이 고질화 되
자 이중성격을 띠게 된 것 같습니다. 그리고 그 상태가 더욱
심화되자 편집광(偏執狂)으로 발전한 것 같습니다. 이렇게 되
면 정상적인 사람 이상으로 치밀하게 행동합니다. 다른 게
있다면 실행력이나 집착성에 있어서 초인적인 힘을 보인다는
점이죠. 보통사람이 보면, 이건 아주 정상적으로 보이죠.」
「며칠 전에 보았을 때 황태영 군은 발광 상태였습니다.」
「충분히 이해할 수 있습니다. 치밀하게 계획했던 일이 끝나자
그때까지 그를 받쳐주고 있던 비정상적인 정신상태가 일시에
허물어져버린 것이죠. 정신적 파탄이죠. 그래서 발작을 일으
키고 있는 겁니다.」
「치료할 수 있습니까?」
「가능합니다.」
병호는 주저하다가 말했다.
「태영군을 박사님께서 보살펴 주실 수 없겠습니까?」
「좋습니다. 이 병원으로 데려오십시오.」
과장은 쾌히 대답했다. 둘러앉았던 사람들은 그제서야 한숨
을 길게 내쉬었다.
그 길로 병호는 혼자서 손지혜를 방문했다. 손지혜와 황바우
는 집에 있었다. 두 사람은 상대가 형사인 만큼 처음에는 본능
적인 두려움과 경계심을 보여 주었었다. 그러나 지금은 병호를
이해하려고 애쓰고 있었다. 그들은 웃지는 않았으나 정중히 병
호를 맞이했다.
「Y신문 보셨습니까?」

병호는 앉자마자 물었다.

「네, 봤어요. 어떡하면 좋죠?」

손지혜가 근심스럽게 물었다. 황바우는 두 눈을 끔벅이면서 말없이 앉아 있었다.

「Y신문이 그렇게 나온다고 해서 두려워할 것은 없습니다. 지금 여론은 완전히 이쪽 편이니까요. 한동주를 체포하는 대로 태영이도 자수시키는 게 좋겠습니다.」

「그건 안됩니다. 그앤 지금 제정신이 아니에요. 그런 애를 어떻게……」

지혜의 어조는 완강했다. 황바우의 눈이 크게 확대되면서 병호를 똑바로 바라보았다.

「지금 쓸데없이 우길 때가 아닙니다. 자수한다고 해서 태영이가 벌을 받지는 않습니다. 무죄로 나올 수 있습니다. 제정신이 아닌 이상상태에서 저지른 것은 처벌되지 않습니다.」

병호는 정신신경과 과장한테서 들은 이야기를 자세히 들려주었다.

「그렇지만 어떻게 그걸 장담할 수 있는가요?」

지혜는 아무래도 믿기지가 않는 모양이었다.

병호는 역정이 났다. 자기의 정성이 무시된다고 생각하자 그의 입에서는 처음으로 큰 소리가 나왔다.

「도대체 어떻게 하겠다는 겁니까? 형사인 제 입장도 알아주셔야 하지 않습니까? 저보고 그럼 눈감아 달란 말입니까? 그건 직무유기예요. 그런 짓은 할 수가 없습니다. 분명히 말해 둘 것은 태영이가 살인범이라는 사실입니다. 저는 이런 짓 하지 않고도 지금 바로 병원으로 가서 태영이를 체포할 수 있습니다. 또 그래야 마땅하구요. 그러나 어떻게든 도움이 되어 드리고 싶어서 이렇게 찾아온 겁니다. 이래도 제 말씀 이해 못하시겠습니까?」

지혜는 대답하지 않았다. 무거운 침묵으로 강한 거부를 나타
내고 있었다.

「마음대로 하십시오. 저도 이 이상 방법이 없습니다. 제가 오
늘 여기 온 것은 태영군을 다른 병원에 입원시키려고 온 겁
니다.」

말을 마친 병호는 일어섰다. 그가 문을 열고 나가려고 하자
손지혜가 다급하게 따라 일어서면서 그의 옷자락을 붙들었다.

「용서하세요. 제가 이해가 부족해서 그랬어요.」

「선상님, 용서하십시오.」

황바우도 호소하는 눈길로 병호를 바라보았다. 병호가 주춤
하고 있자 지혜가 다시 말했다.

「선생님, 마음대로 하세요. 모든 걸 선생님한테 맡기겠어
요.」

병호는 한숨을 내쉬었다.

「제가 말씀드린 병원은 대학병원인데…… 거기에 입원시키면
담당 의사가 잘 봐주도록 되어 있어요. 그 의사는 이번 사건
을 잘 이해하고 있기 때문에 나중에 진단서를 잘 떼어줄 겁
니다. 재판이 열리면 진단서가 제일 중요합니다.」

병호는 내일 다시 오겠다고 말하고 밖으로 나왔다. 손지혜와
황바우는 골목 어귀까지 따라나와 그를 배웅했다. 그들의 진한
눈길에 병호는 더욱 압박감을 느꼈다. 웬지 귀찮다는 생각이 들
기도 했다. 이러한 기분은 처음이었다. 너무 지쳤기 때문일까.
나의 행동은 동정인가, 진심인가, 아니면 오만인가.

호텔로 돌아가자 엄기자와 박기자는 함께 술을 마시고 있
었다. 얼굴이 검붉게 달아올라 있는 것이 꽤나 많이 마신 모양
이었다.

「어, 오형사, 기다리고 있었지. 그…… 조해옥이라는 여자가
기다리다 갔어.」

엄기자가 혀꼬부라지는 소리로 말했다. 병호는 침대 위에 털
썩 주저앉았다.
「어떻게 여기를 알고 왔지?」
「내가 알려줬어. 신문사로 또 찾아왔더군. 그렇게 자넬 만나
고 싶어하는데, 박정하게 모른다고 할 수 있어야지. 이따가
전화 올 거야. 그리고……」
엄기자는 병호에게 술잔을 내밀었다.
「상당히 중요한 인물이 자넬 기다리고 있어.」
「누군데?」
「김변호사 아들이야. 둘째 아들인데 현직 검사지. 우리보다
는 나이가 어려. 귀엽게 생긴 놈이더군.」
「뭐라고? 어떻게 여길 알았어?」
「내가 데리고 왔어.」
「미쳤어?」
병호는 외치다시피 말했다.
「그렇게 떨 것 없어. 법원 출입기자를 통해 연락이 왔는데 자
넬 꼭 만나야겠다는 거야. 그 출입기자하고는 아주 가까운 사
이라는데, 사전에 약속을 했대. 자네를 체포한다거나 괴롭힐
생각은 추호도 없고 또 자네한테 유감도 없다는 거야. 단지 자
네를 직접 만나서 사실을 알아보고 싶다는 거야.」
엄기자는 병호의 눈치를 살핀 다음 계속 말했다.
「출입기자 말로는 그 햇병아리 검사가 자기 아버지와는 영 딴
판이래. 내가 만나보니까 역시 사람이 깨끗하고 겸손하더군.
걱정하지 말고 만나봐. 자네한테 해를 끼칠 마음은 조금도
없다고 말했으니까, 사나이 대 사나이로 한번 만나봐.」
나이가 적더라도 검사라면 상관이다. 그가 욕지거리를 하면
잠자코 들을 수밖에 없고 때리면 맞을 수밖에 없다. 그러나 그
게 문제가 아니다. 어쩐지 싫다.

「어디서 기다리고 있어?」

「요 아래 식당에서. 벌써 한 시간쯤 됐을 거야.」

병호는 술을 두 잔 거푸 들이킨 다음 엄기자를 따라 아랫층으로 내려갔다.

식당에는 밤이라 그런지 거의 사람이 없었다. 구석 자리에서 양식을 들고 있던 젊은이가 그들을 보자 벌떡 일어섰다. 앳되게 생긴 얼굴에 두 눈이 총명하게 빛나고 있었다. 엄기자의 소개가 끝나자 병호는 김윤배 검사에게 차렷자세로 경례를 했다.

「아, 앉으십시오. 그러실 필요없습니다.」

김검사는 당황해서 말했다. 그는 두 사람이 앉고 나서야 자리에 앉았다. 식탁 위에 올려놓은 두 손이 여자처럼 고와보였다. 그는 식사를 함께 하자고 했다. 병호는 거절했다. 김검사는 차를 시킨 다음 병호를 똑바로 바라보았다. 병호도 피로한 눈으로 잠깐 젊은 검사를 응시했다. 서로 미소도 없는 차가운 시선이었으나 적의 같은 것은 없었다. 검사 치고는 미워할 수 없는 인상이군, 하고 병호는 생각했다. 그때 김검사가 말했다.

「매우 훌륭한 일을 하고 계십니다.」

조롱하는 건가. 그러나 그런 것 같지는 않았다. 뭐라고 말 할 수가 없어서 병호는 잠자코 고개를 숙여보였다.

「저는 김중엽 씨 아들로서 좀 더 사건을 올바로 파악하기 위해서 여기 온 것이지 검사 자격으로 온 건 아닙니다. 유감이 있는 것도 아닙니다. 비록 아들이라고 하지만 저는 돌아가신 아버님을 두둔할 생각은 조금도 없습니다. 사실을 은폐하면서까지 집안 명예를 지킬 생각도 없습니다. 법질서라는 것을 떠나서…… 오형사님은 매우 훌륭한 일을 하고 계십니다. 저와는 상대적인 입장에 있지만, 신문기사를 보고 저는 매우 감동했습니다. 오형사님이 이 호텔에 계신다는 것은 일체 비밀로 하겠습니다.」

병호는 갑자기 좀 멍한 기분이 들었다.

「구체적으로…… 무슨 말씀을 듣고 싶으십니까? 사건 전부를 말씀드릴 수는 없습니다.」

「제 아버님과 황노인과의 관계 부분만 알고 싶습니다. 정확한 사실을 말입니다.」

「S신문 기사를 전부 믿으셔도 될 텐데요.」

「그게 전부 사실입니까?」

「사실입니다.」

병호는 좀 더 구체적으로 이야기를 해주었다. 상대가 상대인 만큼 조심스럽게 태도를 취했다. 이야기 도중마다 김검사는 질문을 던지곤 했고, 그럴 때면 병호는 자세히 답변을 했다. 김검사는 처음부터 끝까지 단정한 표정으로 병호의 이야기를 경청했다. 그래서 병호는 상대의 감정을 읽을 수가 없었다. 김검사는 담배를 피우지도 않았고, 딴 데로 시선을 팔지도 않았다. 오직 전 신경을 병호에게 쏟고 있었다.

병호의 이야기가 끝나자 그는 미소를 지으면서 매우 감사하다고 말했다.

「끝까지 소신껏 해보십시오.」

그는 이런 말까지 했다. 그 태도가 너무 조용하고 정중했기 때문에 병호는 오히려 불안을 느꼈다.

두 사람과 악수를 하고 난 김검사는 돌아서 나갔다. 걸어나가는 뒷모습이 곧아보였으나 이윽고 문 밖으로 나갔을 때 그의 어깨와 머리는 밑으로 힘없이 쳐져 있었다.

「똑똑한 놈이군. 무서운 데가 있을지도 모르지.」

엘리베이터 속에서 엄기자가 말했다. 병호는 입을 열지 않았다. 김검사에게는 그것은 너무 잔인한 이야기였음에 틀림없었다. 아무리 자제력이 강한 사람이라도 그런 이야기를 들으면 십중팔구 많은 충격을 받을 수밖에 없을 것이다. 이미 각오했더라도 직접 이야기를 들었을 때의 기분은 다를 것이다.

침대 위에 누워 허탈한 기분으로 담배를 피우고 있는데 전화가 왔다. 해옥이한테서 온 것이었다. 그녀는 얼른 말하지 않고 가만히 침묵하고 있었다. 병호는 말문이 막혀 잠자코 있었다.

「신문, 잘 보고 있어요.」

그녀가 먼저 입을 열었다. 목소리가 좀 떨리고 있었다. 병호는 뜨거운 감정이 치미는 것을 꾹 눌렀다.

「별일 없습니까?」

「네, 전 괜찮아요. 선생님…… 너무하세요.」

「미안합니다. 그동안 너무 바빠서……」

해옥은 불평을 늘어놓았다.

「아무리 바쁘시다고 이쪽 성의를 그렇게 무시하는 법이 어딨어요?」

병호가 변명을 했지만 그녀는 들으려고도 하지 않았다. 금방이라도 울음을 터뜨릴 것만 같아 병호는 몹시 긴장이 되었다.

그녀는 일방적으로, 내일 저녁 식사에 초대하겠으니 꼭 와야 한다고 말했다. 그리고 아파트 위치를 다시 일러주었다.

「시간은 6시예요. 안 오시면 안돼요. 아버님도 오실 거예요. 사실은 아버님이 초대하시는 거예요.」

「그게 무슨 말씀입니까? 그렇다면 정말 곤란한데요.」

병호는 정말 곤란하다고 생각했다. 그녀의 아버지가 나를 봐야 할 이유라도 있는가. 대법원 판사라면 나 같은 건 감히 고개도 못 들 상대다. 그런데 왜 나를 보겠다는 건가. 병호가 난처해하자 해옥은 꼭 와야 한다고 우겼다.

「무슨 일로 그럽니까?」

「제가 선생님 이야기를 했더니 아버님이 꼭 한번 보셔야겠다는 거예요. 매우 중요한 이야기가 있나봐요.」

「무슨 이야기랍니까?」

「글쎄, 저도 내용은 잘 모르겠어요.」

「알겠습니다. 내일 가겠습니다.」

해옥은 한번 더 다짐을 받고 나서야 전화를 끊었다. 그녀의 목소리가 아직 귓가를 울리는 듯했다. 그는 소년처럼 가슴이 울렁거리는 것을 느끼고는 얼굴을 붉혔다. 엄기자가 그의 표정을 살피다가 씩하고 웃어보였다.

「반해도 단단히 반한 모양이야. 굴러들어온 떡 아닌가.」

「시끄러!」

병호는 고함을 질렀다. 그 바람에 침대 밑에서 자고 있던 박기자가 눈을 떴다. 방에는 침대가 두 개뿐이었기 때문에 박기자는 언제나 기를 쓰고 침대 밑에서 잤다. 그래서 병호는 항상 미안한 생각을 가지고 있었다.

이튿날 세 사람은 신문사 차를 타고 손지혜의 집에 갔다. 그리고 거기서 손지혜와 황바우를 태워 가지고 정신병원으로 향했다.

병원에 도착할 때까지 그들은 아무런 말도 하지 않았다. 엄기자는 무거운 분위기에 견딜 수 없다는 듯 차 창문을 열어젖혔다. 찬 바람이 들어오자 그는 창문을 도로 닫았다.

손지혜와 황바우는 두려운 얼굴을 하고 있었다. 특히 황바우의 얼굴은 돌처럼 굳어 있었고, 두 눈은 불안하게 주위를 휘둘러보고 있었다.

정신병원에는 벌써 대학병원에서 보낸 앰블런스가 와 있었다. 일행은 급히 담당 간호원실로 갔다. 손지혜를 보자 여자 간호원이 아는 체를 했다.

「웬일이세요?」

「오늘 그애 퇴원을 시키려구요.」

「네에? 아니…… 그럼……」

간호원은 눈을 크게 뜨면서 당황한 표정을 지었다. 얼굴이 금방 하얗게 질렸다.

「무슨 일이 일어났나요?」

「어제…… 퇴원했는데 모르셨는가요?」

「뭐라고요? 아니 누구 말을 듣고 퇴원을 시켰어요?」

손지혜가 사납게 물었다.

「어제 어떤 분이 삼촌이라고 하면서 입원비 밀린 것을 모두 내고 데려갔어요. 이거 어쩌지요?」

간호원은 울상을 지으면서 어쩔 줄 몰라했다. 황바우는 눈을 부릅뜨고 입을 벌렸다. 몸이 부들부들 떨리고 있었다.

「여보세요. 정신이 있어요, 없어요? 그 애가 누군데 퇴원시킨 거예요? 그애 보호자는 저예요! 저란 말이에요! 그애한테 는 삼촌이 없어요!」

손지혜는 간호원을 붙잡고 울부짖었다. 소란이 일자 병원 직원들과 의사들이 모여들었다.

「이것들이 미쳤나! 보호자 말도 안 듣고 아무한테나 함부로 환자를 내줘? 입원비를 내주니까 눈이 뒤집혔나! 원장 데 리고 와!」

엄기자가 고함을 질렀다. 원장이 나타나자 그는 더욱 험하게 쏘아붙였다. 원장은 백배사죄했다.

「죄송합니다. 이런 실수가 있다니…… 죽을 죄를 졌습니다.」

「여러 소리말고, 환자를 빨리 찾아내시오! 빨리 찾아내란 말 이오!」

손지혜나 황바우보다도 엄기자가 더 흥분하고 있었다. 병호 는 아무 말도 하지 않고 있었다. 그는 머릿속으로 태영의 행방 을 쫓고 있었다. 병원 사람을 붙들고 화를 낸다거나 따질 겨를 이 없었다.

「어떻게 생긴 사람이었죠? 혼자 왔던가요?」

마침내 병호가 담당 간호원에게 물었다. 간호원은 눈물로 지저분해진 얼굴을 쳐들고 떠듬떠듬 대답했다.

「저, 저기…… 여자하고 둘이 왔는데 남자는 색안경을 끼고 키가 컸어요. 목소리가 쉬고……」

「여자는?」

「머플러를 쓰고 화장을 짙게 했는데……」

「알았어요. 혹시 자가용을 타고 오지 않았어요?」

「타고 왔어요.」

「태영군이 반항하지 않던가요?」

「그러지는 않았어요. 그 남자하고 잘 아는 사이 같았어요. 순순히 따라갔어요.」

병호는 돌아섰다. 그는 울고 있는 손지혜에게 다가가 그녀를 위로했다.

「너무 염려마십시오. 찾을 수 있을 것 같습니다. 곧 연락을 드릴 테니 집으로 돌아가 계십시오.」

황바우가 병호의 팔을 잡았다.

「선상님, 이를 어쩌면 좋습니까?」

노인은 눈물이 글썽해서 병호를 바라보았다. 병호는 가슴이 저려왔다.

「너무 상심하지 마십시오. 곧 찾아드리겠습니다.」

병호는 뛰다시피 밖으로 나갔다. 엄기자와 박기자도 허둥지둥 따라나섰다.

「어디로 가는 거야?」

「우이동!」

차 속에서 병호는 피스톨을 손질했다.

손잡이를 쥐고 방아쇠에 손가락을 걸자 기묘한 전율이 팔을 타고 흘러들어왔다.

「조심해.」

엄기자가 한 마디 했다. 병호는 피스톨을 코트 속에 집어 넣었다.

차는 쏜살같이 달려갔다. 병호는 다급해지는 마음을 달래려고 자주 시선을 차창 밖으로 던지곤 했다. 이제 이 모든 흑막의 장이 밝혀지려 하고 있었다. 그것이 무엇인지 병호는 비로소 짐작이 갔다. 한동주와 황태영과의 관계만 밝히면 이제 모든 것은 백일하에 드러나는 것이다.

그들은 골목 어귀에서 차를 내려 양옥집 앞으로 다가갔다. 대문이 높고 견고한데다 담 위에는 유리 조각과 철조망이 이중으로 설치되어 있어서 넘어가기가 어려웠다. 세 사람은 이웃집으로 들어갔다. 어리둥절해 하는 부인에게 신분을 밝히고 양해를 구하자 그녀는 머뭇거렸다. 지체할 여유가 없었기 때문에 병호는 뒤꼍으로 돌아갔다. 다행히 양옥집과 이웃집 사이의 담에는 아무것도 설치되어 있지 않았다. 그는 피스톨을 빼들고 가볍게 담을 뛰어 넘었다. 엄기자와 박기자도 담을 뛰어 넘었다.

뒤꼍 창문 쪽으로 다가간 병호는 커튼 사이로 안을 들여다보았다. 그곳은 응접실이었는데, 잠옷만 걸친 배정자가 소파에 앉아 라디오에 귀를 기울이고 있는 것이 보였다. 다른 방들은 비어 있었다. 이렇다 할 가구도 별로 눈에 띄지 않고 정원에는 온통 쓰레기가 널려 있는 것으로 보아 사람이 살고 있는 가정집 같지가 않았다.

병호는 현관 쪽으로 돌아가 문을 밀었다. 다행히 문은 잠겨 있지 않았다. 마루로 올라선 그는 응접실 쪽으로 다가갔다. 조금 열려 있는 문을 통해 보니 배정자는 여전히 라디오를 듣고 있었다. 병호는 문을 천천히 열었다. 문소리에 배정자가 화다닥 일어섰다.

「누구세요?」

「조용히 하시오.」

병호는 그녀의 어깨를 밀어 도로 소파에 주저앉혔다.

「누, 누구세요!」

「나를 모르겠소? 집에 한번 찾아갔을 텐데⋯⋯」

「모, 모르겠어요!」

「난, 오병호 형사요.」

「아, 오병호⋯⋯」

배정자는 새파랗게 질리면서 몸을 부들부들 떨었다. 병호는 피스톨로 그녀의 얼굴을 겨누었다.

「한동주는 어디 있소?」

「몰라요.」

「태영이는?」

「무슨 말을 하는 거예요?」

그녀는 앙칼지게 쏘아붙였다.

「거짓말 마!」

엄기자가 소리치자 배정자는 그를 노려보았다.

「홍, 당신은 기자군. 기자가 뭔데 소리치는 거야?」

그때 밖을 조사하던 박기자가 뛰어들어왔다.

「지하실이 이상합니다.」

병호는 배정자를 앞세우고 밖으로 나갔다. 그녀는 잘 움직이려고 하지 않았으므로 병호는 피스톨로 그녀의 등을 밀어붙였다.

지하실은 견고한 철문으로 막혀 있었다. 그리고 밖으로 자물쇠가 채워져 있었다.

「열쇠 어딨어요?」

병호의 요구에 배정자는 입을 열려고 하지 않았다. 엄기자와 박기자는 안으로 뛰어들어가 곧 열쇠꾸러미를 찾아왔다. 열쇠를 하나하나 맞춰보자 이윽고 자물쇠가 열렸다. 병호는 배정자를 앞세우고 지하실 계단을 조심스럽게 내려갔다. 지하실은 생각보다는 깊고 넓었다. 촉수 약한 전등이 희미하게 계단을 비추고 있었다. 계단은 왼쪽으로 꺾어지면서 다시 밑으로 내려가고 있었다. 계단을 중간쯤 내려갔을 때 밑에서 고함 소리가 들려왔다.

「누구야!」

병호는 대답하지 않고 그대로 배정자를 밀고 내려갔다. 침침한 불빛 아래 건장한 사내들이 우뚝 서 있었다. 모두 세 명이었는데 그 중 두 명은 몽둥이를 들고 있었다.

「불을 꺼!」

고함 소리와 함께 한 사내가 천장에 붙은 전등을 깨려고 몽둥이를 휘둘렀다. 병호는 겨누고 있던 피스톨의 방아쇠를 당겼다. 지하실이었기 때문에 총소리는 폭탄처럼 위력이 있었다. 천장과 벽이 흔들렸다. 그는 또 한 방을 쏘았다. 총알이 시멘트 벽에 부딪히자 불꽃이 튀었다. 흡사 벼락이 떨어지는 소리 같았으므로 귀청이 찢어지는 것처럼 멍해져버렸다.

배정자는 실신하듯 주저앉아버렸고 세 사나이는 두 손을 번쩍 쳐들었다. 병호는 가까이 다가가 그들을 들여다보았다.

두 명은 젊은 사내들이었고 다른 한 명은 안경을 낀 최대수였다.

「벽으로 돌아서!」

병호의 명령에 세 사람은 벽을 향해 돌아섰다. 병호는 그들을 꿇어앉힌 다음 배정자도 끌어다 앉혔다.

실내가 눈에 익자 구석에서 꿈틀거리고 있는 것이 눈에 띄었다. 박기자가 일으켜 보니 황태영이었다. 전신은 온통 피투성이였고 얼굴은 짓이겨 있어 차마 눈뜨고 볼 수 없었다. 바닥에 반듯이 누이고 가슴에 손을 대보니 아직 온기가 남아 있었다. 그러나 조금씩 경련을 하는 것 외에는 시체나 다름없었다.

병호는 한쪽 구석에 놓여 있는 책상을 바라보았다. 구식 라디오 같은 것이 놓여 있었다. 가까이 다가가 보니 무전기였다. 그는 전신에 소름이 돋는 것을 느꼈다.

「당신은 이쪽으로 돌아앉아!」

병호는 최대수에게 말했다. 최대수는 돌아 앉으면서 병호를 노려보았다. 병호는 안경을 벗겼다. 그리고 뚫어질 듯이 상대를 응시하다가 그의 머리를 움켜쥐고 획 잡아당겼다. 머리칼이 벗겨지면서 대머리가 나타났다. 40대의 최대수는 금방 늙은 사내로 변했다. 병호는 가발을 동댕이치며 외쳤다.

「네가 한동주지?」

「생사람 잡지 마시오!」

상대는 쉰 목소리로 대꾸했다. 툭 불거진 광대뼈와 번득이는 두 눈이 얼굴 전체를 살기로 가득 채우고 있었다. 병호는 주먹으로 사내의 얼굴을 힘껏 내려쳤다. 쓰러졌다가 일어서는 사내를 다시 구둣발로 걷어찼다. 악을 쓰는 사내를 그는 미친 듯이 때렸다. 온갖 분노가 한꺼번에 터져나왔다.

「꼼짝 마! 쏴 죽여버릴 테다!」

병호는 소리치면서 계속 한동주를 때렸다. 견디다 못한 한동주는 두 손을 들어 빌기 시작했다.

「살려주십시오! 목숨만 살려주십시오! 이 늙은 것이 죽지 못해……」

「시끄러! 묻는 대로 대답해!」

병호가 피스톨을 겨누고 있는 동안 두 기자는 한동주와 배정자를 같은 수갑으로 채우고, 다른 두 명은 빨래줄로 칭칭 묶었다. 엄기자는 지하실을 둘러보고 나서

「거물급이야.」

하고 말했다.

「너희들도 한 패지?」

병호는 두 젊은 사내들도 때리면서 물었다. 사내들은 떨면서 부인했다.

「우리는 아무 죄도 없습니다.」

「거짓말 마!」

병호는 다시 한동주를 쳐다보았다. 여기저기를 얻어터진 그의 얼굴에서는 피가 흐르고 있었다. 거기다가 잔뜩 공포에 질려 있어서 차마 보기가 역겨웠다. 구타를 했다는 것이 웬지 갑자기 후회스러웠다. 자신도 한동주처럼 비참해 보이는 것이었다. 감정을 터뜨린다는 것은 바람직한 일이 못된다. 항상 구타하기 즐겨하는 사람을 보면 자기도 모르는 사이에 변태적인 가학성(加虐性)에 빠지는 것 같고 그러다보면 때리는 쪽이 오히려 더 보잘 것 없는 인간으로 전락하게 마련이다. 병호는 손등으로 얼굴의 땀을 닦았다.

「한동주 당신은 1952년부터 종적을 감추었어. 조사한 바에 의하면 당신은 본래 용공분자였어. 공비들과 함께 지리산에 있을 때도 자진해서 부역을 했지. 그건 그렇고, 당신은 죽은 것으로 가장한 후에 더 많은 일을 했어. 내 말이 틀렸어? 이북에는 몇 번 갔다왔어?」

「두, 두 번 다녀왔습니다. 사실은 그러고 싶어서 그런 게 아닙니다. 양달수가 잡아넣겠다고 하는 바람에……」

「자세히 이야기해 봐. 당신은 황바우의 칼에 찔려 병원에 입원해 있었어. 그러다가 갑자기 사라졌어. 다른 사람들한테는 죽은 걸로 소문을 내고 말이야.」

「그때 양달수가 병원으로 찾아와서 하는 말이 나를 빨갱이로 잡아넣겠다고 그랬습니다. 빨치산에 부역한 것이 모두 알려져서 어쩔 수 없다는 거였습니다. 살려달라고 했더니 한 가지 방법이 있다고 그랬습니다. 죽은 걸로 해 줄 테니 빨리 도망치라는 거였습니다. 그 대신 황바우를 살인범으로 잡아넣으면 된다는 거였습니다. 하는 수 없이 살아야 되겠기에……」

한동주는 흐느껴 울기 시작했다. 병호는 버럭 고함을 질렀다.

「그래서 그런 짓을 했나?!」

「사는 길은 그 길밖에 없겠기에…… 아는 사람을 통해 접선을 했습니다. 사실은 이북으로 넘어가서 살 생각이었습니다. 평생을 숨어서 살 수는 없겠기에……」

「이북에 넘어가서 교육만 받고 왔군. 그래서 김중엽과 양달수를 포섭하려고 했겠지. 내 말이 틀렸어?」

한동주는 대답하지 않았다. 그렇지만 고개를 떨어뜨린 채 모든 것을 시인하는 태도를 취했다. 병호는 비로소 지금까지 베일에 싸였던 가장 중요한 핵심이 그 정체를 드러내고 있음을 알았다. 흩어져 있던 모든 것은 이제 의심할 여지없이 정연하게 하나의 구성을 이루고 있었다. 머릿속이 맑아지면서 밝은 빛이 쏟아지는 것을 그는 느꼈다.

「당신은 양달수가 밉기도 했겠지. 당신을 죽은 인간으로 만들었으니까 말이야. 그런데 포섭 대상을 찾다보니까 양씨 외에 김중엽이 생각났겠지. 김변호사 역시 큰 약점을 지니고 있었으니까 포섭 대상으로는 안성맞춤이었겠지. 그런데 이 사람들은 생각대로 포섭이 안됐어. 그래서 당신은 당황한 나머지 그 두 사람을 제거하기로 결심했어. 가장 안전한 방법은 제삼자의 손을 빌어 처치하는 것이지. 여기서 걸려든 것이 여기 누워 있는 황태영이었지. 태영군을 수소문해서 찾아낸 당신은 태영이에게 황바우가 얼마나 억울한 옥살이를 했으며, 손지혜가 또 어떻게 양달수와 살게 되었는가를 이야기했겠지. 물론 당신 자신의 신분을 숨기고 말이야. 자꾸 증오심을 심어주자 태영이는 나중에 복수심에 불타게 됐어. 감수성이 예민하고 순진한 청년이라 충격이 클 수밖에 없었지. 일종의 편집광적인 정신 상태에서 태영이는 범행을 계획하고, 마침내 당신의 의도대로 두 사람을 살해했어. 그런데 당신은 내가 수사를 전개하자 당황했지. 내가 박용재 씨를 만나서 당신이 생존

해 있다는 걸 알아내자 당신은 두려운 나머지 박씨까지 살해
했어. 그 다음의 이야기는 신문에 난 대로야.」

병호는 지하실 안을 왔다갔다했다. 두 기자는 물론 한동주 일
당도 병호의 추리력과 판단력에 놀라는 눈치가 역력했다.

병호는 자신의 목소리가 자신의 것 같지가 않았다. 일종의 환
청 같은 것을 느끼면서 그는 계속 말을 이었다.

「당신 부인이 서울로 도망쳐오고 경찰 수사가 압축되자 당신
은 초조했어. 당신이 살인을 교사한 유일한 증인인 태영이가
이제 문젯거리였어. 당신은 언제나 감시를 하고 있었기 때문
에 태영이가 정신병원에 있는 것을 알고 있었겠지. 그렇지만,
아무리 정신병자라고 하지만 만일 제정신이 들어 모든 걸 불
어버릴 경우를 생각하지 않을 수 없었겠지. 그렇게 되면 당신
죄는 가중되어 체포되는 것은 시간문제일 거란 말이야. 평양
에서는 당신을 못 오게 하고 여기서는 수사망이 점점 좁혀지
고…… 어떻게 할 수 없게 되자 당신은 마침내 발악을 했지.
태영이를 병원에서 납치한 거야. 그리고 여기서 이렇게 고문
을 가하면서…… 태영이가 경찰에 사실을 털어놨는지 어쩐지
를 알아내려고 발버둥을 쳤어. 제정신이 아닌 태영이에게서
그런 걸 알아내려고 애쓴 당신은 정말 바보스럽고 어리석은
사내라고 할 수 있지. 당신 하나 때문에 여러 사람들이 살해
되고, 이 청년은 병신이 되고. 앞으로 어떤 희생이 또 생길지
몰라. 지하활동에 대해서는 담당 수사관이 자세히 조사하겠
지. 당신이 좀 똑똑하다면 자살하는 편이 좋겠지만, 당신은
그럴 수도 없겠지. 당신은 어리석고, 비겁하고, 교활하고, 용
기도 없는 사람이니까 말이야.」

그때 한동주의 얼굴이 쳐들어졌다. 병호를 노려보는 그의 충
혈된 두 눈에서는 금방이라도 피가 터져나올 것만 같았다.

「이놈아, 나는 자살은 안한다! 이 개 같은 미제 앞잡이 놈

아, 너는 죽어서 쓰레기가 되겠지만 나는 조선인민의 영웅으로 남을 거다! 귀신이 되어서라도 네놈을 죽이고야 말겠다! 이놈아! 이 개 같은 놈아!」

한동주의 입에서는 거품이 흘러나오고 있었다. 배정자도 악을 썼다.

「불쌍한 인간들이군.」

병호는 태영이만을 밖으로 데려나오고 한동주 일당은 지하실에 그대로 감금해 두었다.

지하실 문에 단단히 열쇠를 채운 다음 병호는 태영이를 택시에 싣고 대학병원으로 데려갔다. 엄기자는 기사 작성을 위해 신문사로 달려갔고, 혼자 남은 박기자는 경찰에 전화를 걸었다.

연락을 받은 경찰은 10분도 못되어 달려왔다. 일단의 전투경찰이 양옥집을 포위한 가운데, 사복 차림의 수사관들이 지하실로 뛰어들어갔다. 한동주 일당은 고스란히 체포되고, 집안은 샅샅이 조사되었다. 방안에서는 피스톨 5정, 수류탄 10개, 소제 기관단총 5점, 독침 10개, 암호문, 미화 3천 5백 달러, 일화 4백만 엔, 한화 3백 40만 원 등이 쏟아져나왔다.

한동주가 체포되자 수사진은 매우 경악했다. 그리고 이 모든 것이 오병호 형사의 공이라는 것이 밝혀지자 또 한번 놀랐다. 그러나 오형사는 아직 나타나지 않고 있었다.

이때 그는 대학병원에 있었다. 닥터 차의 도움을 받아 태영이는 즉시 뇌수술을 받게 되었다. 머리를 심하게 몽둥이로 얻어맞아 뇌가 전체적으로 파열되어 있었던 것이다. 그밖에도 갈비뼈가 온통 부러지고 입이 찢기고 눈알이 튀어나오는 등 응급처치를 받아야 할 데가 많았다.

「살아날지 자신할 수가 없습니다. 수술 결과가 좋다고 해도 뇌기능은 정상을 찾을 수 없겠습니다. 더구나 정신이상 상태에서 이런 충격을 받았으니, 목숨은 건진다 해도 정상생활을 할 수가 없습니다. 우선 시력을 상실했고, 청각과 언어능력까 지도 잃은 것 같습니다.」

담당의사는 세 시간에 걸친 대수술을 끝내고 나오면서 이렇게 말했다. 이 말을 들은 병호는 몸이 휘청거리는 것을 느꼈다. 붕 대로 온통 칭칭 감은 태영이를 한참동안 바라보다가 그는 정신 없이 밖으로 나왔다.

밖에는 어둠이 깃들고 있었다. 몹시 추운 날씨였지만 그는 그 것을 느끼지 못하고 있었다.

해옥의 아파트에 이르자 그녀의 아버지 조중현(曹仲鉉) 판사 는 이미 와서 기다리고 있었다. 악수를 하면서 보니 키가 큰 깨 끗한 노신사였다. 나이가 들었으면서도 머리에는 흰머리가 별 로 없었고, 얼굴은 귀공자처럼 단정하게 정리되어 있었다. 두 눈은 형형한 빛이었다.

「나 조중현이오. 한번 보고 싶기도 하고 할 이야기도 있고 해 서 부른 거니까 별 부담은 갖지 않아도 될 거요.」

대법원 판사는 젊은이처럼 생기있는 목소리로 말했다.

「감사합니다.」

병호는 고개를 숙였다. 마주 바라보기가 어려웠다.

해옥은 시종 말 한 마디 없이 저녁상을 차리고, 시중을 들 었다. 가끔씩 병호를 바라보는 눈길이 깊고 심각했다.

「저녁 신문 대단하더군요. 보셨나요?」

「아직 못 봤습니다.」

조판사는 병호에게 S신문을 내밀었다. 병호는 신문을 읽 었다. 황태영이 한동주에 의해 병원에서 납치된 사실, 한동주 및 그 일당의 체포, 그리고 사건의 전모가 속속들이 밝혀져 있 었다.

「태영군은 어떻게 되었는가요?」

「지금 뇌수술을 끝내고 오는 참입니다. 생명을 건진다 해도

폐인이 될 것 같습니다. 듣지도 못하고 보지도 못합니다. 뇌
기능이 부서진 모양입니다.」

「저런, 저걸 어쩌나……」

조판사는 침통한 표정을 지었다. 해옥도 얼굴이 하얗게 질려
있었다.

조판사는 병호가 식사를 하지 않자 대신 술을 권했다. 병호는
사양하지 않고 받아마셨다.

「나는 처음 이 사건이 신문에 보도될 때부터 주의깊게 보고
있었소. 그럴 수밖에 없는 것이 나도 어느 정도 책임을 느끼
고 있기 때문이오.」

병호는 의아했다. 이 노신사가 무슨 말을 하려는 것인가. 해
옥을 보니 잔뜩 긴장해 있었다. 조판사는 이마에 주름을 잡으면
서 무겁게 말을 이었다.

「사변 때 나는 광주 고등법원에 있었지요. 그런데 지방법원에
서 사형언도를 받은 사건이 고등법원에 올라온 적이 있었소.
피고가 불복 상소한 건데, 그 사건을 내가 맡게 되었지요. 바
로 황바우 그 사람이 피고였드랬소.」

병호는 숨을 들이켰다. 이게 어찌된 일인가. 그렇다면 이 노
신사도 어떤 면에서 책임을 면할 수 없는 게 아닌가.

「아버지, 그게 정말이세요?!」

해옥이 긴장한 목소리로 물었다. 그녀도 그때까지 모르고 있
었던 것 같았다.

「음, 정말이다.」

조판사는 병호가 따라주는 술을 들이켰다. 무거운 침묵이 흐
른 뒤에 그는 다시 병호를 바라보며 입을 열었다.

「내 기억으로는 당시 황바우라는 사람은 사형을 면하기 어려
운 정도였소. 그만큼 지방법원의 판결은 완전했었소. 특히
검사는 그 사건을 자기 의도대로 처리하기 위해 빈틈없이 완

전한 것으로 만들어 놓았었소. 그러나 내가 사형수를 만나보
니 동정을 금할 수 없었소. 살인을 할 수 있는 그런 사람이 아
니더란 말이오. 그저 순하디 순한 시골 농부였소. 허지만 지
방검사의 구형이나 지방법원의 판결에는 어떤 잘못도 없었
소. 잘못이 있었다 해도 그때는 전쟁이 채 끝나지 않았던 때
라 재수사를 할 수 있는 그런 형편이 못되었지요. 하도 사건
이 밀려서 하루에도 여러 건씩 판결을 내려야 했고, 또 상부
에서도 공정한 판결보다는 신속한 판결을 요구했었으니까요.
생각 끝에 나는 그 사람의 부역죄에 좀 막연한 점이 있는 것을
알고는 그걸 근거로 사형판결을 깨고 무기언도를 내렸소. 목
숨이라도 살려주려고 했던 거요. 나중에 피고는 다시 대법원
에 불복상소했는데 결국 기각 판결을 받고 무기로 굳어진 모
양이오.」

병호는 뭐라고 말을 해야 할지 몰라 멍하니 앉아 있기만
했다.

「이번에 신문보도를 보고 나는 그 사건기록을 다시 한번 찾
아보았소. 그러나 역시 기록상으로는 어떠한 하자(瑕疵)도 없
었소. 결국…… 수사과정에서의 사건 조작이 밝혀지지 않았기
때문이지요. 이 점에 대해서 나는 무기언도를 내린 사람으로
서 죄책감을 면할 수 없다고 생각하고 있소. 아무 죄도 없는
사형수를 목숨이라도 살려주겠다는 생각으로 무기언도를 내
린 내가 얼마나 어리석고 무책임했는가를 뼈저리게 느끼고 있
소.」

병호는 이야기를 듣고 보니 자기도 모르는 사이에 은근히 적
대감이 일었다.

그러나 그것은 이윽고 감동으로 변했다. 지극히 양심적인 사
람을 만났다는 생각이 든 것이다. 해옥은 일말의 수치를 느꼈는
지 얼굴을 붉히고 있었다.

「그래도 판사님이 아니었더라면 황노인은 사형을 당할 뻔했
습니다. 판사님은 황노인의 생명을 구해주신 분이나 다름없
습니다.」

병호는 자책에 빠져 있는 조판사에게 이렇게 말할 수밖에 없
었다. 병호의 말에 조판사는 침울한 표정으로 머리를 흔들
었다.

「말이 무기징역이지…… 사실 그건 사형보다 더 가혹한 거요.
더구나 아무 죄도 없는 사람에겐 더욱 잔인한 짓이오. 아무
죄도 없이 감옥에서 몇 십년 산다고 생각해 보시오. 정말 형
벌치고 그렇게 가혹한 형벌은 없을 거요. 나는…… 이런 생각
이 들었소. 난 종교 같은 건 믿지 않지만, 우리 해옥이가 오형
사를 만나게 된 건 결코 아무렇게나 지나칠 수 없는, 나로서
는 어떤 숙명적인 의미를 내포한 것이 아닐까 하는 그런 생각
말이오. 해옥이를 통해서 오형사 이야기를 들을 때마다 나는
사실…… 마음이 편치 않았소. 솔직히 말해 괴로웠소. 한편으
로 오형사에게 부끄러운 마음도 들었소. 많은 사람이 위험을
무릅쓰고 싸우고 있는데 마땅히 책임을 져야 할 나는 모른 체
하고 있어야만 하는가. 그래서 사실이나 털어놓으려고 오형
사를 만나자고 한 거요. 바쁜데 이렇게 시간을 빼앗아 미안하
오.」

「원 별 말씀을…… 판사님께서는 옛날 일에 대해서 너무 지나
치게 생각하시는 것 같습니다.」

그때 해옥이 날카로운 어조로 불쑥 말했다.

「아버지가 책임지세요.」

「그렇지 않아도 그럴 생각이다. 거기에 대해서 생각을 하고
있다.」

침울한 분위기가 방안을 감싸고 있었다. 모두가 움직임을 멈
추고 있었다.

「객관적인 입장에 있어야 할 판사가 이런 말해서는 안됐지만, 황바우란 사람은 재심(再審)에서 무죄판결을 받을 수 있소. 그렇게 되도록 내가 노력해 보겠소.」

「감사합니다.」

조판사는 술을 더 권했지만 병호는 바빴기 때문에 사양하고 나왔다. 해옥은 멀리까지 따라나오면서

「몸조심하세요. 연락 기다리겠어요.」

하고 말했다. 병호는 그녀의 손을 잡았다. 보드라운 손이었다. 그것은 뜨거웠다. 그 손을 얼굴 가까이 가져갔다가 그는 도로 놓아버렸다.

택시가 꺾어질 때 보니 그녀는 가로등 밑에 우두커니 서 있었다.

손지혜의 집에 이른 그는 낮게 흐느끼는 울음 소리에 주춤하고 섰다. 조금 후 안으로 들어가 보니 손지혜 혼자서 울고 있었다. 그를 보자 그녀는 더욱 격렬하게 울었다.

「웬일이십니까?」

「바, 바우님이 나가셨어요.」

「나가다니요?」

「이걸 남겨 두시고……」

지혜는 편지 봉투를 내밀었다. 그것을 꺼내본 병호는 소스라치게 놀랐다. 그것은 황바우가 남기고 간 유서였다.

「저녁신문을 보고 놀라서, 저는 태영이가 입원해 있는 대학병원으로 갔어요. 갔다와 보니까 바우님이 안 계셨어요. 선생님, 빨리 바우님을 찾아주세요. 그분이 돌아가시면 안돼요. 태영이까지 저렇게 됐으니 전 누굴 보고 살라는 말입니까! 죽어야 할 사람은 전데…… 이게 어떻게 된겁니까!」

그녀는 울음을 참으려고 몹시 고통스러운 표정을 지었지만 터져나오려는 울음을 막지는 못했다.

「바우님은 태영이가 그렇게 된 걸 아십니까?」

「모르실 거예요. 놀라실까봐 말씀을 안 드렸어요.」

병호는 급히 유서를 읽었다. 그것은 모두 세 편이었는데, 백지에 볼펜으로 서투르게 꾹꾹 눌러쓴 것으로 철자법과 띄어쓰기가 모두 틀려 있어 읽기에 힘이 들었다.

〈맘씨 좋은 행사님에게

행사님, 우리 아들 태영이는 아무 죄가 업습니다. 죄는 저헌티 잇습니다. 지가 두 사람을 주기엇습니다. 그렁께 지는 주거마땅합니다. 다시 말슴드립니다. 우리 태영이는 아무 죄가 업습니다. 모든 분들 볼나치 업서서 지는 죽습니다. 부디 우리 태영이와 어멈을 불쌍히 여기시어 괴롭피지 마시고 돌보아 주십시요. 그러믄 지는 마음 노코 주글 수 잇것습니다.〉

병호는 시야가 흐려와서 더 이상 읽을 수가 없었다. 그는 북받치는 감정을 억누르면서 유서를 들고 일어섰다.

「너무 상심하지 마십시오. 곧 찾도록 하겠습니다.」

택시 속에서 그는 나머지 유서를 읽었다.

〈불상하고 불상한 어멈에게

불상한 어멈은 내가 죽뜨라도 굿새게 살아가소. 어멈은 아직 절믄께 새사람 만나서 행복허게 잘 사라 갈 수 잇슬 거요. 태영이를 바서라도 죽지 말고 굿새게 사라가소. 나는 저승에서 어멈이 잘 살기를 빌것소. 불상한 어멈은 태영이를 버리지 말고 서로 마음 합패서 잘 사라가소. 내가 주것다고 슬퍼하지 마소. 그리고 나를 찾지 마소. 나는 살만큼 사랏응께 이만 가네. 불상한 어멈 잘 잇소. 건강하게 잘잇소.〉

세번째 유서는 아들에게 보낸 것으로 부정(父情)이 넘쳐 흐르고 있었다. 그것을 읽는 병호의 손이 떨리고 있었다.

〈아들 태영이에게

태영아, 이 못난 애비가 마지막으루 부탁하는 거니 잘 드러

300

라. 못난 애비 때매 니 고생이 심할 걸 생각하문 내 가슴은 찌
저지는 것만 같구나. 지발 얼른 병이 나사 어미와 함께 행복
하게 잘 살기 바란다. 니가 어미를 원망할찌 모르지만 세상에
네 어미처럼 불상한 사람도 업다는 걸 아르라. 네 어미는 오
직 너만을 바라보고 살고 있다. 부디 어미 말을 잘듯기 바
란다. 사람은 참는데 복이 있는 거시다. 이 못난 애비가 먼저
간다고 서러워하지 마러라. 나는 살만큼 살고 죽는 거시니 한
될거시 업다. 나는 벌써 옛날에 주것을 목숨이다. 지금까지
사라 잇는 것만도 큰 다행이 아니 것느냐. 부디부디 어미 말
잘듣고 굿새게 살기를 바란다.〉

병호는 살신성인(殺身成仁)의 인간상을 보는 것 같았다. 황바
우의 주름진 얼굴이 마치 거대한 석고상처럼 그의 앞을 가로막
고 있었다. 감히 그는 머리를 들고 황바우를 바라볼 수가 없
었다.

호텔에는 S신문 사장과 주필, 그리고 편집국장을 비롯한 간
부진들이 몰려와 그를 기다리고 있었다. 그들과 인사를 나눌 사
이도 없이 병호는 엄기자에게 황바우의 유서를 넘겨주었다.

「황노인이 유서를 남겨놓고 사라졌어.」

「뭐라고?」

모든 사람들이 일어섰다. 유서를 읽어본 그들은 놀란 얼굴로
서로를 쳐다보았다.

「빨리 찾도록 합시다.」

S신문의 젊은 사장이 간부들을 둘러보며 말했다. 곧 S신문의
사회부에 비상이 걸렸다. 편집국장이 직접 시경(市警)및 시내
각 경찰서 출입기자들에게 전화를 걸고, 나머지 기자들에게는
각 병원의 시체실을 뒤지게 했다. 그리고 지방주재 기자들에게
도 연락을 취했다.

사실이 알려지자 경찰이 협조에 나섰다. 각 파출소마다 순찰

이 강화되고, 사복경찰 수백 명이 거리고 쏟아져나왔다.

밤늦게 눈이 펑펑 쏟아지기 시작했다. 사람들은 눈을 맞으며 밤새도록 황바우의 행적을 찾았으나 그는 어디로 갔는지 행방이 묘연했다. 병호도 뜬눈으로 밤을 새웠다.

이날 밤 황바우는 광나루 근처의 한강변을 헤매고 있었다. 워커힐의 불빛이 바라보이는 모래사장 위에 주저앉아 소주 두 잔을 단숨에 들이키고 난 그는 한참동안 아이처럼 소리내어 울었다. 그러나 눈내리는 추운 겨울 밤에 강변에까지 나와 그의 울음소리를 듣는 사람은 아무도 없었다.

이미 몽롱한 의식 속으로 떨어진 그는 신발조차 벗어버린 채 상류 쪽으로 흐느적흐느적 걸어갔다. 눈보라가 쏟아지고 있었으므로 그는 눈을 잘 뜰 수가 없었다. 얼굴에 부딪히는 차가운 감촉과 희끄무레한 눈의 소용돌이에 그는 문득 슬픔 대신 환희 같은 것을 느꼈다. 그것은 죽음을 맞이한 인간이 순간적으로 느끼는 그런 것이었다.

그는 걸음을 멈추고 강 건너 산 위에 흐릿하게 떠 있는 워커힐의 불빛을 바라보았다. 저런 데서는 훌륭하고 행복한 사람들이 살고 있겠지. 이상하다. 감옥문이 보이네. 감옥에서 나오던 날도 이렇게 눈이 왔었는디……. 역시 나한테는 거기가 좋아. 거기에 들어가 있으문 많은 생각을 할 수 있거든.

지리산 더덕은 역시 맛이 있어. 그걸 고추장에 찍어 먹으문 맛이 그만이지. 치알봉 올라가는 비탈에 봄이면 온통 빨갛게 피는 그 꽃들, 이름이 뭐드라. 늙어서 이젠 생각이 잘 안 나는군. 그 꽃을 따먹고 배가 아파서 죽을 뻔했었지. 그건 먹어서는 안 돼. 벌써 옛날 일이야. 아, 저기 감옥문이 열리네. 아, 저건 우리 어멈하고 아들이 아닌가.

발치에 강물이 검은 빛을 띠면서 부풀어 오르고 있었다. 눈이 오자 강물이 녹아내리고 있었다. 다리가 떨리고 눈이 자꾸만 감겨왔다. 왜 이렇게 잠이 오지. 황바우는 한 손을 틀어 휘젓다가 무릎을 꺾으면서 앞으로 푹 쓰러졌다. 머리가 물 속으로 빠지는 소리가 첨벙하고 났다. 머리만 물 속에 잠기고 나머지는 모래바닥에 그대로 남았다. 그는 몸을 흔들면서 앞으로 조금 기어갔다. 그 바람에 상체가 물 위로 불쑥 솟았다가 다시 첨벙하고 밑으로 떨어졌다. 그리고는 꾸루룩하는 물거품소리와 함께 그의 몸은 움직이지 않았다. 물에 잠기지 않은 하체 위로 금방 눈이 허옇게 쌓여갔다. 눈보라는 더욱 거세어지고 있었다.

황바우의 시체가 발견된 것은 이튿날 아침 늦게였다. 상류쪽에서 짐을 싣고 내려오던 거룻배 사공이 사람의 형체 같은 것이 눈에 덮여 있는 것을 발견하고는 호기심에서 가까이 다가와 긴 장대로 그것을 건드려 보았다. 틀림없이 사람의 시체였다. 그러나 사공은 배에 타고 있어서 즉시 경찰에 신고할 수도 없었다. 강 하류로 내려와 짐을 다 부리고서야 그는 어슬렁어슬렁 파출소로 찾아갔다.

이야기를 듣고 난 파출소장은 직접 한강 상류로 달려가보았다. 그리고 죽은 사람이 수배인물과 비슷한 것을 알고는 즉시 본서에 연락을 취했다.

吳炳鎬

황바우의 시체는 얼어서 바싹 굳어 있었다. 병호는 경찰과 함께 직접 시체를 앰블런스에 실었다. 손지혜는 몸부림치면서 시체를 붙들고 울었다. 병호는 만일을 염려해서 손지혜의 곁을 떠나지 않았다. 그 자신은 슬퍼할 겨를도 없었다. 검시 결과 황바우는 술에 수면제를 타 먹은 것으로 밝혀졌다. 손지혜가 잠이 오지 않아 복용하던 수면제를 그가 모두 쓸어다가 먹어버린 모양이었다. 시체는 태영이 입원해 있는 대학병원 시체실에 임시로 수용되고, 손지혜와 병호, 그리고 엄기자가 시체실 옆에 마련된 빈소(殯所)에서 밤을 새우기로 했다. 엄기자는 무얼 좀 먹었지만 손지혜와 병호는 아무것도 입에 대지 않았다. 손지혜는 거의 실성한 사람이나 다름없었다.

그날의 S신문 기사는 최종적으로 사건을 마무리짓고 있었다. 거기에는 황태영이 한동주의 사주를 받고 정신이상 상태에서 범행을 저지른 사실, 그의 인사불성상태, 그리고 황바우의 자살 등이 소상하게 취급되어 있었다. 특히 황바우의 자살과 유서는 큰 충격을 던졌다. 많은 사람들이 그의 죽음을 애도하고, 그의 거룩한 행동에 깊은 경의를 표했다.

한편 Y신문은 더 이상 버텨볼 재간이 없어져버렸기 때문인지 처음과는 달리 숫제 이 사건을 외면한 채 침묵해버렸다. 이 사건을 취급한 이래 Y신문은 신용이 추락될 대로 추락되고 부수도 형편없이 떨어지고 있었다.

초저녁에 시체실로 형사 두 명이 찾아와서는 병호를 불러냈다. 병호는 이미 각오하고 있었던 터라 그들을 따라 밖으로 나갔다. 엄기자도 따라나섰다.

눈은 많이 그쳐 있었지만 아직도 조금씩 내리고 있었다. 그들은 천천히 걸으면서 이야기했다.

「이번에 공이 많은 줄 알고 있습니다만…… 같이 좀 가셔야겠습니다.」

「한 이틀간만 더 기다려주실 수 없겠습니까? 내일 장례식에도 참가해야겠고, 정리할 게 조금 남아 있어서 그런데……」

병호는 두 형사들을 보지 않고 말했다.

「곤란하군요. 저희들도 봐 드리고 싶습니다만 상부의 지시도 있고, 또 여기에만 매달려 있을 수도 없는 일 아닙니까. 형식적인 거니까 조사만 받고 나면 무죄로 나올 수 있을 겁니다.」

그러자 엄기자가 신분을 밝히면서 끼어들었다.

「같은 경찰끼리 뭐 이러실 필요 있습니까. 지금 오형사가 빠지면 안됩니다. 이틀간만 기다려 달라는데, 그런 사정도 못 봐 줍니까. 이틀 후에는 자진해서 자수할 겁니다. 도망칠까봐 염려하시는 모양이신데, 그렇게 생각하신다면 오형사에 대한 모욕입니다. 시시하게 도망칠 위인이 아닙니다. 도망가야 할 이유도 없구요. 더구나 오형사는 우리 S신문이 지원하고 있기 때문에 뒷일은 모두 신문사가 책임지겠습니다. 못 믿으시겠다면 S신문 사장의 서명을 받아오겠습니다.」

이쪽의 저항이 완강했기 때문에 형사 두 명은 자기들끼리 작은 소리로 상의하고 나서 이렇게 말했다.

「좋습니다. 그렇다면 이렇게 해주십시오. S신문 사장이 직접 고위층에 전화를 걸도록 해주십시오. 그러면 별문제가 없을 것 같은데……」

「그거야 어렵지 않습니다. 얼마든지 전화를 걸도록 하겠습니다.」

다행히 형사들은 더 이상 까다롭게 굴지 않고 돌아갔다. 형사들 외에도 빈소를 찾아오는 사람들이 더러 있었다. 대부분 젊은 여자들이었는데 그들은 황바우의 관 위에 말없이 꽃을 놓고 돌아갔다.

날이 완전히 어두워지자 해옥이 아버지와 함께 나타났다. 조판사는 빈소에 분향한 다음 손지혜를 위로했다. 그러나 지혜는 멀거니 조판사를 쳐다볼 뿐 아무 반응도 보이지 않았다. 해옥은 시종 눈물을 글썽이고 있었다.

밤이 깊어지자 이젠 찾아오는 사람도 없어졌다. 병호와 엄기자는 지난 밤부터 잠을 못 잤기 때문에 몹시 피곤했다. 너무 피곤해서 머릿속이 멍한 상태였다.

손지혜는 무릎 위에 머리를 묻은 채 꼼짝않고 앉아 있었다. 침침한 불빛 아래 머리를 산발한 채 그렇게 앉아 있는 모습을 보니 여간 불안하지가 않았다. 금방이라도 발작이 일어날 것만 같았다. 병호는 처음에 몇 마디 위로 말을 했지만 나중에는 그녀가 전혀 말을 듣지 않고 있음을 알고는 더 이상 말을 꺼내지 않았다. 그녀의 슬픔은 너무도 크고 깊은 것이었으므로 무엇으로도 그녀를 위로할 수가 없을 것 같았다. 그녀의 감정을 건드릴까봐 병호와 엄기자는 서로 삼가했다. 사실 병호는 그 자신이 손지혜 이상으로 충격을 받고 있었으므로 누구를 위로할 마음의 여유도 없었다.

아마 앉은 채로 잠이 들었던 모양이다. 병호는 엄기자의 코고는 소리에 눈을 떴다. 엄기자는 아예 드러누워 자고 있었다. 그런데 손지혜가 보이지 않았다. 곧 들어오겠지. 병호는 별 생각

없이 도로 눈을 감았다. 다시 그는 잠이 들었다가 눈을 떴다. 상당히 시간이 흐른 것 같았다. 그때까지도 손지혜는 보이지 않았다. 그제야 병호는 정신이 번쩍 들었다. 그는 벌떡 일어나서 엄기자를 걷어찼다.

「큰일 났어!」

엄기자는 놀라서 허둥지둥 일어났다. 그리고 병호를 따라 뛰어나왔다. 병호는 시체실문을 열고 안으로 뛰어들어 갔다. 음침한 불빛 아래 손지혜의 모습이 보였다. 그녀는 황바우의 관 위에 쓰러져 있었다. 어느새 몸은 싸늘하게 식어 있었고, 온통 피투성이였다. 면도날로 동맥을 자른 모양이었다. 비로소 병호는 피비린내를 느꼈다.

엄기자가 소리를 지르면서 밖으로 뛰어나갔다. 병호는 손지혜를 마구 흔들어보았다. 충격을 느꼈던지 조금 후에 그녀가 스르르 눈을 떴다.

「너무 하십니다! 이게 무슨 짓입니까! 태영이는 어떻게 하란 말입니까!」

병호는 거의 울부짖다시피 외쳤다. 손지혜는 바싹 마른 입술을 조금 움직였다. 그러나 소리가 되어 나오지는 않았다. 겨우 「묘, 묘련이……」 하다가 그녀는 도로 눈을 감아버렸다. 지금까지 받아온 온갖 슬픔을 하나도 빼놓지 않고 가져가겠다는 듯 그녀는 한번 깊이 숨을 들이켰다. 그리고는 힘없이 머리를 옆으로 떨어뜨렸다.

연락을 받은 당직 의사가 눈을 비비면서 달려왔다. 의사는 그녀의 손목과 가슴을 짚어본 다음 눈을 들여다보았다.

그리고는 고개를 저었다.

「피를 너무 많이 흘렸군요. 이미 숨졌습니다.」

병호는 한 손으로 그녀의 손을 잡고 다른 한 손으로는 그녀의 헝클어진 머리를 쓰다듬었다. 그는 자꾸만 그 머리를 쓰다듬었다. 눈을 감은 손지혜의 얼굴은 유난히도 아름다와 보였다. 소복에 흥건히 젖은 피 때문일까, 얼굴에는 신비한 기운까지 서려 있었다. 그 얼굴 위로 병호가 흘리는 뜨거운 눈물이 뚝뚝 떨어졌다. 그는 몸을 떨면서 소리없이 울었다. 무릎을 꿇고 허리를 굽힌 채 처참하게 흐느껴 울었다.

그의 슬픔은 단순한 슬픔 이상의 것이었다. 그것은 마치 외로운 방랑객이 오랜 여행 끝에 고향에 돌아와 새삼스럽게 자신의 비참함과 생의 허무함을 깨닫고는 울음을 터뜨리는 그런 모습이었다. 무엇을 찾아 지금까지 헤매었던가. 황바우도 죽었고, 손지혜도 죽었다. 남은 것은 아무것도 없었다. 이 어쩔 수 없는 힘 앞에 그는 더욱 패배감을 느꼈고 그래서 더욱 분노를 느꼈고 그런 나머지 절망적인 몸부림을 했다. 아아, 차라리 모른 체할 것을……. 그랬더라면 황바우도 손지혜도 살아 있을 것이 아닌가. 괜한 영웅심이 두 사람을 죽게 했다. 그렇다. 나는 영웅심에 사로잡힌 놈이다. 어떻게 하겠는가. 책임을 져라. 책임을 지란 말이다. 한낱 보잘 것 없는 자식. 쓰레기 같은 자식…….

병호의 우는 모습을 보다 못한 엄기자는 밖으로 나왔다. 그는 담배를 피워물고 어둠을 응시했다. 얼굴에 뜨거운 감촉을 느끼고서야 그는 자신도 울고 있다는 것을 알았다. 그칠 것 같던 눈이 다시 펑펑 쏟아지고 있었다.

날이 밝자 병호와 엄기자는 서둘러 일을 처리했다. 일단 슬픔을 넘긴 병호는 돌처럼 굳은 얼굴로 돌아가 있었다. 곧 각 신문사 기자들과 경찰이 달려오고, 형식적인 절차가 끝난 뒤 손지혜의 시체는 관 속으로 들어갔다. 관 뚜껑을 두드리는 망치소리가 주위를 쿵쿵 울릴 때 모든 사람들은 그 자리에 못박힌 듯 서 있었다. 모두가 이상한 착각에 빠져 있는 모습들이었다. 망치 소리가 멎자 병호와 엄기자는 밖으로 나왔다.

그때 박기자가 뛰어오는 것이 보였다. 박기자는 가까이 다가

오더니 헐떡거리면서 말했다.

「김윤배 검사와 조중현 대법원 판사가 사표를 제출했습니다. 조판사는 20여년 전 광주 고등법원에 있을 때 황노인에게 사형 대신 무기징역을 내린 사람이랍니다. 조판사는 양심상 도 저히 판사직에 앉아 있을 수 없다고 말하면서, 황노인은 무죄 라고 밝혔습니다. 그리고 태영군의 치료비를 대겠다고 약속 했습니다. 김검사도 치료비를 내겠다고 나섰습니다.」

병호와 엄기자는 묵묵히 서로를 바라보았다. 이윽고 엄기자 가 중얼거렸다.

「아직 양심적인 사람들이 남아 있긴 하군.」

병호는 아무 말도 하지 않았다.

그는 양묘련이를 만나기 위해 먼저 신문사 차를 타고 수녀원 으로 향했다.

반 시간쯤 지나 두 대의 앰블런스가 대학병원 정문을 천천히 빠져나왔다. 그 뒤를 각 신문사 차와 경찰 지프가 따라 나왔다. 정문에서는 닥터 차와 정신과 과장이 나란히 서서 앰블런스를 향해 목례를 보내고 있었다.

눈쌓인 길 위를 차들은 느릿느릿 굴러갔다. 눈은 더욱 세 차게 내리고 있었다.

병호는 꼼짝도 하지 않은 채 정면만 응시하고 있었다. 시내를 벗어나자 시야는 완전히 흰색으로 덮여 있었다. 굵은 눈송이가 차창으로 쏟아져 내리다가는 흩어지곤 했다.

양루시아(양묘련)는 많이 수척해 있었다. 병호의 방문을 받 은 그녀는 별로 놀라는 것 같지가 않았다. 이미 신문을 보고 모 든 것을 알고 있는 듯한 눈치였다. 그러나 어머니가 죽은 것은 아직 모르고 있었다. 머리를 다소곳이 숙인 채 조용한 자세로 병호의 말을 듣고난 그녀는 한쪽으로 돌아서서 잠시 눈물을 닦 았다.

검은 수녀복 위로 연약한 어깨가 갸냘프게 떨리는 것을 보자 병호는 가슴이 콱 막혀왔다.

그는 차마 지켜볼 수가 없어 먼저 차도로 내려왔다. 조금 후에 양루시아는 단정한 모습으로 나타났다. 눈물을 흘린 흔적이라곤 조금도 찾아볼 수가 없었다. 어린 나이인데도 불구하고 수도(修道)에 전념하고 있는 사람의 정숙하고 단아한 기품이 몸 전체에 배어 있었다.

차가 화장터에 도착할 때까지 그들은 아무 말도 나누지 않았다. 병호는 무슨 말인가 해야 한다고 생각했지만 한 마디도 말이 되어 나오지가 않았다.

화장터에는 벌써 앰블런스가 와 있었다. 양루시아가 나타나자 기자들이 몰려들면서 사진을 찍고 질문을 던졌다. 그러나 양루시아는 일체 사람을 쳐다보지도 않았고 대답도 하지 않았다. 그녀는 화덕 앞에 놓여 있는 두 개의 관 앞에 다가서더니 잠깐 망설이는 것 같았다.

「이쪽입니다.」

병호가 왼쪽편 관을 가리키자 그녀는 성호를 긋고는 두 손을 관 위에 올려놓았다.

「보시겠습니까?」

병호의 물음에 그녀는 고개를 끄덕거렸다. 인부가 관 뚜껑을 우악스럽게 뜯었다.

이윽고 뚜껑이 열리자 그녀는 관 속을 가만히 들여다보았다. 한동안 그렇게 꼼짝않고 서 있었기 때문에 그녀의 검은 수녀복은 금방 눈으로 하얗게 덮여버렸다.

그녀의 희고 작은 손이 밑으로 내려가더니 어머니의 손을 가만히 잡았다. 그녀는 그 손을 들어 올리더니 거기에 입술을 갖다댔다. 그녀의 감은 두 눈에는 눈물이 흘러내렸다.

그러나 그녀는 곧 정신을 차린 듯 몸을 바로했다. 다시 성호를 긋고 난 그녀는 황바우의 관 앞에서도 성호를 그었다. 그리고는 두 손을 동시에 어머니와 황바우의 관 위에 올려놓았다. 곧 뒤로 물러선 그녀는 두 손을 마주잡고 기도를 올렸다.

기도가 끝나자 두 개의 관은 차례대로 구멍 속으로 밀려 들어갔다. 화덕 문을 닫고 난 인부가 양루시아에게 물었다.

「함께 할까요, 따로 따로 할까요?」

「함께 해주세요.」

그녀가 처음으로 입을 열어 말했다.

곧 검은 연기가 하늘로 치솟아 올랐다.

작업이 끝날 때까지 일행은 휴게실에서 서성거리고 있었다. 양루시아는 창가에 서서 눈내리는 들판을 바라보고 있었다. 위로를 한다는 것이 오히려 이상했기 때문에 병호는 따로 떨어져 처마 밑에 서 있었다.

화장터 입구에 택시가 한 대 서더니 웬 여인이 한 사람 내렸다. 여인은 조심스럽게 주위를 둘러보다가 병호가 서 있는 쪽으로 다가왔다. 해옥이었다.

「늦게야 알았어요.」

그녀가 침울하게 말했다.

「오시지 않아도 될 텐데……」

병호는 중얼거렸다.

「저기, 저 여자가 손여사님 따님인가요?」

「네, 양루시아입니다.」

해옥은 한참 동안 양루시아의 뒷모습을 바라보았다. 그때 화장터까지 따라온 형사 두 명이 병호 앞으로 걸어왔다. 그들 중의 하나가 좀 주저하다가 말했다.

「또 말씀드려서 미안합니다. 이젠 모든 일이 끝나지 않았습니까?」

「네, 그런 것 같습니다.」

병호는 무감동하게 대답했다.

「상부에서 오늘 중으로 모셔오라는 지시가 있어서……」

「네, 그렇지 않아도……」

병호와 해옥의 시선이 부딪혔다. 그는 해옥의 불안하고 호소하는 듯한 시선을 피했다.

「화장이 끝나는 대로 가시죠.」

형사가 다짐하는 투로 말했다. 병호는 그 형사를 잠시 쏘아보았다.

「그렇게 할 수는 없습니다. 마지막으로 한 가지 일이 남아 있습니다.」

「무슨 일입니까?」

「저 수녀를 데려다줘야 합니다.」

병호는 양루시아를 턱으로 가리켰다.

그의 태도는 확고했다. 형사들은 기분이 상했는지 표정이 굳어졌다.

「그렇다면 우리 차로 함께 가시죠. 모셔다드리겠습니다.」

「좋습니다. 수고를 끼쳐드려 미안합니다.」

병호는 정중하게 말끝을 맺었다. 화덕 옆의 철문이 열리더니 허리가 굽은 노인이 흰 보자기에 싼 것을 들고 나왔다.

노인은 땀을 흘리고 있었다.

「두 분을 함께 모셨습니다.」

노인은 풍기가 있는지 떨리는 목소리로 말했다. 병호는 유골함을 받아들고 잠깐 그것을 내려다보았다. 황바우와 손지혜의 뼈가 한줌 가루가 되어 그 속에 들어 있다는 것이 도무지 믿어지지가 않았다. 양루시아는 성호를 긋고는 유골함을 품안에 안았다. 병호는 유골을 어떻게 하겠느냐고 물으려다가 그만 두었다. 일행은 경찰 지프쪽으로 다가갔다. 엄기자가 따라오려는 것을 병호는 굳이 말렸다.

「곧 면회갈께.」

엄기자는 몹시 화가 나서 소리쳤다. 병호는 웃으면서 그와 악수했다. 박기자와도 웃으면서 악수했다. 마지막으로 병호는 해옥의 손을 잡았다가 놓았다. 해옥은 눈물을 글썽이고 있었다. 차가 떠나자 그녀는 몇 발짝 따라오면서 말했다.

「몸조심하세요. 면회 가겠어요.」

병호는 웃었다. 차가 속력을 내자 그는 고개를 돌리고 앞을 쏘아보았다.

차 안에는 형사 두 명까지 타고 있었지만 아무도 입을 열지 않았다. 병호는 계속 눈 오는 들판만을 바라보았다. 양루시아는 유골함을 가슴에 품은 채 똑바로 앉아 있었다.

병호와 양루시아가 차도에서 차를 내려 숲속 오솔길로 걸어가자 형사들도 따라왔다. 그러나 그들은 중간쯤에서 걸음을 멈추고 병호가 돌아오기를 기다렸다.

병호는 수녀원 문 앞에까지 양루시아와 함께 걸어갔다. 문앞에 이르자 그들은 잠시 거기에 서 있었다.

「종종 틈나는 대로 태영군한테 가보십시오.」

병호의 말에 양루시아는 고개를 끄덕였다. 이윽고 수녀원의 육중한 철문이 열렸다. 그녀는 병호에게 고개를 숙여 인사했다. 그리고 안으로 들어가자 다시 병호에게 목례를 보냈다.

돌아선 병호의 등 뒤에서 철문이 쾅 소리를 내면서 닫혔다. 병호는 천천히 오솔길을 내려왔다. 형사 둘이 담배를 피우면서 그를 바라보고 있었다. 병호는 길을 벗어나 숲속으로 들어갔다.

「어디 가십니까?」

형사가 소리쳤다. 병호는 돌아보지 않고 말했다.

「소변 좀 보겠습니다.」

병호는 형사들이 보이지 않는 데까지 걸어갔다. 눈이 많이 내렸기 때문에 정강이까지 푹푹 빠져들었다. 큰 소나무 앞에 이른 그는 잠시 눈 오는 하늘을 바라보았다. 조금 떨어진 밤나무 가지 위에 갈가마귀떼가 앉아 있는 것이 보였다. 그는 품속에서 피스톨을 꺼내 들었다. 아직 한 방이 남아 있을 거야. 아내한테 빨리 가야지. 너무 오래 혼자 내버려 뒀어. 얼마나 외로웠을까. 병호는 이렇게 중얼거리면서 총구를 가슴에 대고 방아쇠를 당겼다.

조용한 하늘에 요란한 총성이 울렸다. 놀란 갈가마귀떼가 하늘로 높이 날아올랐다. 총성은 길게 여운을 끌다가 뚝 그쳤다. 최후의 증인은 나무를 붙잡고 서 있다가 눈 위로 풀썩 쓰러졌다.

눈을 받아먹고 싶은 듯 그는 입을 약간 벌린 채 멍하니 하늘을 바라보고 있었다. *

◇憂愁의 文學

作家와 作品에 대해

白 承 喆 (文學評論家)

《最後의 證人》은 1974년 韓國日報가 창간 20주년 기념사업의 하나로 시행한 長篇小說 모집에 당선된 作品으로, 文壇史上 일찍이 없었던 2백만 원이라는 가장 큰 賞金을 획득했다는 점으로 해서 많은 화제를 불러일으켰던 小說이다.

作家 金聖鍾과는 오랜 交友관계에 있는 만큼 나는 누구보다도 관심있게 이 작품을 읽었었다. 韓國日報에 1년 동안 연재되는 동안 나는 완전히 이 작품에 심취되어 있었고, 스토리의 흥미진진함과 비극에 대한 미학적 처리, 가슴을 뭉클하게 하는 작가의 휴머니티에 몹시 감동을 받았다. 이러한 감동은 비단 나뿐만 아니라 이 작품을 읽은 사람이면 누구나 같은 느낌을 받았으리라고 생각한다.

오랜 知己이면서도 우리는 어쩌다가 상대방으로부터 지금까지 몰랐던 새로운 면을 발견하고는 깜짝 놀라게 되는 경우가 있다. 이 작품을 읽고 난 나는 작가 金聖鍾에 대해 확실히 놀라움을 느꼈던 것이 사실이다. 그는 내가 모르는 또 하나의 다른 얼굴을 숨겨가지고 다녔던 것이 분명하다.

이 작품에서 그는 지금까지 없었던 추리적인 수법을 사용함으로써 스토리 전체를 미궁과 흥미 속으로 몰아넣고 있다. 추리 수법을 아직 손대는 사람이 없고, 또 그러한 것이 별로 각광을 받지 못하는 마당에서 그는 확실히 성공적인 추리 솜씨를 보이고 있다.

살인혐의로 20여년 간 옥살이를 하고 나오는 어느 60대 노인의 모습에서 먼저 우리는 이 작품의 憂愁를 느끼게 된다. 출옥과 동시에 연달아 일어나는 살인사건, 이 사건을 쫓는 吳炳鎬 형사의 집념과 인간애, 20여년이라는 기나긴 세월 속에 뒤엉킨 사건 전모, 바닥에 탁류처럼 흐르고 있는 6·25의 비극, 이러한 것들을 대하는 동안 우리는 작가의 눈이 얼마나 깊이 있게 문제를 파헤치는가를 알게 된다.

추리적 수법을 사용했으면서도 이 작품은 문학적 형상화에도 성공하고 있다. 이 작품의 이러한 성공과 인기는 무엇보다도 작품 전체에 흐르고 있는 悲劇美와 휴머니티 때문이라고 볼 수 있다. 특히 吳炳鎬라는 인물을 통해 작가는 휴머니티를 매우 감동적으로 구현시키고 있다. 吳炳鎬라는 인물은 그의 다른 작품 《어느 娼女의 죽음》에서도 나오고 있다. 이 유니크한 인물에게서 우리는 고독과 우수, 우리가 함께 앓고 있는 고뇌의 얼굴을 보게 된다.

金聖鍾은 누구보다도 상상력이 풍부한 작가다. 이 상상력을 동원해서 계속 매력적인 작품을 발표하리라고 나는 확신하고 있다. 시류에 편승하다 단명하게 사라지는 군소작가들과는 달리 그는 지금까지 가려왔던 베일을 벗고 태산처럼 서서히 웅장하게 부상하고 있다. 그 첫 신호로서 《最後의 證人》의 출간을 나는 누구보다도 기뻐하고 싶다. ■

김성종 추리문학 전집·2
최후의 증인 (하)

초판발행 1979. 2. 10.
중판발행 1993. 2. 20.

지은이 김성종
펴낸이 김인종

발행처 도서출판 남도
서울 강동구 천호동 451
산경빌딩 5층 3—1호(134—023)
전화 488—2923·4/팩스 473—0481
등록/제1—73호(1978. 6. 26.)

값 4,500원

ISBN 89—7265—011—0 33800